« Le soir de la vie apporte avec lui sa lampe. »

Joubert

LAVE-TOI LES MAINS, MON FILS, ET PÈLE-MOI UNE ORANGE...

Données de catalogage avant publication (Canada)
Marnay, Eddy, 1920-
Lave-toi les mains, mon fils, et pèle-moi une orange
Autobiographie.
ISBN 2-7604-0358-0
1. Marnay, Eddy, 1920- . 2. Paroliers — France — Biographies. I. Titre.
ML423.M37A3 1990 780.26'8'092 C-90-096083-3

Photo de la page couverture : Stanké

ISBN 2-7604-0358-0

Dépôt légal : premier trimestre 1990

IMPRIMÉ AU CANADA

Edmond David Bacri
(Eddy Marnay)

LAVE-TOI LES MAINS, MON FILS, ET PÈLE-MOI UNE ORANGE...

Stanké

à mes frères
à ma fille
à Mia

Elle avait une vue très amoindrie par une double cataracte et elle n'entendait plus que faiblement d'une oreille. Et pourtant, par moments, un grain de poussière sur le sol ou un faible murmure de chat faisaient inexplicablement réagir ses sens de manière aiguë.

Mystère des infirmités séniles. Elles sont si pleines de contradictions qu'on se demande quelle est la part de la déficience et celle du renoncement.

Fatigués d'avoir trop usé d'eux-mêmes, les vieux commencent-ils vraiment par perdre leurs facultés ou bien se retirent-ils d'un monde qui ne veut plus d'eux en renonçant insensiblement à le voir et à l'écouter ? Ne prennent-ils pas prétexte d'une infirmité naissante, ne l'aggravent-ils pas plus ou moins consciemment pour s'en servir ensuite comme d'un alibi à l'isolement qu'ils ont choisi par orgueil, par dépit, par désespoir ?

Je me suis souvent posé la question, douloureusement. J'ai toujours mal supporté de voir les vieux rudoyés par leur entourage, par leur médecin : « Vous voyez bien que vous voyez ! Vous voyez bien que vous entendez ! Il faut vous secouer ! »

Je revois le pincement de lèvres pitoyable de ma mère, sourire de résignation, de lassitude, l'air de dire : « Vous ne me croyez pas... quelle tristesse ! » Un petit hochement de tête : « Eh oui, on est seule quand ceux qui vous ont vue protectrice et forte ne vous acceptent pas diminuée. »

Peuvent-ils deviner, les vieux, que leurs vieux enfants, en les malmenant, ne font que rejeter l'image de la déchéance dont ils se sentent eux-mêmes guettés ? Un ancêtre qui faiblit, c'est la disparition du dernier rempart contre la mort. C'est cela, la génération d'avant : celle qui va mourir la première.

Seule dans l'obscurité et le silence de son « troisième âge », ma mère hésitait entre vouloir vivre et vouloir mourir.

Vivre ne consistait plus pour elle qu'à être suspendue au caprice des visites familiales. L'odeur d'eau de Cologne du Mont-Saint-Michel qui m'accueillait lorsqu'elle m'ouvrait sa porte, les petits gâteaux secs extraits de leur boîte en fer et soigneusement déployés dans une assiette au milieu de la table, les verres à pois ou à rayures prêts à recueillir quelques gouttes d'un sirop de fraise, les serviettes en papier, l'ordre parfait de la pièce, la paperasserie tracassière sortie des tiroirs et dont je la débarrassais, moi qui étais souvent incapable de faire face à mon propre courrier... tout indiquait l'importance de mes visites, le besoin qu'elle en avait, son désir de me voir arriver, désir tellement fort, tellement grand qu'il se muait, à peine satisfait, en une terreur de me voir repartir. Sa première phrase était pour me demander combien de temps je pourrais rester avec elle. Et que la réponse fût une heure ou deux ou trois, ou même la journée, les mots avaient peine à franchir mes lèvres car je savais que sa soif de présence ne supportait pas le dosage de nous-mêmes que la vie nous impose. Sa détresse de me perdre commençait avec sa joie de me retrouver et détruisait déjà son plaisir.

Il faut être de la race de ceux qui n'ont jamais grandi et qui jamais n'ont pu se faire aux séparations pour comprendre que ma mère n'était ni capricieuse ni exigeante, mais qu'elle restait vraie dans un monde de plus en plus couvert de masques.

Seule dans l'obscurité et le silence de son troisième âge, ma mère hésitait entre vouloir vivre et vouloir mourir. Vivre durait le temps de l'attente et de la visite. Le reste de la journée, c'était déjà la mort.

Je réglais ses comptes, tenais son carnet de chèques, veillais à ce que tous autour d'elle : femme de chambre, infirmière, directrice de la maison de repos, soient bien traités, gâtés. Il fallait toujours acheter un cadeau, des chocolats. Dans ces gestes, il y avait beaucoup de reconnaissance pour tous ces gens qui l'aidaient à vivre, mais aussi la peur panique, constante, d'être oubliée et un besoin de se faire aimer. Elle était comme tous les êtres humains qui disent ou ne disent pas ces choses mais qui ne sont différents que par ce qu'ils montrent et semblables par ce qu'ils cachent.

Affaiblie dans ses perceptions directes, elle avait développé ses instincts premiers et humait la vie comme un écureuil craintif. Rien ne lui échappait. Si l'on échangeait un regard devant elle, elle saisissait l'échange et nous demandait ce qu'il en était. Une réflexion à voix basse et elle sautait dessus. Pourtant, elle ne voyait pas, n'entendait pas, ne bougeait presque pas de son fauteuil, mais elle était là, réceptive à l'excès, comme elle l'avait été toute sa vie. Au point que si j'étais triste, elle démasquait mes faux sourires et me demandait ce qui me tracassait. Si, un jour sans obligation professionnelle, j'avais trop rapidement enfilé un pull ou un blouson pour aller la voir, elle notait ma tenue négligée. C'était fascinant et triste, cette femme tellement douée pour recevoir la vie et qui la percevait si douloureusement dans son vieil âge, après qu'elle lui eût été infernale dans son enfance et pathétique au fil des années.

Cet après-midi de janvier, je la trouvai assise de profil dans la pénombre chèrement cultivée de son *bungalow,* ruminant les quelques demandes qu'elle avait à me faire : un chèque à rédiger, un billet à mettre sous enveloppe pour la femme de chambre, une ordonnance à déchiffrer, un message à porter de l'autre côté du parc à la directrice. Nous parlions depuis un long moment, ou plutôt j'essayais d'alimenter un type de conversation pour lequel j'étais peu doué : les choses, les gens, les mariages, les naissances, le temps, les potins... Jamais autant qu'en face d'elle je n'ai déploré de n'affectionner que les abstractions, les idées, les perspectives, et de faire peu de cas de la routine quotidienne.

Nous en étions à un silence prolongé à peine troublé par la vague rumeur des voitures qui sillonnaient en contrebas les abords de Grasse lorsque, le soir venant, je l'entendis me dire : « Lave-toi les mains, mon fils, et pèle-moi une orange. »

Cette phrase me cueillit de plein fouet. Je restai comme interdit, au bord d'un rire incrédule. Le rite de l'orange m'était connu. Personne n'aima jamais les fruits autant qu'elle. Ils compensaient la frugalité de ses repas car elle mangeait comme elle vivait, avec la discrétion d'un moineau. Mais il y avait si longtemps qu'on ne m'avait ordonné de me laver les mains... Mon amour-propre vacillait. Je guettai une explication.

La malice insistante de son sourire m'invitait à respirer mes mains et je dus forcer mon odorat pour y trouver une trace de poisson. J'avais devant moi l'ombre de ma mère, une femme discrète qui avait traversé la vie comme un tulle transparent et qui, à quatre-vingt-huit ans, recroquevillée dans son fauteuil, semblait dériver vers l'éternité en mettant chaque jour un voile de plus entre elle et le reste d'entre nous. Combien d'épreuves avait-il fallu, combien de soifs incomblées, combien de désespoir esseulé pour qu'à ce point son cinquième et son sixième sens aient fini, telle la bouée du noyé, par devenir sa seule force de vie ?

Il y avait deux ou trois heures que nous étions ensemble. Nous avions parlé fils, petits-fils, belles-filles. Questions rituelles, réponses répétées quelquefois sur trois tons différents avant d'être clairement entendues, parfois perçues au premier murmure.

Je tenais dans ma main sa main toujours froide ou son bras décharné. Nous restions ainsi de grands moments sans rien dire. J'avais cru être un bon fils en l'enfermant, au fil des années, dans un cocon de sécurité, en éloignant d'elle toute inquiétude, en lui présentant ma vie comme une autoroute bien goudronnée, en lui cachant les mauvaises nouvelles. Je n'étais jamais malade, jamais inquiet, jamais agressé, jamais vulnérable... toutes fautes à ne pas commettre avec ses parents car, ce faisant, je les avais dépossédés de leurs préoccupations naturelles et ils n'avaient plus eu, dans leur âge mûr, de fils à couver. C'était moi qui étais devenu le père et je sais aujourd'hui que j'ai commis la très grande faute d'inverser des lois intouchables.

Pourtant, ce jour-là, au bout d'un long silence que l'obscurité voulue de sa chambre rendait presque intolérable, lorsque sa voix se posant comme un papillon sur le fil des choses prononça ces mots : « Lave-toi les mains, mon fils, et pèle-moi une orange », je me sentis comme violemment ramené aux affres de l'enfance, à ce désarroi sans réponse devant la faute démasquée. Je n'en revenais pas. J'avais cinq ans, moi l'homme au bord de la vieillesse face à une mère guettée par le naufrage.

Je n'oublierai jamais cette seconde où, d'une seule phrase sans préméditation, elle avait brusquement rétabli la hiérarchie de nos rapports et éveillé en moi des culpabilités d'enfant toujours en retard sur la chose à faire. Il fallut tout l'humour de l'adulte que j'étais censé être devenu pour surmonter mon impression absurde d'avoir été remis à ma place.

J'avais déjeuné d'une bouillabaisse dans un restaurant élégant. L'adjectif a son importance car lorsqu'on a été un enfant pauvre et qu'on n'est pas oublieux de sa naissance, c'est dans ce genre de lieux où l'on vous reçoit comme un monsieur qu'on aurait quelquefois tendance à se prendre pour quelqu'un, dans ce genre de lieux aussi que l'on vous apporte au dessert un rince-doigts en argent dont j'avais usé abondamment. Puis, soucieux jusqu'à l'obsession de ne garder sur mes mains aucun relent de mon repas et aussi pour le plaisir nouveau-riche de m'éterniser aux lavabos somptueux de cet établissement coté, je m'étais rassuré de faïences raffinées, de savon de grand parfumeur et de serviettes chiffrées. J'avais prolongé mes ablutions tout autant par souci de me débarrasser de toute trace d'agapes que pour prolonger le luxe privilégié auquel j'avais conscience de goûter. Revenu à ma table, j'avais cru, d'une touche de citron, dissiper les derniers souvenirs de mon repas. Mais ma mère était un limier difficile à semer et, du plus lointain de ce territoire inaccessible où elle semblait s'être retirée, du fond de l'absence dont elle avait fait son séjour, elle avait ébranlé la façade et ramené à l'état de gamin le monsieur que je n'avais jamais été, que je ne serais jamais.

Ce jour-là, comme à l'accoutumée, comme j'aimerais le faire aujourd'hui et toujours jusqu'à ma mort, à cinq heures de l'après-midi je me lavai les mains et pelai une orange pour ma mère qui ne voyait et n'entendait presque plus.

Le *bungalow* voisin du sien abritait un vieux médecin tout embarrassé de lui-même depuis le temps récent où il avait perdu sa femme.

Cinquante mètres d'une cour pavée à l'ancienne les séparaient de la résidence principale, demeure qui avait autrefois appartenu à une famille prestigieuse.

C'est dans cette bastide imposante que logeaient les autres pensionnaires, là qu'ils prenaient leurs repas, jouaient aux cartes ou regardaient la télévision.

Aux abords de cinq heures du soir, ma mère ne manquait jamais de nous demander de fermer les volets de sa chambre et nous déplorions qu'elle se privât de respirer le parc à l'heure où la lumière, délestée de son trop grand poids de soleil, se faisait tendre et paisible, où les parfums voyageaient enfin, apportant un soulagement et comme un brin de respiration dans l'air jusque-là suffocant, crépitant de cigales.

Nous avions beau lui dire que l'air était léger, que les pelouses enfin arrosées répandaient un bonheur qu'il ne fallait pas laisser échapper, rien n'y faisait. Nous nous heurtions à une détermination subtile, presque passive; nous savions que tous nos arguments, voire nos prières, n'arriveraient pas à la faire fléchir.

Un jour pourtant où je ne me résignais pas à me priver, à nous priver de tant de grâce, je m'écriai :

« Mais enfin, peux-tu me dire pourquoi tous les soirs, à la même heure, tu regardes ta pendule et nous demandes de fermer les volets ? »

De sa voix retenue, mesurée, mais tellement décidée, elle répondit :

« Parce que tous les soirs à cinq heures le médecin sort de chez lui pour aller prendre son thé dans la grande maison et il passe devant ma fenêtre. »

Je restai une seconde surpris et je dis :

« Tu ne veux pas qu'il te voie ? »

Elle rectifia, m'apprenant une fois de plus le respect de l'autre :

« Non. Je ne voudrais pas qu'il puisse penser que je surveille ses mouvements. »

Ainsi approchait-elle de la fin de ses jours, fidèle à ce qu'elle avait toujours été, pointilleuse, attentive, feutrée.

La vieillesse est le paraphe, au bas d'une pierre, de la sculpture que l'on a fait de soi-même. Non seulement on n'y peut rien changer, mais le temps, les vents, les grêles et les orages, en annulant les complaisances, finissent par conduire tous les traits de l'être aux extrêmes de leur vérité.

Tout comme l'enfance, qui revient en *boomerang* — parce qu'elle ne se heurte plus qu'à des lambeaux de comédie humaine —, renverse les façades et met à nu les cœurs et les visages.

Son enfance lui ramenait de plus en plus souvent l'image d'une mère qu'elle avait à peine connue. Témoin sans recours du ravage de ses premières années, elle était morte alors que maman avait quatre ans.

À l'orée de ses quatre-vingt-dix ans, son visage et sa voix, pour me parler de cette mère qui l'avait quittée trop tôt, étaient ceux de la petite fille qu'elle avait dû être. Je la sentis partir vers d'autres rivages. Elle s'adressait à moi du fond d'une terre lointaine que je n'avais pas connue et où reposaient les vestiges enfouis de son âge tendre. Là, au milieu de tant de jouets cassés, parvenait-elle à retrouver dans un miroir éteint l'image de celle qui lui avait, si cruellement, fait défaut ?

Je tenais ses mains en silence, cherchant à lire dans les frémissements de ses joues.

Elle fit un effort pour raviver le portrait d'un souvenir qui lui échappait. D'une poussière presque centenaire, elle parvint à extraire le pastel moribond de celle qu'elle avait à peine eu le temps de connaître : « Je me rappelle qu'elle avait un bon sourire », me dit-elle dans un effort. Puis elle ajouta : « Je suis sûre qu'elle aurait été une très bonne mère. »

Et elle se mit à pleurer.

Sa mère avait toujours été une femme souffreteuse et effacée, soumise à un mari jaloux de son autorité. Il ne lui accordait pas le droit de sortir de la maison, sauf exceptionnellement pour aller voir sa sœur.

Mon grand-père Charles était un bel homme à figure carrée, moustache conquérante et cheveux taillés en brosse.

Situation enviable, il était le représentant en Algérie de soyeux de Lyon. Les grandes fabriques de la région tissaient pour lui toute une gamme d'étoffes chatoyantes, bigarrées, accordées aux outrances d'un soleil tapageur, telles que les affectionnaient les femmes musulmanes. Sous leur mouchoir et leur *haïk* toujours immaculés, toujours stricts dans leur éclatante blancheur, au-dessus de leurs babouches de cuir relativement sobres, sarouel, blouse et serre-tête n'étaient qu'un festival d'or, d'émeraude, de cyclamen ou de pourpre dont mon grand-père était le grand organisateur.

Lui-même était un personnage haut en couleur. Portant redingote et chapeau haut de forme huit reflets, il possédait villa à Saint-Eugène, banlieue résidentielle du bord de mer, et ne circulait que dans sa propre voiture à cheval. Dans les années soixante-dix et quatre-vingt — je parle du siècle dernier —, ils n'étaient pas nombreux en Algérie à afficher un tel train : quelques colons européens mais certes pas beaucoup de Juifs indigènes, dont la signature à la plume d'oie au bas du titre de nationalité française n'avait pas encore eu le temps de sécher.

Charles-Brummel avait pourtant un vice qui ne pardonne guère. Joueur invétéré, il devait bientôt laisser son bord de mer et son *tilbury* sur le tapis vert, réintégrant la ville dans un équipage plus banal et un modeste appartement situé rue de Bône, cette voie en escaliers près du grand marché de la Lyre qui amorçait l'accès à la Casbah, où je devais naître bien des années plus tard.

Il n'exerçait pas son pouvoir que sur sa femme ; ses enfants se terraient sous la table lorsqu'il arrivait et baissaient les yeux lorsqu'il se levait, son repas terminé.

On a beau me dire que plus tard il en conçut du remords, je ne retiens de ce grand-père, que je n'ai pas connu, que les ondes de choc d'un jeu de massacre dont il fut le pauvre artisan.

Ses enfants, leurs enfants, ceux et celles qui les épousèrent... À travers les générations se propagea le lourd héritage d'un *dandy* égoïste et inconséquent dont l'autorité d'un autre âge se brisa contre celle, démoniaque, d'un monstre de rencontre dont l'histoire de notre famille aurait pu se passer.

Les conquêtes féminines n'avaient pas manqué à ce seigneur pourvu d'une compagne usée par cinq maternités. C'est pendant la dernière et longue maladie de sa femme qu'il prit pour maîtresse une infortune vivante originaire de Pontarlier, modiste à Alger.

Elle s'appelait Julia H. et j'écris aujourd'hui son nom pour la première fois, car dans ma pêche aux souvenirs je viens à peine de l'apprendre. Et pour cause ! Ce fut, dans la famille, un nom passé sous silence, relégué, honni, oblitéré par un surnom banal à pleurer et qui suscita beaucoup de larmes : « la mémère ».

Comme il est des miels corrosifs, ce terme de tendresse nous a toujours brûlé le cœur.

Nous disions « la mémère » comme nous aurions dit le diable ou le loup.

J'ai toujours su ou cru — mais comment l'aurais-je inventé ? — que grand-père Charles avait installé la mémère rue de Bône alors que sa femme était encore vivante. Que ce fût vrai ou pas, ma grand-mère savait et elle en mourut plus vite avec, en plus de son mal, le chagrin prémonitoire d'une mère éphémère qui pressentait pour sa progéniture des années de pain noir.

Elle ne se trompait pas. Grand-père, en épousant Julia H., jeta l'enfer dans la maison.

C'était une femme de stature moyenne au visage plein, à la forte poitrine surmontant une taille resserrée à l'excès comme l'exigeait 1900, ce tournant de l'histoire grand boudineur de silhouettes, étouffeur de chrétiennes, semeur d'apoplexies dont la mémère était un pur produit. Si j'omettais le chignon haut perché maintenu par un peigne au sommet, je crois que n'importe quelle imagination primaire saurait le rétablir.

On disait qu'elle avait été très belle et je l'espère, car il faut bien chercher quelque excuse à mon grand-père. Mais la mémoire des générations gardait d'elle un teint brique tendant vers le violet et un nez couperosé, juste retour des choses puisqu'elle avait en permanence une bouteille de vin rouge à portée de main, de préférence près de l'évier de la cuisine. Virago imbue d'elle-même, elle avait la langue bien pendue, le verbe haut, un langage grossier, l'injure facile, aucun raffinement. Une harpie pour succéder à un ange, quoi de plus logique et de plus triste ?

Là où régnait déjà une hiérarchie paralysante, elle installa la terreur et la persécution.

Les enfants se serraient les uns contre les autres. Tel un troupeau frileux, ils essuyaient la tornade avec une docilité qu'avait déjà forgée le despotisme paternel.

L'aînée, Fortunée, dite Tontine, quatorze ans, les prenait sous son aile avec amour mais, imitant les seuls modèles d'autorité qu'elle avait eus sous les yeux, elle ajoutait la baguette au gourdin.

La mémère laissa leurs vêtements se cartonner ; elle leur coupa vivres et subsides. Les voisins de palier attendaient qu'elle ait le dos tourné pour glisser quelques quignons de pain à la marmaille affamée.

Elle exigeait que ma mère ait fait la vaisselle et le ménage avant d'aller à l'école. C'était immense, la rue de Bône, haut de plafonds, réparti au soleil avec la générosité des espaces anciens surplombant le port et l'Opéra. Une adulte solide n'y eût pas suffi. Deux fillettes, que dix ans d'âge séparaient, en avaient la charge.

Elle leur prohibait l'usage de l'électricité. Leur frère Georges, qui préparait sa licence en droit, se cachait la nuit dans les cabinets pour y voler des bribes de lumière interdite.

Plus tard, j'ai ressenti la misère de ma mère comme si elle était la mienne. Je connais le prix d'un morceau de pain et j'ai dans mon vocabulaire un mot sans lequel on peut très bien vivre, mais qui rasait les murs de mon enfance : la marâtre.

Non loin de là, rue Doria, grandissait Salomon Gaston Bacri, fils d'un commis négociant, veuf remarié à une couturière ; enfant de la misère, il allait pieds nus sur les pavés du vieux quartier de la Marine.

On ne pose jamais assez de questions à ses parents sur leurs origines, leur enfance, mais il faut admettre qu'une telle pauvreté décourageait l'investigation.

Il avait deux frères, Albert et Maurice, aussi peu chaussés que lui, et devait plus tard accrocher un sourire à leur dénuement en disant que les voisins avaient été très gentils avec eux.

Quelques quignons de pain offerts par de bonnes âmes lui créaient un lien de parenté avec la petite Céles-tine Lelouche de la rue de Bône.

Ils en avaient un autre. Leurs pères respectifs étaient nés quelque quatre ans après le débarquement français en Algérie. Autant dire que le pays gardait des relents d'occupation turque et que les mœurs, les vêtements et la langue devaient encore beaucoup à l'Islam. Les portraits de leurs ancêtres les leur montraient vêtus de sarouels et de boléros à pompons, coiffés de chèches et chaussés de babouches. Ils étaient là depuis Dieu sait quand. Le nom des Bacri viendrait de *boughri* (bouvier) et peut-être venaient-ils d'aussi loin que les Berbères ou les Romains. Des Bacri se trouvaient à Livourne en

1610. Boccara et Bacri s'épellent en hébreu de la même façon. Alors, le Turkestan ?

Un certain Nathan Bacri se trouve obscurément mêlé de très loin à la conquête de l'Algérie. Il faisait commerce de blé entre les deux pays, escroquant apparemment l'un et l'autre et c'est à propos d'une dette exagérément gonflée d'intérêts que le consul de France eut un jour à intervenir auprès de Hussein Pacha, dey d'Alger, entrevue orageuse qui eut pour épilogue le fameux coup d'éventail, outrage à la France. Il n'en fallait pas plus en 1830 pour faire semblant d'avoir une raison valable d'occuper l'Algérie. Beaucoup de Bacri s'enorgueillissent encore de cet ancêtre-prétexte, de cet ancêtre-détonateur à propos duquel je me pose des questions. La première est : Fut-il mon ancêtre ? Car il y avait en Algérie autant de Bacri que de Dupont en France. La deuxième est : Y a-t-il là de quoi s'enorgueillir ?

En 1870, le décret Crémieux avait fait citoyens les Juifs d'Algérie. Gaston, comme Célestine, fut le premier d'une lignée à être né français.

Quand on parle d'un être humain, il est bon de savoir tout cela. Ils parlaient une langue latine, mais il traînait dans leur passé des images de corsaires turcs, de marchés aux esclaves, de sérails, de *moucharabieh* et d'étoffes ottomanes.

À l'école, Salomon Gaston n'eut que le temps d'apprendre à lire et à écrire car à l'âge de onze ans il était déjà apprenti chez un patron bijoutier.

C'était un enfant frêle et timide, contrairement à Albert, gymnaste râblé et aventurier, qu'il avait toujours considéré avec une admiration teintée de crainte. C'était un temps où l'aîné était l'aîné et ne se privait pas d'exercer son autorité. Et l'autorité d'Albert prenait souvent des résonances de claques.

Tontine rue de Bône, Albert rue Doria, créaient à Gaston et Célestine une similitude de plus en leur dessinant un avenir de soumission.

Édouard Drumont, publiciste, politicien, pamphlétéaire tristement célèbre, auteur de *La France juive,* fondateur du journal *La libre parole,* avait alors à Alger un digne émule en la personne de Max Régis, un député qui soufflait généreusement sur l'étincelle antisémite. C'était facile de s'appuyer sur un nationalisme flambant neuf enorgueilli de la conquête du pays par les troupes du père Bugeaud. Pour un oui ou pour un non, Max Régis dépêchait ses commandos de bastonneurs. Ce jour-là, poursuivis par un groupe de nervis dans le dédale du quartier de la Marine, les trois frères Bacri détalaient à toutes jambes. Albert fermait la course pour couvrir le cadet et le benjamin. Quand il fut assuré qu'ils ne risquaient plus d'être rejoints, il se cacha dans un renfoncement, laissa passer la meute et s'empara du dernier des poursuivants, qu'il étendit à terre d'un coup de tête.

La peur de mon père, sa fierté lorsque, cent fois dans sa vie, il conta plus tard cette page d'enfance ! Il décrivait ces temps comme des temps que, grâce à Dieu, nous n'aurions plus à vivre. C'est bien connu, les optimistes font rarement de bons prophètes.

Voilà donc mon père apprenti chez un patron bijoutier. Il a onze ans, une orthographe auditive, un vocabulaire limité. Il n'améliorera pas son bagage. Ce sont ses mains qui vont devenir intelligentes et expertes.

Il ramène à la maison cinq sous par semaine et un paquet de café. Cela pourrait paraître triste. Pas pour lui. Il le raconta toute sa vie avec tendresse et fierté.

À son établi, il transporte un esprit blagueur dont il ne se départira plus jamais.

En ce temps, on ne sortait pas nu-tête et ses compagnons de travail accrochaient leurs couvre-chefs à des patères en entrant dans l'atelier.

La farce du jour avait pris pour cible le plus naïf d'entre eux. Ils avaient glissé à l'intérieur de son chapeau, entre la bordure de cuir et le feutre, une mince feuille de papier de soie.

Dans la journée, l'un des ouvriers raconte qu'il vient de perdre un membre de sa famille d'une maladie bizarre aux symptômes spectaculaires qu'on nomme la tavelle. « La tavelle ? » s'exclament hypocritement les autres, « Qu'est-ce que c'est que cette histoire ? »

« Un mal terrible, répond le premier. Ta tête enfle, enfle... Les premiers temps, on ne s'en aperçoit pas. Puis cela devient de plus en plus visible et un jour on en meurt. Les médecins ne savent pas d'où ça vient. »

Le lendemain, on glisse une deuxième feuille dans le chapeau du naïf, puis une troisième le surlendemain, tandis que les commentaires se gonflent — c'est le cas de le dire — de toutes sortes de suppostions alarmantes. L'un suggère que ce serait de l'eau dans la tête, l'autre qu'il suffirait d'approcher quelqu'un qui a approché un tavelleux pour être contaminé. À la cinquième feuille, le naïf pâlit en chaussant sa coiffe avec difficulté. C'est naturellement le moment choisi pour lui faire remarquer, d'un geste vicieux qui consiste à écarter les deux mains de chaque côté du visage, qu'une boursouflure s'est produite dans sa physionomie. La sixième et la septième feuilles finissent par avoir raison de l'ultime marge de manœuvre et le chapeau reste coincé à des sommets qui font s'affoler le malheureux. Il est pris de tics, de sueurs froides...

À ce point du récit, mon père, mimant l'effondrement du pauvre diable, éclatait toujours de rire, incapable d'aller plus loin. Des dizaines et des dizaines d'années plus tard, il se délectait de cette plaisanterie d'un goût douteux qui fut peut-être son premier grand moment comique.

Comique, il avait envie de l'être. J'ai une photo de lui où, vêtu d'un pantalon bouffant à larges carreaux, d'une redingote trop grande, cravaté d'une immense lavallière et coiffé d'un chapeau en cône, il prend l'attitude faussement naïve de Dranem, le chanteur burlesque qui créa : « Ah les p'tits pois, les p'tits pois... »

Sur une autre photo, il est la copie de Polin, le plus fameux des comiques troupiers (Pourquoi, à l'époque, les hommes devaient-ils se déguiser pour chanter ?). Képi et vareuse bleus, pantalon rouge et bottes noires, on les appelait des tourlourous, mot antillais qui signifie « crabe rouge », à cause de la couleur des pantalons.

Il porta aussi le toupet à la Mayol, le plus grand de tous, le père du *music-hall* moderne et, dans Alger, sous le nom de Bébé, il se fit une vraie réputation de chanteur amateur comme il en existait alors. Il aimait à rappeler les cris du public scandant son nom, dans des salles que je n'ai jamais connues.

Albert l'avait précédé dans la carrière et des deux frères c'était lui la grande vedette. Plus de culot ? La différence était probablement là car quand je marie en fermant les yeux leurs deux bouilles hilares au nez un peu pâteux, à la bouche en croissant de lune, je trouve à leur don comique un tel air de famille que seule un peu plus d'assurance pouvait départager l'un de l'autre.

La santé de mon père était précaire au point qu'en 1909, au moment de son service militaire, il fut ajourné « pour faiblesse ». Je l'ai souvent entendu dire : « Je crachais le sang ». Enfant, il n'avait pas toujours mangé à sa faim et le médecin était un luxe exotique. Comment fit-il pour s'en sortir ? Une certaine fatalité l'habitait et il ne se croyait pas fait pour vivre longtemps. Sa seule médication fut celle dont il décida lui-même en voyant, séduit, l'image d'une femme florissante dont se couvrirent les murs d'Alger. Cette femme montrait de la main droite un flacon qu'elle tenait de la main gauche et le slogan disait : « Pilules Pink pour personnes pâles ». Il ne savait pas que *pink* veut dire rose. D'ailleurs, il disait « painque ». Il remit tout de même sa santé aux mains de ce remède miracle et resta toujours persuadé qu'il lui devait d'avoir survécu.

L'histoire ne dit pas comment Gaston fut amené à faire quelques travaux pour un bijoutier de la rue de la Lyre qui tenait une échoppe minuscule au numéro 17, tellement sombre sous ses arcades que la lumière artificielle y brûlait à longueur de jour.

Il s'appelait Israël Hadjadj. Quelques anneaux d'esclaves, *khalkhals*, bracelets-semaines, colliers à piécettes d'or ou à perles baroques faisaient le fouillis de sa modeste vitrine. Un bureau primaire, deux chaises, un coffre-fort démesuré hors de proportion qui semblait engloutir à lui seul ce maigre espace, étaient tout son mobilier, à l'exception d'une souche d'arbre sur laquelle il bosselait des *sultanis* à coups de maillets.

Les portes plaintives de son coffre abritaient, entre autres trésors, un pot de chambre pour ses commodités.

Tout le monde l'appelait Dado.

Rue de Bône, la mémère, implacable, continuait de poursuivre cinq enfances de sa hargne. Contrainte à une maternité que tout son être rejetait, peut-être, sous la Renaissance italienne, Julia Orsini-Borgia-Farnese-Colonna-Strozzi eût-elle fait empoisonner les enfants de son mari par l'une de ses dames pour rester seule avec un seigneur déchu, relégué, castré. À Alger, au XIXe siècle, elle choisit de les réduire à néant par le biais pervers de l'humiliation quotidienne. On ne fait pas pousser la rose en tirant sur la tige, mais on peut la maintenir sous terre en mettant le pied dessus. Il y eut, par la disgrâce de Julia H., cinq êtres asphyxiés sous le regard d'un père subjugué, impuissant, cinq êtres repliés dont les épaules se fermèrent très vite et qui affrontèrent la vie comme ils purent, avec le terrible handicap de la peur et de la soumission. Elle les avait rabotés de l'intérieur, après avoir aidé leur mère à mourir d'un cancer du chagrin.

La première à en sortir fut Tontine. Son père cherchait un cadeau pour celle qui n'en méritait pas et emmena son aînée avec lui à quelques pas de la rue de Bône, dans le quartier des bijoutiers. Ils entrèrent au 17, rue de la Lyre et Tontine eut un coup de foudre irrésistible pour ce très bel homme qu'était Dado.

Grand-père Charles fut dépassé. L'affaire n'alla pas sans tirage. Dado avait été mis dans cette boutique par un père retraité qui attendait de lui qu'il assurât la subsistance de toute la famille. Un mariage inopportun risquait d'amputer la maisonnée d'une partie de ses ressources et, du côté Hadjadj, on ne voyait pas la chose d'un bon œil.

Chez les Lelouche, ça tirait aussi. On trouvait que ce petit boutiquier issu d'un milieu modeste n'était pas un parti digne de celui qui portait redingote et chapeau claque, et roulait *tilbury,* même si son blason avait terni.

C'est l'oncle Akoun qui fut chargé des négociations. Les accords resteront à jamais secrets, mais ils furent la miraculeuse brèche dans le béton de la forteresse, par laquelle Dado parvint à tirer à lui la première rescapée de Julia H. Pour la première fois, grâce à lui, un peu d'oxygène pénétra l'air vicié de la rue de Bône.

Dado était un homme hardi, décidé, qui affronta d'emblée la mémère et lui fit savoir sans ambages que si elle continuait d'exercer ses mauvais traitements sur les frères et sœurs de sa femme, elle aurait affaire à lui.

Mais, rue de Bône, la vie continuait. Il fallait subir quotidiennement l'offense d'une présence et d'un langage orduriers, et Célestine restait seule maintenant à servir de tampon entre la mémère et les trois garçons. Elle n'avait ni la carapace, ni le penchant pour la tyrannie de sa sœur aînée. Prise entre les débordements de la mémère et les besoins de ses frères, elle vivait une écorchure de chaque seconde et suppliait Tontine et Dado de la tirer des griffes du dragon.

Dado chercha autour de lui. Il ne trouva que ce petit ouvrier bon enfant et blagueur qu'il avait pris sous sa coupe, garçon méritant certes mais léger, ignorant, aux antipodes de ce qu'il eût fallu pour réchauffer l'oiseau frileux à défaut de pouvoir lui offrir un bonheur qui n'était déjà plus à portée de ses ailes brisées.

Mais Dado n'était pas homme à s'attarder. Gaston était sa chose et Célestine celle de sa femme. Pour seuls bienfaiteurs, ils n'avaient que ce couple despotique qui les tirait d'une tyrannie pour les vouer à une autre. Comme un effet billard dû à la rencontre du grand-père Charles et de cette plaie de mon ascendance que fut une mégère venue du froid, un triste carambolage de mépris et de méprises devait emporter ce jeune couple, fait de deux êtres qui ne se connaissaient pas, dans les eaux roulantes d'un destin sur lequel ils n'eurent jamais aucune prise.

Dado les maria aveuglément, le 23 novembre 1911. Ils allaient être mes parents.

Et mon père s'enfuit de la maison.

Il n'y avait pas un an qu'il était marié. Ma mère était enceinte de Raymond, notre aîné.

Si elle avait apporté dans la corbeille nuptiale les remugles de sa marâtre, lui portait la marque d'Albert, son aîné de huit ans, et Albert était aussi voyou que mon père était timide.

C'est ce frère tout-puissant qui l'avait incité à quitter son foyer. Il n'avait pas été le seul à faire pression. La grand-mère Bacri avait tout fait de son côté pour qu'il s'en aille de chez lui. Qu'avaient-ils contre ce mariage ? Je ne le saurai jamais ; il ne reste personne pour s'en souvenir. Mais mon père quitta la maison en emportant les bijoux de sa femme.

Les préjugés de l'époque ne laissaient guère d'autre choix à ma mère que de retourner chez ses parents. L'homme providentiel, celui qui était censé la sauver de la mémère, la renvoyait à l'enfer de la mémère. Suprême humiliation que de rentrer tête basse chez la sorcière qu'elle avait cru narguer en se mariant.

Qu'a-t-elle dû penser, pauvre enfant de vingt ans ? Quel regard a-t-elle pu jeter sur l'avenir dans ce moment où mon père, par son inconduite, ne lui laissait guère d'illusions sur le genre de soutien qu'il était capable de lui apporter ? Crut-elle qu'il l'avait quittée pour toujours ? Quelle confusion dans cette âme désarmée, partagée entre le souci des convenances — un couple, alors, ne se défaisait pas —, la certitude que son mariage était raté et la perspective d'une vie sans chaleur, elle qui avait toujours eu froid ! Souhaita-t-elle qu'il ne revînt pas ? Pensa-t-elle mourir ? D'une certaine façon, elle était déjà morte. La dissonance plus que probable de son prélude sexuel avait dû lui fermer au nez, lamentablement, sa dernière porte de sortie.

Jamais rien ne devait se produire entre eux qui ressemblât à un peu de soleil ou d'amour.

Ce fut Dado — encore lui — qui alla chercher mon père et le ramena à la maison. Je ne peux même pas imaginer le genre d'explications qu'il donna à ma mère. En donna-t-il seulement ? J'inclinerais à croire que non.

Dado installa le couple au quatrième étage du 14, avenue de la Bouzaréah, dont Tontine et lui-même occupaient le second.

Pour l'heure, mon père bricolait dans son appartement, attelé à un petit établi. Dado payait le loyer et Raymond y naquit en 1912, ainsi nommé parce que le président du Conseil s'appelait alors Raymond Poincaré.

L'année 1914 vint et la déclaration de guerre et la mobilisation générale.

Ajourné pour faiblesse, mon père était indésirable dans l'armée mais il ne put s'y résoudre. Ce ne fut pas son patriotisme qui l'emporta. Ce sentiment qu'il devait afficher plus tard n'avait pas eu le temps de naître en lui. Ce qui l'empêchait de dormir, c'est qu'il y aurait un spectacle à voir et qu'il n'y serait pas. Alors il fit des pieds et des mains, se débrouilla pour convaincre les médecins militaires et finit par s'engager. C'est ainsi qu'il fut « incorporé volontaire » au 3e Zouaves à Constantine.

En 1915, son sens du spectacle fut enfin satisfait. Le feu d'artifice eut lieu aux Dardanelles, cet antique Hellespont, détroit entre Turquie d'Europe et Turquie d'Asie reliant la mer Égée à la mer de Marmara, position stratégique s'il en fut. Le fort Chanak, dans la presqu'île de Gallipoli, empêchait le passage des troupes alliées ; on envoya un corps expéditionnaire franco-anglais pour s'en emparer. Le 3e Zouaves fut de la fête. Et quelle fête !

Le récit que mon père nous en fit quelques centaines de fois était toujours émaillé de cris stridents et il semble que cette bataille sans merci n'ait été qu'un long hurlement. Ventre contre terre, pétrifiés par le roulement de l'artillerie ennemie, les zouaves algériens se répandaient en incantations. « *Yallah !... Yallah !...* » criaient-ils et ce cri répété par des milliers de voix ajoutait à l'enfer de cette plage où ils restèrent cloués malgré l'appui du croiseur *Amiral Bouvet* qui les soutenait de tous ses feux. Jamais ils ne purent s'emparer du fort.

Mais l'épisode insoutenable, celui que mon imagination se refusait à accepter, fut le moment où les Français reçurent l'ordre de charger à la baïonnette. Mon père se battant à la baïonnette ! C'était inconcevable. En évoquant la mêlée féroce, vociférante, sanguinaire, qui s'ensuivit, il perdait la voix et j'étais terrorisé de la terreur qu'il avait pu en éprouver. Aucun homme ne peut jamais effacer complètement de sa mémoire de pareilles horreurs.

Il se retrouva seul sur un tertre, face à un soldat turc crispé comme lui sur son fusil, tellement crispé que ni sa baïonnette, ni celle de mon père ne purent partir en direction de l'autre. Après s'être regardés quelques secondes dans les yeux, secondes qui avaient le poids de deux vies humaines, ils renoncèrent à se battre et rompirent chacun de son côté. La mitraille reprenant, il se retrouva à plat ventre, tirant sans même viser et essayant de prier, lui qui ne savait pas. En même temps, il soulevait ses jambes à l'équerre ; dans l'espoir qu'une balle égarée le mettrait hors de combat, il offrait ses mollets à la Providence. Mais la Providence choisit sa main droite. Un éclat de *shrapnell* l'atteignit aux phalanges. La boucherie était terminée. Blessé à Sebdul-Bar, pensionné à quinze pour cent, médaille de Serbie, médaille des Dardanelles, croix du combattant : voilà ce que disent ses états de service.

À l'hôpital d'Alexandrie où il fut évacué, il fut soigné par des religieuses françaises. L'une d'elles le prit en grande amitié et, dans sa naïveté, il ne pouvait s'empêcher de sourire au souvenir de cette chrétienne en robe et cornette, portant la croix, qui l'appelait toujours « mon petit Salomon ». Elle l'inondait d'images pieuses et de brochures religieuses qu'il feignait de dévorer avec avidité chaque fois qu'il la voyait s'approcher, moyennant quoi elle redoublait d'attentions pour lui et fit de sa convalescence en Égypte le meilleur moment de sa vie de soldat.

Mon père parti, il n'y avait plus d'argent dans la maison.

Ma mère se présenta avec succès à un concours des P.T.T. et se retrouva « demoiselle des postes » à Saint-Arnaud, département de Constantine. Autonome, gagnant sa vie, logeant d'abord à l'hôtel puis chez un couple dont elle se fit des amis, elle devait vivre là le meilleur morceau de son existence. Je l'imagine méticuleuse, ponctuelle, merveilleusement polie et serviable. S'il est vrai que toute saga est jalonnée de noms de lieux symboliques, Saint-Arnaud resta et restera comme le haut lieu du maigre bonheur de ma mère. J'ai entendu dire avec stupeur qu'en deux mille ans d'histoire, la Roumanie n'avait connu que soixante ans de liberté. Eh bien ! en quatre-vingt-dix ans de vie, ma mère n'aura eu, comme havre d'indépendance, que son séjour fugitif dans cette localité du sud de Constantine dont elle devait conserver une nostalgie tenace jusqu'à sa mort.

Pendant la guerre et même au-delà, Tontine, Dado, leur fille Edmée et mon frère Raymond allèrent loger la plus grande partie du temps rue de Bône chez le pépère et la mémère. Il faut comprendre ces migrations insolites à un jet de pierre de chez soi. Dans les grands événements, les moments de danger comme les moments de joie, la cellule se regroupait. Il en fut ainsi de toute notre histoire : tout le monde dormait chez tout le monde et une guerre, on la passait ensemble. Dix minutes d'omnibus séparaient cependant l'avenue de la Bouzaréah de la rue de Bône.

L'exil de ma mère fut brusquement interrompu par une typhoïde très grave qui l'obligea à rentrer à Alger, crâne rasé. Pour la recueillir, Tontine et Dado réintégrèrent le deuxième étage de l'avenue de la Bouzaréah. Il fallait éviter à Raymond, déjà ballotté de tous les côtés, les risques de contagion. C'est la concierge de l'immeuble qui le logea tout le temps que dura la maladie de ma mère.

Puis, reprenant couvertures, lits pliants, malles et casseroles, on retourna prendre ses quartiers rue de Bône.

En octobre 1917, après une permission de trente jours à Alger, le temps de s'apercevoir que son fils Raymond avait cinq ans, papa fut affecté au train des Équipages, à Pont-à-Mousson, en Lorraine. Cinquante ans plus tard, il n'en revenait toujours pas que les habitants de Pont-à-Mousson s'appelassent des Mussipontains.

C'est non loin de là, à Chamouilly, qu'il tomba par hasard sur Henri, le frère de ma mère, mobilisé dans la région lui aussi. Ces retrouvailles tenaient du miracle. À deux mille kilomètres d'Alger, on imagine quels furent leur surprise et leur réconfort de rencontrer, dans l'horreur de cet exil qu'est la guerre, quelqu'un de leur famille.

Mais ils étaient aussi différents l'un de l'autre qu'on peut l'être. Mon oncle Henri, au demeurant le meilleur des hommes, était sérieux, à cheval sur les principes et bougon. Mon père, campé dans son uniforme, moustache en bataille, plaisantait volontiers avec les beautés locales, ce qui n'était pas du goût du propre frère de sa femme ! Henri mettait d'emblée les choses au clair :

— Il est marié avec ma sœur ! prévenait-il.

— Non, c'est lui qui est marié avec ma sœur ! répondait mon père.

Le malheur avait frappé, rue de Bône.

Edmond, l'aîné des fils, qui était devenu l'associé de son père, était parti pour la guerre et fut gravement blessé d'un éclat d'obus à Verdun. La gravité de son état nécessitait une évacuation immédiate sur Lyon. Mais à ses côtés gisait un autre blessé qu'il jugea plus atteint que lui. Les transports étant rares, il lui céda sa place. L'eût-il fait si la mémère ne l'avait pas voué à l'effacement ? L'attente du transport suivant lui fut fatale : sa plaie s'infecta et il arriva trop tard à Lyon, où il est enterré.

Son frère Georges avait passé un examen pour l'inspection des P.T.T. et fut mobilisé sur place dans les postes à Alger. Il était le poète de la famille, raffiné, sensible. Vestiges de la mémère ? Déceptions amoureuses ? Un an après la mort d'Edmond, on le retrouva pendu à l'espagnolette de sa chambre, rue de Bône.

Pour une génération qui commençait de vivre et pour les enfants qui allaient naître, cette double perte eut des effets effroyables car Tontine prit le deuil pour le restant de sa vie — je ne l'ai jamais connue qu'en noir — et l'imposa à tous les survivants qui, des années durant, n'eurent pas droit à de la musique, à du théâtre ou du cinéma, même pas le droit de sourire.

Grand-père Charles était devenu un vieil homme malade dans son fauteuil d'osier, sa canne entre ses jambes. La brosse de ses cheveux et sa moustache blanchies, il méditait sur ses faiblesses et le remords qu'il avait de n'avoir su s'opposer à la barbarie de sa deuxième femme.

Henri, le plus jeune des fils, qui ne sortait pas indemne des mains de Julia H., connut cependant la belle éclaircie d'une rencontre avec celle qui allait devenir la grande complice de ma mère : Germaine. Elle était bonne, juste, sage et conciliante, d'humour prompt, sévère et souriante, née comme moi un 18 décembre. Nous avons fêté ensemble tous ses derniers anniversaires, non pas à cause de la coïncidence des dates, mais parce que ses enfants et petits-enfants nous associaient dans leur affection tant elle aurait pu être ma mère et moi son fils.

Elle était née d'une très grande dame, que je revois infirme dans son fauteuil ou son lit aux draps de dentelle, défiant sa souffrance, malicieuse et royale, élégante dans sa mise et sa pensée, sobre et majestueuse comme le ruban de velours noir qu'elle portait en permanence autour de son cou. Nous l'appelions Tina. Il fallait que leur portrait figurât comme une touche de sérénité dans la galerie pathétique des victimes familiales.

De cette belle lignée reste aujourd'hui Fernande, sœur de Germaine, fille de Tina. Elle est notre ancêtre vivante. Elle a la jeunesse de nos souvenirs et si je la cite, c'est que l'affection que, par delà l'absence, elle porte à ma mère et sa prodigieuse aptitude à faire revivre les choses lui ont fait prendre une part à la mémoire de ce livre.

À la mort de grand-père Charles, la mémère décida de rentrer chez elle dans le Doubs. Personne, on s'en doute, n'y vit d'objection majeure. On sut que, étant allée vivre chez son frère à Pontarlier, elle n'avait pas réussi à s'entendre avec lui, ce qui n'étonna personne. Puis elle essaya de vivre avec sa sœur à Bletterans et ne parvint pas plus à s'entendre avec elle. Alors, seule et rejetée de tous, elle manifesta le désir de revenir vivre à Alger. Maman et Tontine, incurables sacrifiées, auraient sans aucun doute accepté d'accueillir sa misère si Dado ne s'y était formellement opposé.

Le seul souvenir personnel que j'aie de cette femme honnie, ce sont les lettres que tout au long de mon enfance je vis arriver au 14, avenue de la Bouzaréah, à Bab-el-Oued. Éternelles enveloppes bistre, éternel papier au quadrillage rectangulaire, de petit format, recouvert de cette écriture pincée, corsetée, tombant vers la droite comme un éteignoir et qui égrenait plaintes, complaintes, litanies, doléances, prix du lait, prix du charbon, froid de loup, fluxions de poitrine, rhumatismes, le tout émaillé de couronnes de fleurs au pauvre pépère qui, sous-entendu, n'eût pas permis une telle détresse. Il m'est arrivé de porter moi-même à la poste le pauvre mandat mensuel dont ma mère prélevait le montant sur ses maigres finances, rite angélique auquel elle ne faillit jamais. Tout imprégné du récit de mon entourage, respirant moi-même l'air raréfié que Julia H. avait laissé derrière elle, j'avais des révoltes et des colères contre ma mère et Tontine qui approuvaient mon indignation mais n'auraient pas su agir autrement envers celle qui, avant tout, avait été la compagne de leur père et pour qui elles n'auraient pu, de ce fait, avoir le moindre atome de haine.

Bien des années plus tard, en 1934, Raymond s'en fut à Paris faire ses études de dentisterie rue de la Tour d'Auvergne. Rentrant un jour de l'école, il vit la mémère, qui l'attendait sur un banc, venir vers lui en pleurant : « Monet... Monet... Mon petit Monet !... » répétait-elle à travers ses sanglots. Comment avait-elle su où il logeait ? Elle vivotait chez une amie où Raymond déjeuna une fois. Nul ne la revit jamais.

Ici s'arrête l'histoire de la mémère qui fut, me dit-on, irréprochable avec ses petits-enfants, dont moi-même qui n'ai d'elle vivante aucun souvenir.

Elle avait semé un poison indélébile, assassiné, castré, aigri les caractères, généré les inhibitions. Oiseau nuisible, elle domina la genèse de notre lignée de son ombre délétère. Je lui dois la souffrance de ma mère.

Papa n'avait eu qu'une aventure dans sa vie et ce fut cette guerre de 1914-1918 dont il ne cessa jamais de ressasser les péripéties. Nous finissions par le devancer lorsqu'il entreprenait, pour la nième fois, sa narration. Nous connaissions par cœur les noms du général, du colonel, de l'adjudant. 1914-1918 me sortait par les yeux, mais en même temps me forgeait un patriotisme que je n'aurais jamais eu car il était difficile en Algérie, malgré « La Marseillaise » et les drapeaux déployés sur les bâtiments publics, de se sentir français. La France était une abstraction lointaine. Les Français qui nous visitaient avaient un accent, une allure et une condescendance qui nous complexaient et nous faisaient nous sentir autres, périphériques. La France était belle, mais elle nous procurait la fierté d'une chose à laquelle nous ne nous sentions pas appartenir.

Alors, tous ces récits d'anciens combattants, aussi lassants furent-ils, je devais plus tard les bénir car ils me conféraient un semblant d'appartenance.

Après la guerre, il voulut revoir les lieux de ses exploits, le cimetière du Péta qui avait mystérieusement marqué ses souvenirs, la fontaine où se retrouvaient Français et Allemands pour la corvée d'eau. Le périple nous mena à Wiesbaden et à Mayence où se tenait une grande foire. Il n'est pas impossible que ce voyage soit à l'origine de certains de mes rêves, ceux dont on se réveille avec le souffle coupé. Toujours curieux de spectacle, il voulut expérimenter le Grand Huit. Il avait oublié ou ne savait pas encore qu'il souffrait de vertige et emmena le bébé que j'étais dans ses bras. Lorsque le chariot dévala la pente du toboggan, il crut avaler son bulletin de naissance, mais quand il se retrouva tête en bas, il fut pris de panique et faillit me lâcher.

De ce voyage, longtemps nous restèrent des centaines de *marks* de la dimension d'une serviette de table, ces billets que les Allemands d'après-guerre emportaient par brouettes lorsqu'ils allaient acheter, pour des millions, un peu de café ou de pain.

Trois des nôtres étaient partis à la guerre : l'oncle Edmond, mon père et son frère Maurice. Edmond n'en revint pas ; mon père fut légèrement blessé et son frère Maurice sauvagement gazé sur le front de l'Est. Jusque dans les années cinquante où il mourut, il traîna une intolérable et permanente suffocation. Comme décline une bougie, on devait sentir que l'oxygène se raréfiait en lui. Il ne respirait plus que par la bouche et ses joues faisant soufflet avaient fini par se rapprocher l'une de l'autre au point que son visage, édenté de surcroît, était devenu un triangle renversé. D'une seconde à l'autre, la peau virait de la couperose au parchemin ; on avait l'impression qu'il vivait mort.

C'était un dur bilan, mais qui se situait dans une bonne moyenne. L'Algérie, toutes confessions confondues, a toujours payé cher les guerres métropolitaines.

À peu de choses près, le décor me semble planté de ce qui sera l'environnement de ma naissance, deux ans plus tard.

La famille au complet était encore casernée rue de Bône. Décidément, il devait être immense cet appartement dont Raymond dit qu'il était magnifique, mais méfions-nous des souvenirs d'enfance. Le quartier, tel que je l'ai connu par la suite, était jonché de détritus provenant du contigu marché de la Lyre : feuilles de choux, peaux de bananes, papiers gras... La rue elle-même, boyau de marches bosselées grimpant vers la Casbah, était sans cesse ruisselante d'eaux usées déversées par les commerçants pour chasser les miasmes et les mouches, les excréments aussi des mulets qui sans cesse gravissaient les degrés, lourdement bâtés de sable, de pierres, de planches, sous les cris et la baguette immodérée de leurs cornacs. À tout ce bataclan venaient se mêler, échappés du marché voisin, des relents fétides ou grandioses de viande ou de poisson frais exaltés par un soleil rageur, enveloppés de friture de beignets ou de sardines que proposaient les gargotes environnantes, le tout baignant dans le mélange indéchiffrable des musiques arabes entrecroisées, nasillées de gauche et de droite, d'en haut et d'en bas, par les phonographes à pavillon des cafés maures, temples du thé à la menthe, des dominos et du jacquet dont je ne savais pas que, plus tard, j'allais l'entendre appeler *backgammon*.

Ce qui pouvait rendre l'appartement magnifique aux yeux de Raymond, c'est que, vaste et situé en hauteur dans le dénivellement de toutes ces ruelles grimpantes et descendantes, il laissait pénétrer par la magie de la lumière le port, les bateaux, la mer, les grues géantes, l'Opéra, le square Bresson. Mais je soupçonne que toutes ces richesses masquaient déjà un peu de la lèpre et des lézardes que quelques années plus tard, mon enfance en quête de ses sources décela sur les murs vétustes et sales qui avaient abrité ma naissance.

C'était quand même extraordinaire d'observer de chez soi tous les mouvements de la navigation. Arrivées, départs de navires battant pavillons de tous les pays du monde. Paquebots, pétroliers, cargos, chalutiers, remorqueurs, flottes de guerre. On ne disait pas « les affaires », on disait « le commerce » et c'était comme du sang coulant dans les veines de la ville. Quand on devait partir pour la France, on guettait l'horizon. Et quand on voyait, franchissant la passe, le courrier venant de Marseille ou de Port-Vendres, on savait qu'il était temps de se préparer à descendre au port.

Aussi grand qu'il fut, l'appartement — déjà gonflé du pépère, de la mémère, de Tontine, Dado, Edmée, papa, maman et Raymond — était apparemment incapable de digérer un hôte de plus car on loua, en prévision de mon arrivée, une chambre qui faisait partie de l'appartement des voisins de palier, les Sonigo — marchands de vaisselle.

On aurait poussé les murs plutôt que de laisser ma mère accoucher en clinique. Selon une croyance ancrée dans les tripes de chacun, si un enfant naissait hors de la maison, une personne âgée mourrait dans l'année.

C'est vrai que les vieux renaissent un peu avec l'enfant qu'ils voient arriver et qu'ils recueillent. Ils se sentent prolongés, comme accueillis eux-mêmes une deuxième fois.

Mais on pourrait inverser la croyance et dire que « Si une vieille personne meurt en dehors de la maison, il naîtra un enfant de moins dans l'année. »

S'il ne naît plus assez d'enfants en cette fin du XXe siècle, c'est peut-être parce que les vieux s'en vont mourir dans cet étage intermédiaire entre sur terre et sous terre que sont les maisons du troisième âge.

Au retour de la rue de Bône, mes parents commencèrent par habiter chez Dado et Tontine, au deuxième à droite de l'avenue de la Bouzaréah. Il fallait se tasser, car l'appartement était de deux chambres à coucher et une salle à manger. Pour deux couples et trois enfants, c'était juste.

Cela voulait surtout dire qu'ils étaient en état de dépendance totale. Ma mère se retrouvait sous le joug de Tontine qui, pour être dépourvue de méchanceté, n'en était pas moins un gendarme sans nuances. Investie trop jeune des prérogatives maternelles, elle en avait caricaturé l'attitude et c'était avant tout le sens de la hiérarchie qui régissait son comportement. Ma mère était la plus petite ; elle lui devait soumission et rien d'autre. Pas question de discuter sur le même plan, on devait se plier, tout cela avec la meilleure conscience du monde puisque — de bonne foi — on ne voulait que le bien de l'autre et qu'en toutes circonstances on était prêt à la protéger, à la défendre même comme une lionne, à condition qu'elle « ne bronche pas » — c'était l'expression consacrée —. Ce que l'autre était, ce qu'elle souhaitait, ces questions n'avaient jamais effleuré sa pensée. Elle avait appris à se rayer elle-même pour élever ses frères et sœur malmenés par la mémère. Produit d'un sacrifice, elle n'admettait que le sacrifice ; il eût été incongru de la part de ma mère d'émettre une prétention, voire même un vœu.

J'essaie de comprendre des mécanismes dont non seulement ma mère mais nous tous allions avoir à subir les effets, mais je ne peux que constater et me sentir marqué aujourd'hui encore par cette irrésistible austérité, comme si, portant le deuil de son enfance massacrée et de ses frères tragiquement disparus, elle ne tolérait plus pour elle-même et les autres que l'accomplissement des actes et devoirs quotidiens. La cuisine, la vaisselle, le ménage, élever les enfants, tout semblait se résumer à une série d'obligations dont toute joie était exclue. Pire, tout prenait des proportions tragiques. La cuisine, qu'on ne savait pas faire simple et qui occupait une grande partie du jour, envahissait la maison : filets à provisions, bouteilles, bassines et chaudrons se retrouvaient jusque dans le couloir de l'appartement. La cuisine n'était plus une tâche, c'était une corvée. La vaisselle qui s'ensuivait transformait la maison en champ de bataille. On la faisait à la main, bien sûr, et sans gants de caoutchouc. Tout donnait une impression de travail et de fatigue tellement démesurés que nos subconscients d'enfants ne pouvaient pas ne pas en concevoir une forme de culpabilité. Car c'était nous qui occasionnions de telles dépenses et de tels efforts, nous le sentions bien. Et le ménage ! Les sols étaient faits d'une mosaïque de faïence à la romaine. Il fallait les laver à grande eau, les savonner, les rincer, les éponger avec les serviettes à laver le parterre et les sécher. Pieds nus, accroupies ou à quatre pattes, les femmes avaient l'air de souillons. Essayant de faire revivre aujourd'hui ces images sordides, je ne puis m'empêcher de penser qu'elles procédaient d'une forme d'autoflagellation concertée, comme si on ne pouvait exister que dans l'effort et la peine et pas dans le plaisir.

Voilà donc le karma que subissait ma mère en plus d'une autre caractéristique de Tontine, plus sidérante encore : elle ne savait pas ce qu'était l'intimité. Inutile d'exprimer le besoin d'être seul ou d'avoir une conversation privée, elle ne le comprenait pas. Elle était au milieu, s'asseyait avec, poussait les portes, entrait dans les chambres, interrompait le dialogue, parlait plus haut, changeait de sujet, ne voyait pas que l'autre était en caleçon ou même sans. Ce n'était pas de l'indiscrétion ou du sans-gêne, c'était la négation pure et simple de toute vie personnelle, comme si, sourde et aveugle, elle ne concevait des relations humaines que le frottement aux autres. À se demander comment elle avait pu s'autoriser à se consacrer à elle-même quelques minutes pour fabriquer une enfant avec son mari, lequel, rien d'étonnant, devait passer sa vie à chercher ailleurs à faire entre quatre murs ce qu'il ne parvenait pas à faire chez lui toutes portes ouvertes.

Tontine imposait à ma mère son mode de vie et de pensée et Dado, qui subvenait aux besoins de tous, ne le faisait pas avec délicatesse. On savait qu'il était le patron et il s'arrogeait tous les droits.

En plus de loger mon père, il lui avait procuré un petit atelier au 14, rue de la Lyre, face à la boutique qu'il occupait lui-même au 17. Il semble que mon père ait d'abord travaillé exclusivement pour Dado qu'il fournissait en bijoux argent avant de se créer une clientèle personnelle.

Quand un être a mis le doigt dans l'engrenage domination-soumission dès son jeune âge et qu'il n'a pas eu l'heur d'être du bon côté du rapport de forces, il semble voué à se retrouver toute sa vie dans la même situation, comme si les autres devinaient qu'il était une proie facile, comme si lui-même allait volontairement se jeter dans la gueule du loup, attiré vers son maître comme d'autres sont attirés par le vide.

Ma mère était toujours sortie d'une emprise pour se placer sous une autre. Mon père, totalement dominé par son frère Albert, se retrouvait totalement sous la coupe de Dado. Un trop long apprentissage de la soumission avait peut-être annihilé en lui l'instinct de liberté. Il m'a souvent raconté qu'Albert l'avait un jour giflé devant ma mère. Pour quelle faute, quelle distraction ou quel écart de langage ? Je ne sais. Mais qu'Albert n'ait même pas songé à ménager l'amour-propre de mon père devant sa femme semble impardonnable. À quel degré de non-reconnaissance de l'autre faut-il en être arrivé ? Le pire, c'est que non seulement mon père n'introduisait aucune rancœur dans son récit, mais qu'il me semblait toujours y déceler une forme de fascination pour ce frère fort et sans vergogne. Comme si la victime n'avait plus d'existence propre sans son bourreau.

Ce n'est pas par hasard que papa prit plus tard une assurance-vie au nom d'Albert, dont les affaires avaient périclité, et qu'il lui obtint l'exclusivité pour la France d'une grande marque algérienne dont il devait faire son viatique pour le restant de ses jours. Ma mère en versant une pension à la mémère, mon père en rendant beaucoup de bien pour beaucoup de mal, pratiquaient l'antitalion et se faisaient protecteurs de leur adversité.

Pourtant, si la mémère ne fut jamais dans la vie de ma mère qu'une présence destructrice, il faut rendre à Albert cette justice que plus tard, dans des circonstances dramatiques, il sut se porter au secours de mon père et sauver son honneur.

Il y eut un jour deux appartements au lieu d'un, à deux étages différents, de deux côtés opposés du palier. Cela ne fit que répartir les espaces différemment, mais pas le mode de vie ni la promiscuité, qui furent les mêmes. Deux portes et vingt marches d'escalier étaient des obstacles négligeables et la vie que je viens de décrire sera celle de toutes mes années d'Algérie, jusqu'à l'âge de seize ans. Les circonstances auraient pu faire que les deux appartements fussent sur le même palier et alors les portes seraient restées ouvertes en permanence. Rien ne changeait.

Papa se mit bientôt à fabriquer des bijoux en or. C'était un pas en avant, une forme d'ennoblissement. À nouvelle production, il fallut un matériel nouveau.

Papa et Dado se rendirent plusieurs fois à Francfort pour y acheter chez Karl Bühler l'outillage nécessaire à une fabrication en plus grande série.

L'atelier de la rue de la Lyre était au premier étage d'une maison plus que vétuste, délabrée, aux escaliers de guingois, au sol crevassé, dallé de tomettes rouges dont plus d'une était manquante. Il consistait en une grande pièce très sombre éclairée par des abat-jour métalliques en forme de chapeaux chinois qui descendaient et remontaient par un système de contrepoids au-dessus du grand établi central, table de travail de mon père et de ses ouvriers.

Pour travailler sous le jour cru des fortes ampoules dénudées sans y laisser ses yeux, il fallait porter une visière de celluloïd teintée de vert ou de bleu. Toute la surface du sol était recouverte de claies de bois que l'on relevait chaque soir contre les murs après le départ des ouvriers pour balayer et recueillir poussière d'or, limaille, déchets, découpures, chutes, qu'on rassemblait dans un sac de jute. Beaucoup de poussière en réalité et une quantité infinitésimale d'or, mais de cette faible quantité dépendait la marge bénéficiaire de l'entreprise. C'est pourquoi les ouvriers travaillaient toujours tiroirs ouverts contre la poitrine. Tendue en cuvette au-dessus du tiroir, une peau recueillait elle aussi les rejets des limes, des scies, des perceuses et autres instruments, rejets que les ouvriers rassemblaient à l'aide de petites brosses de soie et rendaient chaque soir au patron, en même temps que leur ouvrage du jour.

Le matin, mon père leur avait remis une pesée d'or correspondant à la tâche qu'il leur confiait et une pesée de soudure. Mais lorsqu'ils rendaient leur ouvrage le soir, le poids ne pouvait être le même. Dans les différents traitements de la matière, il s'opérait une déperdition inévitable. C'est là qu'il fallait être un vrai patron et fixer d'avance des limites au déchet : on jouait sur de l'or et la tentation était grande de grappiller quelques grammes par-ci par-là. Mais mon père n'osait pas et s'il eut quelques contremaîtres de grande qualité, d'autres, moins scrupuleux, s'enrichirent sur son dos.

Tous les mois, il portait le sac de déchets chez un fondeur qui, par un passage au four, réduisait à un aggloméré noirâtre cet amas de poussière. Puis par un traitement à l'acide, il séparait la masse obtenue de sa gangue pour en isoler une pépite-surprise, bonne ou mauvaise selon sa grosseur et son poids. C'était un peu comme le tirage d'une loterie et, comme à la loterie, on ne gagnait pas souvent.

Je revois cet atelier et son outillage d'époque, entièrement mécanique, les perfectionnements électriques devant venir plus tard. La pièce vedette était le balancier, espèce d'énorme haltère, porté par un axe vertical, encadré lui-même de très fortes structures de fonte, le tout reposant sur une base cubique d'un poids énorme, à se demander comment on avait pu hisser ce monstre jusqu'au premier étage. À la boule droite de l'haltère était fixé un bras métallique pendant verticalement, qu'on actionnait à la main, faisant pivoter l'haltère et provocant la descente de l'arbre central qui venait frapper la surface supérieure du cube. Sur cette surface se trouvait un moule femelle ; à l'extrémité inférieure de l'arbre, un moule mâle. On avait déposé sur le moule femelle une plaque d'or et le mâle, venant emboutir la femelle, transformait la plaque de métal en un motif ornemental plus ou moins important, matérialisation en volumes des dessins de mon père qui, tel un styliste, créait tous ses modèles.

Les motifs étaient répétés à l'infini, jusqu'à ce que le modèle ait cessé de plaire. On changeait alors de dessins, et de mode, et de moule, comme chez les couturiers.

Il y avait aussi le laminoir et son énorme manivelle qu'on actionnait à deux mains car il fallait un gros effort pour recueillir une plaque de métal à la sortie de l'appareil lorsqu'on avait présenté à l'entrée un lingot. On réduisait le lingot par passages successifs entre deux rouleaux dont on diminuait millimètre par millimètre l'écartement.

La tréfileuse, basée sur le même principe de manivelle, transformait en fils de différentes grosseurs les plaques ainsi obtenues.

Une autre machine à manivelle faisait des torsades de plusieurs fils assemblés.

La polisseuse faisait entendre son ronflement et maculait de projections chimiques les murs, les blouses et les visages. On polissait les reliefs et on noircissait les creux.

On donnait aux plaques de métal leur arrondi ou leur ovale en les disposant sur des triboulets, cônes d'acier allongés et gradués, et en les frappant avec un maillet en bois; on obtenait ainsi la forme du bracelet ou de la bague à venir.

On frappait, on ciselait, on découpait, on guillochait le métal. On fondait des petits carrés découpés pour les coaguler en boules de différentes grosseurs. J'aimais particulièrement observer cette phase du travail qu'était la fonte. Le métal, soupoudré de salpêtre pour activer la fusion, était dans un creuset en terre réfractaire prolongé d'un manche métallique que l'on tenait d'une main. De l'autre, on tenait le chalumeau à gaz éternellement fixé à un crochet à la droite de l'ouvrier, petite flamme éternellement en veilleuse, réglable au moyen d'une roulette métallique. Le chalumeau était relié par un tuyau en caoutchouc à un pédalier dispensateur d'oxygène que l'on actionnait sans discontinuer du pied droit et la flamme surgissait, rugissante, venant cingler, dans les éclairs bleus et verts du salpêtre, le métal qui commençait par brunir, rougir, blanchir, puis se fendillait, se déliait, se liquéfiait, formant au centre du creuset comme un petit soleil incandescent, un jaune d'œuf transparent, pur et frémissant qui oscillait au fond de son creuset, ballotté par la flamme. C'est seulement sous cette forme liquide et transparente, intouchable aussi et idéale en quelque sorte, que j'aimais l'or. Des années durant j'ai regardé fondre, puis appris à fondre pour le seul plaisir de contempler cette métamorphose du solide en liquide, de l'impur en pur, qui me donnait l'impression de voir naître sous mes yeux des planètes ou des étoiles.

Lorsque la fonte était terminée, on prenait le lingot avec une pince et j'aimais aussi le grésillement furieux du métal en feu que l'on plongeait immédiatement dans l'eau pour le refroidir.

Les différents motifs découpés, ciselés, modelés, emboutis étaient soudés un par un sur la plaque de fond du bracelet ou de la bague. Additionnés l'un à l'autre, assemblés selon les dessins de mon père, ils donnaient naissance à de petites œuvres d'art brutes encore et mal dégrossies. Il fallait un œil de professionnel pour en deviner la future beauté. En attendant d'aller affronter le verdict du contrôle de la Garantie et donc le droit d'être achevées, fignolées, passées à la polisseuse, elles passaient une nuit dans un bocal d'eau additionnée de vitriol pour en éliminer les dernières scories.

Je m'aperçois que, dans l'emportement de mon récit, je suis allé plus vite que le progrès. En parlant du pédalier qui actionnait la flamme du chalumeau, j'ai décrit la fusée avant l'avion car je suis assez vieux pour avoir vu l'ancêtre de ce pédalier cylindrique et barbare : l'homme soufflant. En effet, je me rappelle avoir vu mon père souffler dans un embout fixé à l'extrémité du tuyau de caoutchouc, déclencher la flamme et en régler la puissance au seul moyen de ses poumons et de ses joues gonflées. D'en parler me donne tout à coup l'impression que je viens de la nuit des temps.

Ajoutez au tableau de la rue de la Lyre la débauche de couleurs de ces trésors par centaines dont l'atelier regorgeait : coraux, améthystes, topazes, cornalines, camées, ivoires, scarabées, onyx, turquoises, aigues-marines, agates, chrysoprases, calcédoines, tourmalines...

Additionnez maintenant tous les bruits de cet atelier, replacez-les dans ce décor de claies, de bois, de fonte, d'ampoules aveuglantes, et vous aurez la cacophonie des chalumeaux vrombissants, des pédaliers saccadés, du balancier sourd, des maillets percutants, des scies, des perceuses, le tout baignant dans l'odeur âcre de la fumée, du vitriol, de l'amiante et du salpêtre ; saupoudrez de relents de brochettes venus de la rue et vous aurez l'univers de mon père.

Plus tard, quand les affaires devinrent plus sérieuses, on ferma l'atelier par une cloison vitrée pour ménager à l'entrée un petit espace muni d'un comptoir de bois, lieu de réception qui devint le domaine de ma mère et de ses angoisses.

Avenue de la Bouzaréah, tous les repas se prenaient en commun ; autant dire que toute la vie ne se tenait que d'un seul côté, chez nous, au premier étage. Tontine, Dado et Edmée ne montaient chez eux que pour dormir.

Nous, les enfants, circulions d'un étage à l'autre du matin au soir, sous tous les prétextes ou pour toutes sortes de bonnes raisons.

Tontine avait beau ne pas être chez elle, elle dictait ses volontés et menait la baraque avec son absence totale de questions sur ce que les autres pouvaient penser ou vouloir. Ma mère avait un mari, deux enfants. Et alors ? Cela voulait dire qu'on cuisinait pour sept et rien d'autre. Pourvu que l'on fît son devoir, on était en règle. Aimer ? Ne pas aimer ? Quelle question ! Bien sûr qu'on aimait puisqu'on faisait ce qu'il y avait à faire, ponctuellement, irréprochablement.

On était en règle avec sa conscience et la moindre récrimination n'eût été qu'ingratitude. Tout était bien, pourvu que chacun fût conforme et n'élevât pas la voix, à l'exception de Tontine qui avait le timbre rauque et les oreilles fermées.

Elle était devenue grégaire et n'existait plus que par sa fonction... Cœur d'or, capable de pleurer et de s'émouvoir certes, mais ne pouvant comprendre ni admettre que l'on allât dans un autre sens que celui du devoir, elle se sacrifiait — ce mot, combien de fois l'avons-nous entendu ? — pour nous et le mot *sacrifice* avait définitivement pris la place du mot *amour* dans son vocabulaire. C'est donc le plus naïvement du monde qu'elle attendait de chacun le sacrifice de soi-même. Ayant appris à ne pas tenir compte d'elle-même, comment pouvait-elle reconnaître l'individualité de chacun ? C'est ainsi que Tontine vola son image à ma mère.

Et comment l'enfant que j'étais, conscient de sa filiation mais aussi en quête d'une image maternelle forte, pouvait-il réagir autrement qu'en hésitant entre les deux mères, aussi imparfaites l'une que l'autre, que le sort lui offrait ?

Avec Dado, c'était la même histoire. Il était le patron et le faisait sentir. Il occupait à table la place dominante à l'une des extrémités, faisant face à mon père qu'il supplantait dans sa propre maison. Et là encore, j'appris à me faire une représentation double de ce dont un garçon a le plus grand besoin : un père fort, mais sans jamais vraiment y trouver mon compte.

Ce n'est pas mon histoire que je veux raconter, c'est celle de mes parents. Mais je ne peux le faire qu'à travers des événements dont j'ai été l'un des acteurs. C'est ainsi que mes premiers souvenirs sont faits de chuchotements et de cachotteries. Dès que les conversations prenaient un tour un peu scabreux, c'est-à-dire dès qu'on entrait dans des histoires de grandes personnes, on nous mettait carrément à la porte de la salle à manger, que l'on refermait sur nous. Il devait s'agir tout au plus de désaccords dans la famille, d'un vague cousin qui buvait, de untel qui avait trompé sa femme, mais on nous disait : « Ce n'est pas pour les enfants ». Et comme le dialogue familial s'alimentait en grande partie de tous les ragots locaux, nous étions souvent priés de regagner notre chambre.

Le soir, c'était indifféremment Tontine ou maman qui venait me coucher, souvent les deux ensemble. Je m'empressais de fermer les yeux et, croyant que je dormais, elles poursuivaient leurs chuchotements. Curieux, je m'efforçais de ne pas sombrer dans le sommeil ; j'espérais avoir la révélation de quelque fait mirobolant et restais régulièrement sur ma faim.

On ne devait pas savoir. Jamais on ne m'a dit que l'oncle Georges s'était suicidé. Jamais on ne m'a parlé de la fugue de mon père. J'en étais réduit à guetter des allusions, des regards échangés, des soupirs, des silences. J'ai toujours subodoré, pour ne parler que de ces deux faits, que quelque chose s'était passé, mais quoi ? Rien de plus angoissant que cette quête d'un passé qu'on ne vous livre pas. Il ne reste plus, à une imagination trop vive, qu'à broder. C'est ainsi que, devinant que quelqu'un s'était suicidé dans la famille, j'ai cru toute ma vie que c'était l'oncle Edmond, celui dont on m'avait par tradition donné le nom. Et quelque chose dans cet héritage me hanta longtemps, comme si de porter le même nom devait me conduire au même geste. Quant à la fugue de mon père, ayant un soir, dans mon faux demi-sommeil, attrapé au vol la phrase « Quand il est parti... », je me suis inventé de toutes pièces que c'était à Nice avec une autre femme et au fond de moi je lui en ai toujours voulu d'avoir trompé ma mère. Par refus d'être ignorant, je me faisais mythomane.

Comment alors s'étonner de ce qui va suivre ? J'avais une grande fragilité des oreilles ; faisant otite sur otite, j'étais souvent chez le docteur Granger, l'oto-rhino de la famille. Ce géant aux yeux bleus, cheveux et moustache blancs, qui aurait pu être une vedette de cinéma, m'impressionnait par sa stature et sa sévérité. Assis face à moi, son miroir frontal braqué sur ma gorge, il emprisonnait mes genoux entre les siens pour s'assurer que je ne bougerais pas. Et d'être ainsi paralysé, j'avais deux fois plus peur de ses *speculums,* de ses spatules et de ses tiges brûlantes qu'il introduisait sans ménagement dans mes narines et mes oreilles. Il passait bien le coton à la flamme pour l'aseptiser mais il soufflait ensuite dessus quelques milliers de bactéries pour le refroidir !

Son cabinet, très beau au demeurant, m'apparaissait comme un lieu de torture. J'avais cinq ans et une terreur s'emparait de moi chaque fois qu'on devait me conduire chez lui. C'était soit ma mère soit l'oncle Dado qui s'en chargeait et on me promettait des bonbons à la sortie pour m'aider à surmonter mes appréhensions.

Un jour, Dado me proposa d'aller me promener avec lui. Nous déambulions depuis un moment rue d'Isly quand, passant devant le square Laferrière, celui où trente-cinq ans plus tard le général de Gaulle devait assurer les pieds-noirs de sa parfaite compréhension, je demandai : « Où allons-nous ? » Dado me répondit : « Manger des glaces ». Quelque deux cents mètres plus loin, il me fit entrer dans un immeuble cossu dont j'admirai la porte vitrée et les sols de marbre. Je dus me croire dans quelque salon de thé. Dans le hall, Dado m'assit sur une table et, avant de comprendre ce qui m'arrivait, je me sentis ceinturé par derrière. Un tampon s'abattit sur mon nez...

En m'éveillant, j'aperçus les murs ripolinés de vert d'une chambre inconnue. Dado, très flou, était debout auprès du lit. Je voulus lever ma tête pour mieux voir mais ma tête pesait une tonne et, touchant mes tempes, je m'aperçus que j'étais casqué de plusieurs épaisseurs de gaze. Impossible de me décoller de l'oreiller. Je demandai ce qu'on m'avait fait et j'appris qu'on m'avait opéré d'une mastoïdite. Je demandai pourquoi on ne m'avait rien dit et je crois bien que Dado répondit : « Pour ne pas que tu aies peur ».

Je viens d'apprendre par Raymond que très longtemps après mon opération, Dado répétait obsessionnellement : « Comment ?... Je lui ai menti !... Je lui ai menti !... » J'avais cinq ans. Il m'en resta toujours, outre la cicatrice profonde, une grande blessure que je masquais en racontant comme un fait de guerre à mes copains d'école qu'on avait failli me trépaner, ce qui était vrai mais guère glorieux car, à l'époque à Alger, pour dire « un fou » on disait « un trépané ».

Aujourd'hui, plus d'un demi-siècle plus tard, alors que la vie m'a appris la compréhension, l'indulgence, l'oubli à défaut du pardon, la seule chose au monde que je me refuse à excuser, à comprendre ou à oublier, c'est la trahison.

L'avenue de la Bouzaréah, c'était le commencement du quartier de Bab-el-Oued — en français « La Porte du Ruisseau » —, ainsi nommé parce qu'il s'arrêtait à un oued presque toujours desséché dans le creux d'une vallée pouilleuse qu'on appelait par euphémisme « Le Frais Vallon ». Au-delà de cette vallée, on accédait, par une route ascendante, à la Bouzaréah, banlieue résidentielle dominant la ville, réputée pour son « air pur ».

Au premier étage du 14, nous étions à quelques pas de la Bassetta, le quartier espagnol qui était le cœur même de Bab-el-Oued avec son lavoir et sa cheminée métallique dressée dans le ciel, sur un tertre au faîte d'une baraque. On se racontait que c'était une cheminée de remorqueur laissée là après la retraite des eaux. Quelles eaux ? La Bassetta se prenait-elle pour une succursale du mont Ararat ?

La porte de l'appartement, blindée, barrée, chaînée, munie de trois serrures de sécurité — mon père était un précurseur —, s'ouvrait face aux lieux d'aisance, à la gauche desquels on trouvait l'une après l'autre sur le même alignement la chambre de mes parents et la salle à manger, toutes deux ouvertes sur un balcon long d'une dizaine de mètres.

C'était « le devant » de l'appartement qui donnait sur l'avenue. De la salle à manger, formant un « L » avec l'entrée, partait un couloir sombre, le long duquel on trouvait la cuisine puis un cabinet de débarras, et qui se terminait par « la chambre des enfants », suivie de la salle de bains. Ces deux pièces, qui étaient « le derrière » de l'appartement, faisaient vis-à-vis à l'atelier vitré d'une grosse entreprise, la menuiserie Rodolfo.

Une terrasse précédait l'atelier, sur laquelle, hiver comme été, un ouvrier installé à un immense plan de travail procédait à des travaux d'ajustement et de collage, nez à nez avec notre chambre.

Les peintures et aménagements devaient subir des transformations successives, mais dans la phase finale, les murs du couloir étaient enduits d'un stuc travaillé à la main, pâte épaisse et tourmentée faite de creux et de bosses dont je ne saurais dire si elle était de couleur verdâtre ou beige, ombrée d'or et de blanc.

Dans la salle à manger, un lourd papier gaufré à fond noir, imprimé de fruits multicolores en relief, revêtait les murs. Aussi bien dans le couloir que dans la salle à manger, une cimaise arrêtait stuc et tapisserie aux trois quarts de la hauteur des murs pour laisser place à un enduit de chaux blanche qui recouvrait également les plafonds.

Nous étions citoyens britanniques par l'environnement sonore. Tous les quarts d'heure, une horloge nous délivrait, par chapelets de quatre notes, le leitmotiv célèbre du carillon de l'abbaye de Westminster. Papa l'avait accrochée dans la salle à manger, au-dessus du buffet aux ours ; il en prenait un soin dévot, la cajolant, la réglant, la remontant à intervalles réguliers. Un balancier doré faisait miroiter chacune de nos secondes. Quand la même musique accompagne près de quarante ans d'une vie, cela devient une complicité, une respiration. La nuit, quand mes yeux s'ouvraient et que j'avais le sentiment lourd d'être coupé de la maisonnée dormante, j'accueillais avec un sourire reconnaissant les notes familières, surtout quand elles me disaient que l'heure de l'école n'était pas près de sonner.

Dans les chambres courait quelque papier banal à fleurs. On finit par installer dans la salle de bains une cloison vitrée ne laissant plus aux sanitaires que les deux tiers de l'espace pour réserver à Raymond un petit bureau face à la menuiserie Rodolfo. La cuisine était un trou sombre et sinistre, espèce de grotte de gitans dont la fenêtre s'ouvrait, presque à pouvoir les toucher, sur les fenêtres de l'immeuble voisin, au-dessus d'une cour commune toujours infestée de détritus.

La cage de l'escalier, où nous passions beaucoup de temps à jouer entre le premier et le deuxième, surplombait le sous-sol de l'immeuble, où chaque locataire avait sa cave privée. Et nous nous amusions souvent à regarder d'en haut la sarabande des énormes rats qui s'affairaient à venir chercher là des miettes de nourriture et qui quelquefois se prenaient aux pièges à gruyère que nous leur tendions. Nous riions moins quand nos parents nous envoyaient chercher quelque chose dans la cave glaciale, dépourvue d'électricité, où il fallait circuler une bougie à la main à travers des décennies de toiles d'araignée et d'immondices car c'était ainsi : la cave était un lieu infâme et satanique qu'il n'était même pas question de nettoyer, un lieu par définition misérable et sale et qui ne pouvait que le rester. Des chats venus on ne sait d'où venaient y rôder parfois. Ils avaient le ventre creux et le regard fulminant des bandits de grands chemins, des miaulements sauvages et les crocs facilement découverts. Nul n'aurait songé à les approcher.

Nous voyions souvent, sillonnant les rues de la ville, un fourgon gris, sinistre et clos à l'exception de deux grillages sur les côtés. Il était tiré par deux chevaux étiques et sur son siège, un cocher fripé de noir complétait ce cortège digne des *Misérables*. Sur le marchepied arrière, en contrebas du seul accès vers l'intérieur — une sorte de porte de prison —, se tenait Galoufa. C'était un être vulgaire et cynique dont on jetait le nom aux enfants lorsque tout recours au gendarme ou au loup-garou s'était montré vain. Galoufa tenait à la main un long manche de bois flexible au bout duquel une chaîne en forme de collier faisait nœud coulant. Dès qu'il apercevait quelque chien ou quelque chat errant, il sautait de son marchepied. À pas feutrés, il venait se placer derrière l'animal et le capturait de son lasso d'acier pour l'enfermer dans son cachot à quatre roues et l'emmener à la fourrière. Il agissait avec la conscience méthodique des exécutants de camps de concentration et accompagnait chaque prise d'un bon sourire d'autosatisfaction. On ne reverrait plus jamais l'animal, les gens le savaient, mais personne ne protestait. Il y avait, dans cette époque de peu de pitié, un mépris des vagabonds. Les errants étaient des bannis, porteurs de sorcellerie. Les chiens perdus troublaient le confort des braves gens qui savaient gré à l'homme au collier d'acier de les soulager de leur mauvaise conscience. Galoufa était un héros. Galoufa faisait peur. Galoufa faisait rire. Galoufa était populaire.

Nous avions un caniche nommé Pipo qu'il colleta un matin sur la place de la Lyre et qui disparut de notre vie.

Sur l'avenue circulaient, dans les deux sens, des tramways électriques, concert permanent de ferraille grinçante et de tintements de clochettes avertisseuses. Le conducteur, sur la plate-forme ouverte aux quatre vents, serrait et desserrait sa manivelle sous nos fenêtres car nous étions exactement face à l'arrêt Durando. Nous n'étions guère surpris quand un éclair crépitant fendait nos fenêtres ; c'était le *trolley* qui s'était déconnecté et, s'affolant au-dessus du véhicule, venait battre et rebattre la ligne électrique avant que le conducteur arrivât à remettre les choses en place au moyen d'une corde qui pendait de la perche.

Le quartier ne manquait pas d'autres bruits : la scierie tout d'abord, dont les stridulations incessantes suffiraient aujourd'hui à pousser au meurtre une âme un tant soit peu sensible. Nous ne l'entendions pas vraiment ou peut-être aimions-nous l'entendre. De nos jours, on en ferait une pétition ; nous n'en parlions pas.

Il y avait le vitrier qui sillonnait le quartier avec son attirail sur le dos, véritable fenêtre ambulante, claironnant « Vitrier... Vitrier ! » Il eut toujours de quoi faire avec nous qui étions grands fracasseurs de carreaux et aimions bien récupérer pour nos jeux le mastic frais dont il venait de sceller les vitres neuves.

On entendait tous les jours nasiller « Couteaux, ciseaux à repasser ! » et la meule du rémouleur nous gratifier d'un festival d'étincelles crépitantes.

« Z'habits ! » était aussi une chanson quasi quotidienne. Lui, c'était un grand échalas vêtu de noir qui récupérait toutes sortes de reliques vestimentaires et ne reculait jamais, même devant les plus épuisées. Il frappait souvent à notre porte ainsi que l'étameur qui refaisait nos fonds de casseroles ou le vannier qui rempaillait nos chaises.

Il y avait celui-là qui chantait de sa voix de stentor : *« Je suis le raccommodeur de faïence et de porcelaine ».*

On entendait aussi crier : « Cacahuètes... bliblis ! » Les bliblis étaient de petits pois chiches grillés qui craquaient sous les dents — quand les dents ne craquaient pas sur eux — et dont je n'ai plus très bien compris le charme que nous leur trouvions lorsque, de très nombreuses années plus tard, l'occasion d'y goûter me fut offerte à nouveau.

Le marchand d'« oublies » déambulait avec, comme une grosse caisse sur le ventre, un énorme cylindre noir contenant des gaufres roulées en cônes. Pour s'annoncer, il agitait de son bras pendant une lame de bois vissée d'une poignée de fer mobile.

Le marchand d'eau passait parfois, avec sa citerne de cuivre en bandoulière. Pour un sou, tout le monde buvait au gobelet unique qu'il promenait au bout d'une chaîne.

Le marchand de berlingots arrêtait au coin d'une rue sa voiturette blanche à dessins de loukoums, surmontée d'un trapèze de cuivre. À cheval sur la barre du trapèze, des serpents de guimauve rouge, verte, jaune, blanche, dégoulinaient en s'effilant. Il en tressait les extrémités dont il faisait une torsade multicolore. S'emparant de ses ciseaux, il découpait la torsade en berlingots qui finissaient de durcir sur des plaques de fer.

Il y avait cet autre qui criait : « Fromage à la crème ! » et qui nous apportait, venus de sa campagne et faits le jour même, des fromages blancs dans des moules en forme de cœur, de pique, de trèfle ou de carreau, qu'il démoulait dans le plat que lui tendait ma mère. C'était vraiment du fromage blanc et vraiment de la crème, sans marque, sans publicité, sans emballage parafiné, mais avec quelque chose que n'ont plus les bouillies plâtreuses et frigorifiées de nos supermarchés : le goût du fromage blanc.

Dans la rue, nos délices se faisaient de *calentita,* sorte de flan à base de pois chiches et d'huile d'olive que les marchands ambulants portaient sur une grande plaque à hauteur de nombril, suspendue à leur cou par une lanière de cuir. Avec un grand plateau se promenait aussi le marchand de pommes caramélisées et plantées d'un bâtonnet de bois, tout en chantant :

C'est moi qui les fais
C'est moi qui les vends
C'est ma femme qui bouffe l'argent !

Par les grosses chaleurs, nous étions fous de *créponnés* que nous allions déguster place du Gouvernement. C'était simplement du citron pressé, de l'eau et du sucre mis dans un bac métallique entouré de glace, que l'on faisait tourner à la main le plus rapidement possible. Par centrifugation, la citronnade se déposait en cristaux qui formaient pellicule sur les parois du bac et que l'on recueillait avec une palette de maçon. Tassé dans un verre, ce sorbet offrait l'apparence d'un névé et, au goût, c'était paradisiaque.

Nous allions aussi nous faire découper, pour quelques sous, des figues de Barbarie que nous n'eussions jamais osé peler nous-mêmes, oursins végétaux redoutables au toucher.

En hiver, c'étaient, avec les châtaignes et les marrons, les patates douces qui rôtissaient au feu de bois et ruisselaient de leur propre sucre.

Au chapitre des friandises, il y avait encore les marchands de beignets et de *zalabias*. Leurs échoppes, généralement minuscules et très sombres, consistaient essentiellement en un bac à huile pris dans une maçonnerie et chauffé au charbon de bois. Pour les beignets, on jetait dans l'huile bouillante une pâte en forme de crêpe. Par je ne sais quel tour de main, le centre de la crêpe cuisait en croustillant, tandis que le pourtour gonflait en beignet. On retirait du bain de friture, on laissait égoutter et c'était délicieux quand l'huile n'était pas de la veille ou de l'avant-veille.

Les *zalabias* étaient faits d'une pâte différente que l'on répandait, au moyen d'un cornet, en entrelacs dans l'huile bouillante. On leur donnait indifféremment la forme d'un trombone ou d'un escargot d'une texture très spongieuse et on les plongeait tout chauds dans du miel.

C'étaient, par excellence, les pâtisseries algériennes. Un peu partout on vous les servait plus ou moins bien, sans raffinement particulier et souvent enveloppées dans du papier journal.

Nous avions notre fournisseur attitré à la Bassetta. Il enveloppait ses régals de papier parcheminé, avait une petite boutique très propre aux murs maçonnés de carreaux de faïence à motifs orientaux, y compris les sièges pris dans la construction et qui donnaient à l'ensemble une apparence reluisante et nette. C'était un jeune Noir jovial et joufflu, vêtu d'une tunique et d'une toque blanches à la manière des grands chefs. Il était disert et tenait salon. Nous l'appelions Blanchette, naturellement. Il adorait ça mais ne tolérait pas que nous appelions ses beignets et ses *zalabias* — les meilleurs de la ville ! — autrement que tartes à l'huile et éclairs au miel.

En fin de matinée, à la tombée du jour, souvent nous parvenaient des proches lointains de l'avenue de la Marne les premiers frémissements d'une flûte connue, reconnue, porteuse de la sempiternelle, étrange et belle sardane qui tissa son fil ténu tout au long de mon enfance et de ma jeunesse : quatre mesures répétitives, pulsées de Catalogne, mais dont le chant évoquait bizarrement quelque « Amour des trois oranges », teinté de Schéhérazade et des steppes de l'Asie centrale. J'ai rarement entendu dire autant de choses en si peu de musique. Curieusement, c'est un jeune musulman qui promenait avec lui ces vingt-deux notes de son invention. Elles étaient plus russes qu'arabes ; mais n'y a-t-il pas de l'Orient dans Rimsky-Korsakov ?

Il y avait dans cette mélodie qui se rapprochait au pas alerte du garçon comme une joie fêlée, une envolée majeure démentie de mineur, à laquelle l'apparition du musicien donnait son évidence. Filiforme et coiffé d'un mouchoir noué sur ses cheveux, il avançait d'un pas résolu et irréel à la fois, ses doigts parcourant les trous d'un bout de roseau qu'il avait taillé lui-même et qui rendait un son d'en dehors de la ville.

Ignorant de ce qui l'entourait, il avait l'air tiré par son regard plus que par ses jambes. Ses yeux semblaient apercevoir très loin quelque chose qu'il voulait atteindre et que nous ne voyions pas. Personne ne le regardait et sa musique ne troublait personne. Un farfadet, un *djinn*. J'avais l'impression d'être le seul à m'arrêter et à le suivre des yeux et des oreilles jusqu'à ce qu'il disparaisse au bas de l'avenue Durando. Pour moi, il était le musicien du film de mon enfance. Tout ce que je raconte ici, je le revis au souffle de ce roseau dont j'aurais voulu tirer une symphonie si j'avais su le faire.

Bien des années plus tard, à Paris, me vint en pensant à lui une musique qui n'avait en commun avec la sienne qu'un peu de tristesse et sur laquelle je posai deux phrases banales :

La fin du jour traîne sa magie
Au bas
Des rues de la Casbah.
Un fou promène sa nostalgie
Au bout
D'une flûte en bambou.

Je ne sus jamais aller plus loin.

ET PÈLE-MOI UNE ORANGE...

En bas du 14, à gauche, c'était le coiffeur Nadal, un Espagnol disert et sympathique. Pour pénétrer dans son petit salon, il fallait écarter un rideau fait de perles et de sifflets de bois dont j'aimais le cliquetis. J'y allais souvent pour feuilleter les nombreux magazines de *football*, cyclisme ou cinéma qui traînaient sur les chaises. Le prétexte m'en était fourni par mon père qui, tous les matins, avant d'aller à son atelier, descendait se faire raser et peigner. Rituel sacré accompagné de parlotes et plaisanteries qui m'enchantaient. J'aimais voir monsieur Nadal tirer vers lui la lanière de cuir, lissée jusqu'au lustre, qui pendait au mur et y affûter solennellement le sabre d'un rasoir exclusif à mon père, avec cette rotation impériale du poignet qui présentait alternativement au cuir un tranchant puis l'autre de la lame dans un va-et-vient faussement nonchalant. Ses origines semblaient alors lui remonter aux reins et, l'espace de quelques secondes, acier en main, il se donnait des airs de matador.

Son bol de savon entre les doigts, il faisait, de son blaireau, monter la mousse en neige sur les joues, le menton et le cou de mon père ; puis, se reculant légèrement, le bras tendu, il dessinait, l'œil plissé, deux grosses moustaches blanches au-dessous du nez avec le regard d'un peintre satisfait de sa dernière touche. Le grattement de la lame sur la barbe m'impressionnait toujours et me donnait envie de grandir vite pour me faire raser à mon tour. Après chaque passage du rasoir, monsieur Nadal essuyait la lame sur un papier hygiénique et, le rasage terminé, c'était l'application de la serviette chaude qui, par paternel interposé, me procurait un bien-être presque réel. Ce n'était pas tout. Il restait à polir la couenne et monsieur Nadal sortait de son tiroir un petit bloc d'alun rectangulaire qu'il promenait sur le visage de son client jusqu'à lui donner un glacis de pomme laquée. C'est alors que, sortant de dessous son lavabo un litre d'eau de toilette à la violette — le flacon de monsieur Bacri —, il en aspergeait le coin d'une serviette-éponge dont il imbibait tout le visage. Quelques gouttes de violette sur les cheveux déjà rares, trois coups de peigne, deux coups de brosse sur les tempes...

Mon père se relevait ; on lui retirait sa blouse blanche, on brossait sa veste et je le voyais ajuster sa tenue devant la glace avec une suffisance naïve, tout en découvrant sa canine en or dans une grimace de satisfaction. Il sortait sans payer ; il était « au mois ». Je le précédais pour avoir une fois de plus le plaisir de faire clapoter la pluie de bambou qui bouchait l'entrée.

À côté de chez Nadal se tenait la corsetière, Henriette Torégrosa, belle grande femme accorte et gaie dont maman et Tontine étaient les fidèles clientes. Madame Torégrosa corsetait « sur mesures » et si les goûts de ma mère et de ma tante allaient toujours vers le coutil beige le plus neutre, je ne manquais jamais d'admirer dans sa vitrine les roses et les mauves de pièces beaucoup plus osées, échafaudages savants de baleines tendues de satin ou de moire avec leurs escaliers de boutons de nacre reliés entre eux par des lacets de soie. Par-ci par-là, un ruban noué en papillon ajoutait une note pastel du plus troublant effet. Je ratais rarement les essayages de ma mère. Tandis qu'elle s'isolait derrière un paravent, j'aimais parler avec Henriette, vivante, chaleureuse, avec qui je ne manquais jamais d'échanger tous les jours quelques mots au passage. Mais cela je le faisais avec tous les commerçants du coin.

Toute mon enfance, toute ma jeunesse, j'ai vu ma mère s'emprisonner chaque matin, en décembre comme en août, dans ces harnais d'un autre âge qu'elle portait par-dessus sa chemise et sa combinaison. Malsains, inlavables, ils vieillissaient vite et mal ; il fallait les renouveler souvent. J'ai même été le complice de ses tortures car elle me demandait parfois de tirer les lacets pour être bien sûre de respirer un peu moins bien, et moi qui vous cause, j'ai vécu un moment aussi grandiose que pour d'autres l'invention du téléphone ou du cinématographe : l'avènement de la gaine élastique ! J'y ai vu comme la fin du Moyen Âge, l'avènement de la libération féminine. J'ai trouvé la gaine révolutionnaire et « moderne » et si je dis que j'ai poussé un « ouf » de soulagement, ce sera à peine exagéré car, d'une certaine façon, j'ai toujours eu l'impression que c'était moi que les corsets de ma mère embastillaient.

Il y avait aussi madame Derida, la mercière. Qu'aurions-nous fait sans elle ? L'histoire de nos vêtements comme celle de nos chaussures n'est qu'une longue vision de trous, d'accrocs, de déchirures, de boutons arrachés. J'entends encore ma mère dire : « Aujourd'hui, c'est mon jour de raccommodage ! », le plus souvent pour décliner une invitation, déplacer une sortie ou toute autre activité. Elle extirpait alors d'une corbeille un monceau de chiffons malades : chemises, chaussettes, bas, *pulls,* gants, mouchoirs, dentelles et, des après-midi entiers, elle recousait, reprisait, rapetassait, rapiéçait, ravaudait, remaillait, se servant parfois d'un tambourin de bois sur lequel elle tendait la partie de tissu à soigner, comme un chirurgien délimitant un champ opératoire. C'était le seul de ses travaux domestiques qu'elle accomplissait en chantonnant et j'aimais l'entendre. Elle chantait juste. Il y avait en elle, parmi beaucoup d'autres choses enfouies, de la musique. Et quand elle chantait j'apercevais sa gaieté trop tôt et trop souvent brimée. Ces moments s'approchaient d'un bonheur.

Les œufs en porcelaine, la corbeille en contenait toujours. Ils venaient se loger dans les talons ou les extrémités de nos chaussettes dont ma mère n'arrêtait pas de reprendre les reprises qui finissaient par former des boursouflures. Elle prenait alors un autre œuf dont elle tapotait le premier habillé de son talon bouffi pour tasser l'entrelacs pas toujours unicolore (c'était difficile d'« assortir » les bobines) que formaient les fils.

Le dé à coudre avait son histoire. Il était en argent et venait de loin, de sa grand-mère peut-être. Autant nous démolissions les œufs, qui finirent d'ailleurs par être en bois, autant il n'eût pas fallu égarer le dé, qu'elle enfilait toujours gracieusement à son doigt pour « donner un point » à quelque vêtement martyr.

Le *Café Aracil* faisait l'angle de la rue Cavelier de La Salle. C'était un café banal avec son patron jeune et chauve et sa femme pleine de santé, dont je glanais aussi les sourires au passage. Haut lieu de l'anisette et de la « kémia », Aracil dispensait sur son comptoir olives, *tramousses* (graines de lupin), variantes et autres coupeurs d'appétit dont se gavaient avant de passer à table ceux qu'à l'époque on ne nommait pas encore pieds-noirs et qui n'auraient d'ailleurs pas supporté d'être nommés ainsi.

Quand j'y entrais avec mon père, c'était pour boire un breuvage d'un autre temps aujourd'hui totalement disparu mais dont on a conservé le nom, de même qu'on continue d'appeler sérieusement pommes, poires, pêches ou tomates, des choses qui n'ont rien gardé de leur fragrance originelle.

Le breuvagc s'appelait, prétend encore s'appeler, limonade. On disait aussi une *gazouze* ou une *bille.* Cela embaumait le citron et avait un certain goût de miel aromatisé dont nous cueillions les effluves à plein nez lorsque nous nous promenions, non loin de la maison, autour de la fabrique de limonades Hamoud.

On commandait une bille-grenadine, une bille-citron ou une bille-menthe car les petites bouteilles étaient fermées par des billes de verre qui obturaient le goulot de l'intérieur. Pour ouvrir, on appuyait sur la bille, qui tombait au fond du flacon.

Les odeurs appellent les odeurs et j'étais loin de me douter qu'au tournant d'une ligne me reviendraient celles, moins suaves, de la fabrique de cigarettes Bastos voisine des limonades Hamoud. C'était une tout autre chose, entêtante, irritante. L'immense cheminée qui surmontait l'usine pétunait à longueur de journée et enveloppait le quartier d'un linceul irrespirable, provocation obscène des muqueuses environnantes.

L'autre provocation venait des cigarières dont souvent, le soir, nous guettions la sortie. Elles n'étaient pas toutes jeunes ni toutes belles, mais elles étaient cigarières et espagnoles pour la plupart, et dans notre inconscient méditerranéen, tout imprégné de Prosper Mérimée et de Bizet, elles avaient les séductions exotiques et troubles de Carmen. Elles étaient vulgaires, parlaient et riaient bruyamment, goûtant une joie sensuelle à dévorer enfin l'air libre. Nous étions trop jeunes pour imaginer la pesanteur du confinement âcre dans lequel on les tenait, pour un salaire sûrement dérisoire, mais j'imagine que leurs criailleries étaient aussi un moyen de libérer leurs poumons des exhalaisons de la journée.

Des Philippines venait celle que nous appelions « la Chinoise ». C'était une petite dame sans âge qui avait toujours dû paraître vieille. Dire qu'elle tenait boutique serait exagéré ; elle tenait grotte au 16, de l'avenue. Petite et menue, se déplaçant à pas presque imperceptibles dans une pénombre chaotique, elle avait les yeux bridés et tenait commerce de bonbons, jouets, crayons, couleurs, règles, gommes, cahiers... J'y achetais des martinets ou des serpentins en réglisse, du bois de réglisse aussi que nous mâchonnions des heures entières, des toupies toupantes, cônes de bois de la grosseur d'un œuf, au sommet arrondi et à la base plantée d'une pointe métallique, conique elle aussi, et que nous ceinturions rangée après rangée d'une ficelle dont nous enroulions l'extrémité autour de notre médius. Puis, prenant la toupie entre le pouce et l'index, nous la projetions vers le sol. Le déroulement du fil lui donnait son mouvement rotatoire et c'était à qui ferait tourner sa toupie le plus longtemps. Tout était dans le coup de poignet. Glissant le dos de la main sur le sol, index et médius écartés de façon à pratiquer un passage pour la toupie qui faisait sa danse, nous la faisions monter sur notre paume où elle continuait de tourner, la rejetions sur le sol en visant quelquefois une pièce de cinq sous trouée que nous avions déposée là comme cible à notre virtuosité.

Le jeu dura de très nombreuses années, jusqu'à l'avènement du yo-yo qui marqua la fin de notre enfance et notre ralliement à ce qui, moins qu'un jeu, fut un phénomène de société plus proche du snobisme que du ludisme.

À l'angle de la rue Champlain se trouvait la boulangère. Pourquoi disions-nous la boulangère alors que le commerce était tenu par un couple, les Celoro ? Peut-être parce qu'elle était toujours au comptoir alors qu'il était toujours au four. Mais four et boutique communiquaient et se confondaient, et mari et femme étaient aussi imposants l'un que l'autre, elle avec ses kilos toujours enrobés de légères robes à fleurs, lui avec son torse et ses bras nus, ses épaules couvertes d'une flanelle en débardeur.

Là aussi les odeurs circulaient généreusement : pain français, pain espagnol, fougasse, *montecaos,* brioches sucrées en forme de dômes (pour Pâques, on fichait leur sommet d'un œuf peint de rouge, de bleu, de jaune...) qu'on appelait *mounas* si bien que, parodiant une chanson célèbre de l'époque, au lieu de « Ramona, j'ai fait un rêve merveilleux... Ramona, nous étions partis tous les deux... » nous chantions « La mouna, c'est un gâteau déli-ci-eux... qui se fait avec d'la farine et des œufs... » Pas de quoi briguer le Goncourt. De toute façon notre français, en ce temps-là, n'avait que très peu de rapport avec la langue de Molière et quiconque venu de Paris risquait de se heurter à la même barrière de langage commun que nous pouvons avoir aujourd'hui avec des Acadiens du Nouveau-Brunswick ou les Cajuns du Mississipi.

Toutes sortes d'autres odeurs s'échappaient du fournil où nous circulions comme chez nous, pour la simple raison que chez nous, nous n'avions pas de four — simplement un fourneau à becs de gaz — et que nous allions porter chez la boulangère aussi bien les galettes, tartes ou gâteaux faits à la maison que des gratins de pommes de terre, de blettes ou de macaronis que monsieur Celoro enfournait devant nous en les glissant sur ses énormes spatules de bois dans l'antre de brique incandescente. Nous y portions aussi le pain de ma mère, un pain au goût de brioche, doré à l'œuf et parsemé de graines d'anis.

En attendant que la cuisson fût terminée, je regardais le boulanger préparer sa pâte, la mettre dans sa pétrisseuse à manivelle où d'énormes pales la prenaient en charge et la malaxaient.

Je ne pense pas qu'il existe de plus belle odeur au monde, de plus tranquillisante aussi que celle d'une boulangerie. L'odeur du pain est peut-être la seule à faire croire en Dieu les incroyants par le biais de la volupté et de la sensualité la plus pure. S'il fallait symboliser la paix autrement que par une colombe, c'est à l'odeur du pain qu'il faudrait avoir recours. « Il est bon comme du bon pain », disait ma mère de quelqu'un qui avait beaucoup de cœur. On dit aussi « Rompre le pain de l'amitié ». Les expressions populaires, qui ne naissent jamais au hasard, véhiculent toujours le sens profond des choses.

L'épicerie Ayache était à notre porte. Elle était ma caverne d'Ali Baba, le lieu de toutes mes tentations. Je dépensais plus facilement mes maigres sous en pruneaux, figues, raisins ou abricots secs qu'en bonbons ou en glaces. Tout s'y offrait à la vue avec générosité. Les sacs de jute regorgeaient de haricots secs, de semoule, de riz, de lentilles, de pois chiches, de farine, de café, de cumin, de carvi, de noix de muscade, de clous de girofle, de bâtons de vanille et de cannelle. Les harengs *saurs* et la morue séchée se balançaient au-dessus des barils de bois ventrus et cerclés de fer où marinaient olives noires, olives vertes concassées, anchois salés.

Je m'amusais à tirer les tiroirs de bois où l'on découvrait, toujours en vrac, du sucre en poudre, du tapioca, du safran, des graines d'anis et de poivre... Rien ne s'y vendait en paquet ou en boîte. Les pâtes elles-mêmes, vermicelles, cheveux d'ange, sifflets, oreillettes, s'entassaient en vrac dans des caisses. Tout se pelletait, se ramassait à la cuiller de bois, s'égouttait. Les huiles se servaient au robinet ; il fallait apporter sa bouteille. Il y avait jusqu'au plafond des tiroirs pleins d'exotisme et Ayache promenait sa grande échelle tout au long de ses murs pour descendre, remonter ses denrées. L'arrière-boutique donnait sur une cour que j'apercevais de la fenêtre de ma chambre. On y voyait des cartons, des caisses éventrées, des barils décorsetés et quelquefois deux ou trois rats connaisseurs de bonnes adresses.

Au cinquième se faisaient face, sur le même palier, les Courtin et les Oualid.

Le père Courtin était herboriste place Bugeaud. J'allais quelquefois le visiter dans son magasin où j'aimais respirer le mélange capiteux et subtil de toutes ces feuilles séchées qui remplissaient des bocaux à l'ancienne. Peints d'appellations latines, ils faisaient un mystère des herbes les plus simples. *Lippia citriodora, Salvia officinalis, Tilia sylvestris, Thymus serpyllum, Citrus aurantium* me faisaient voyager dans des musiques savantes et m'extasiaient beaucoup plus que ne l'auraient fait verveine, sauge, tilleul, thym ou oranger. La poésie est souvent faite de choses qu'on ne comprend pas mais à partir desquelles s'organisent des cascades d'images, elles-mêmes imprécises, au pied desquelles on trouve toujours une fleur à cueillir. Il y a des lieux qui font poésie ; ces officines d'herboristes en étaient un. C'est pourquoi un décret les a supprimées.

Le passe-temps favori de ces herboristes de mon enfance était de partir le dimanche dans la campagne environnante, à la recherche d'herbes odoriférantes. On comprend que la TVA n'avait rien à y gagner et que, toute senteur étant l'ennemie du supermarché, on nous accable aujourd'hui de ces sachets de foin insipides auxquels on ose donner des noms de plantes et prêter des vertus mensongères.

Monsieur Courtin, à l'image de son commerce, était net, et sa femme, grande et aimable, m'en imposait par une forme de simplicité très racée dans laquelle je voyais la marque de la France, ce pays auquel j'appartenais sans y être né, sans y avoir grandi et qui avait pour moi une aura de pays nordique. Plus tard, lorsque, éloigné de France par la guerre, on me demanda un jour à quoi ressemblaient les Français, je répondis — créant une certaine surprise — qu'ils étaient blonds aux yeux bleus. Je ne mentais pas ; je les voyais comme ça. Et ma mère m'avait certainement voulu français car elle ne cessait de me répéter que j'étais né blond aux yeux bleus. Le père d'une de mes amies, immigré d'Europe centrale, personnage truculent dont la vie fut remplie de femmes de tous les horizons, ne fut jamais idéalement à la recherche que d'une belle Bretonne. Son amour pour la France, qui l'avait adopté, ne pouvait lui faire voir la femme française, la seule qui lui parût inaccessible, que comme blonde aux yeux bleus. Woody Allen, amoureux d'une *gentile* et reçu dans sa famille, protestante jusqu'aux ongles, se visualise soudain, au milieu du repas, sous les traits d'un rabbin, noir sous sa redingote et son chapeau dont pendent deux papillotes, ce qui est une façon d'accuser la blondeur et les yeux bleus de son entourage. On ne peut pas avoir traversé le désert pendant quarante ans sans avoir à se soigner de quelque chose.

Les Oualid avaient deux filles adorables avec lesquelles nous eûmes toujours des rapports quasi familiaux. Plus tard, en pleine guerre, lors d'un bombardement, j'eus à défendre la plus jeune contre les assauts d'un soldat britannique complètement ivre qui pointait son *revolver* sur moi et je me rendis compte que je la protégeais comme si elle avait été ma propre sœur.

Je ne sais plus qui habitait le quatrième. Au troisième, c'était le docteur Montero et sa très belle femme, aussi affable et douce qu'elle était distinguée. Toujours d'une très grande élégance et d'une grande courtoisie, elle m'impressionnait par son allure d'aristocrate. Lui-même était toujours tiré à quatre épingles comme s'il eût été habillé par elle. Il était très amoureux de sa femme et bien qu'il fût familier dans ses rapports avec nous, j'eus toujours l'impression d'une distance entre ce couple aisé, mondain, touché par la grâce, et nous.

On apprit un jour que la belle et jeune madame Montero était morte noyée dans sa baignoire. Elle était sujette à des syncopes et l'une d'elles s'était produite alors qu'elle prenait son bain. Ce fut, en ce qui nous concernait, un choc très vite amorti par l'éternelle conspiration du silence. Les enfants ne devaient pas être mêlés à ces choses-là et instantanément nous fûmes tenus à l'écart des commentaires familiaux.

On ne put tout de même m'empêcher de voir le drap noir surmonté d'un « M » qui encadrait la porte d'entrée du 14, le jour des obsèques.

Au deuxième étage, face à Tontine et Dado, habitait une famille juive dont le fils Honoré, bien que dans sa trentaine, était déjà nanti d'un ratelier pas toujours bien ajusté. Il était roux, lourdaud, vêtu hiver comme été d'un pardessus à chevrons. Il promenait à travers le quartier son amble d'ursidé et avait, en même temps qu'une très grande force physique, une poignée de main toujours molle et moite qui m'intriguait. On prétendait que c'était parce qu'il se masturbait. Je me demande bien qui avait pu le surprendre dans ses pratiques, solitaires par définition. Je crois plutôt qu'il s'agissait d'une forme sournoise de dissuasion à l'adresse des onanistes potentiels que nous étions. Promenant en permanence un sourire vaguement lubrique, il écrivait des poèmes érotiques et parlait tout seul en marchant. De là à dire que la masturbation rendait fou... La poudre d'ongles aussi, disait-on. Bien sûr, puisque nous nous rongions les ongles. On aurait pu trouver d'autres arguments mais l'épouvantail de la folie était en faveur et il devait vraiment opérer puisque j'en parle encore.

Honoré était tombé amoureux fou de Cerisette, pensionnaire bien connue de *Chez Nana*, le bordel en vogue de la rue du Caftan. S'étant mis en tête de l'épouser, il faillit rendre son père fou de mauvais sang.

Sur le même palier que nous habitaient les T., famille pittoresque entre toutes. Le père, Ben, était un ancien gymnaste amateur d'opéra-comique. Du gymnaste 1900, il avait gardé la moustache et l'allure fière. On l'imaginait très bien en caleçon demi long, maillot de corps noir moulant le torse bombé, les mains croisées dans le dos pour faire ressortir les pectoraux et les pieds à dix heures dix pour présenter au photographe le gras du mollet. Au demeurant, un homme d'une infinie gentillesse.

Sa femme, Anaïs, était opulente et goitreuse, ce qui, lorsqu'elle criait après les enfants, lui donnait une voix enfoncée dans un lit de cailloux qui ravissait mon père. Il aimait à l'imiter, concassant une de ses phrases préférées : « Yamma, comme j'vais faire ! », ou cette autre : « C'est pas pour moi, c'est pour les enfants », car Anaïs ne partait jamais en vacances ou ne s'offrait jamais le moindre plaisir « pour elle ». Il fallait qu'elle trouvât un justificatif, une excuse. Vieille culpabilité ou crainte du mauvais œil, elle excipait toujours de ses deux fils, de leurs bronches ou de leurs sinus pour aller se reposer en France une fois par an.

Il y eut un détail qui passa inaperçu tant que dura l'enfance mais qui, l'adolescence venue et avec elle les premiers troubles de la vue et de l'imagination, prit dans notre vie de jeunes garçons des pays chauds une importance de plus en plus considérable : ce fut le derrière d'Anaïs. Il était majuscule et insolent. Sans nous être consultés — nous avions quand même huit ans d'écart —, Raymond et moi devions découvrir beaucoup plus tard que chacun de nous en son temps de germination avait subi avec intensité les ravages d'une attraction difficilement avouable. Elle fut probablement notre première Marilyn et il m'arrivait souvent d'aller sonner chez elle sous un prétexte quelconque, lorsque je la savais seule, pour contempler la double protubérance de son anatomie à peine recouverte d'une légère toile estivale qui jamais ne révéla à mes yeux scrutateurs la présence d'une culotte.

Venant d'un milieu où la pudeur n'était qu'un faible mot pour désigner une absence totale d'étalage, j'étais littéralement affolé par l'offrande généreuse de ces chairs ballantes et j'en rêvais la nuit. Aurais-je reçu une gifle si j'avais laissé ma main vivre sa propre vie ? Probablement. De toute façon, trop de tabous me coinçaient et j'en restais au stade de la fermentation. Je me contentais donc d'aller visiter le cul d'Anaïs comme on va visiter la tombe du Soldat inconnu.

Anaïs et Ben avaient deux fils dont le plus jeune, Aimé, était probablement le plus gentil garçon de la terre, bon compagnon de jeu et sourire permanent. L'aîné, Raoul, était un cas. Aussi brun et typé que son frère était blond, il était capricieux, imprévisible et surtout insolemment préféré par ses parents. Aimé poussait tout seul comme un chardon tandis que chaque pas et chaque respiration de Raoul étaient accompagnés d'émerveillement, de louanges et de gratifications. Raoul était toujours habillé à la dernière mode, encensé, suffisant, supérieur, sans méchanceté certes, mais sans rien dans sa valeur intrinsèque que justifiât jamais une préférence si violemment marquée. Il était fort en maths et, pour cette simple raison, nimbé d'une aura qu'Aimé, sujet inclassable, ne pouvait pas avoir. Raoul avait aussi le don d'attirer l'attention sur sa personne. À l'échelon de notre palier, il était *star*. Les rhumes de Raoul étaient importants. Il en avait beaucoup et répandait à longueur d'année des bouffées d'huile goménolée sur son passage. Méticuleusement propre, il tranchait sur la tendance générale qui était plutôt au laisser-aller.

Quand on sonnait chez eux, on avait toutes les chances de se retrouver face à Raoul, trônant à l'entrée dans les cabinets, porte grande ouverte, son pantalon déposé sur ses chaussures, lisant quelque *Bibi Fricotin*, à moins que ce ne soit *Les Pieds nickelés* ou Jules Verne, penché sur un tabouret de lecture. Votre arrivée ne lui faisait pas nécessairement lever les yeux ni fermer sa porte. Il était ravi de vous faire profiter de la pestilence de ses selles et, les jours de gala, c'est-à-dire les jours où sa mère plus qu'attentive supposait qu'il avait des vers — il en avait tout le temps —, elle vous offrait Raoul sur un pot de chambre dont elle attendait qu'il se lève pour examiner le contenu et éventuellement appeler le médecin.

On pourrait croire que je raconte là des histoires d'enfance, mais ce récit étant intemporel et rassemblant en vrac des images et des impressions courant sur les quinze premières années de ma vie, il faut bien réaliser que j'ai toujours vu Raoul, à cinq ans comme à treize ans, dans la position que je décris. Les cabinets étaient son séjour d'élection et quand il ne déféquait pas, il écoutait des disques d'opéra. Ce virus lui était venu de son père qui ténorisait à l'occasion. Raoul aussi d'ailleurs, mais l'art lyrique n'avait rien à y gagner.

Nous passions les samedis soir autour d'un monument de bois en forme de voûte gothique qu'on appelait la T.S.F., à écouter les retransmissions en direct de l'Opéra-Comique de Paris ou de la Scala de Milan. C'était un rite quasi religieux. Les yeux fermés, chacun de nous inventait sa propre télévision et commentait des images qui n'étaient pas les mêmes que celles des autres. Nos yeux ne s'ouvraient qu'à l'approche du contre-ut du ténor ou de la soprano. Dans une tension critique énorme, nous étions prêts à sauter sur la moindre imperfection ou, au contraire, à délirer sur la qualité d'interprétation. Mais nos critères nous venaient exclusivement de Ben qui ne tolérait, comme seul digne de noblesse, que le contre-ut de poitrine, c'est-à-dire une espèce de hurlement de loup à déchirer les poumons, contraire à toutes les lois du chant mais que ténors et mélomanes de l'époque affectionnaient particulièrement et dont le grand Caruso mourut hémorragiquement si mes souvenirs sont exacts.

Fous de musique, nous nous réunissions quelquefois, Raoul, Aimé, mon frère Georges et moi. L'un de nous — il fallait se battre pour la place — tenait la baguette du chef d'orchestre. Les trois autres mimant physiquement et parodiant buccalement qui un violon, qui une trompette, qui un trombone ou une harpe, nous exécutions — c'est le cas de le dire — quelque partition classique.

Raoul et son sens du théâtre devaient nous réserver deux grandes fêtes, nous disions des *ziaras,* terme indigène pour désigner les grandes célébrations à l'anisette, *kémia* et musique arabe, aussi inhabituelles l'une que l'autre. La première, ce fut lorsque, à l'âge de dix ans, un rabbin vint le circoncire. Pourquoi n'avait-il pas été circoncis le huitième jour comme chacun d'entre nous ? Peut-être ses parents, déjà prêts à l'adoration, avaient-ils voulu laisser intacte leur merveille. Toujours est-il que dix ans plus tard, un phimosis rendit l'opération inévitable et l'ablation du prépuce de Raoul fut l'objet du raout le plus indiscret, à l'exception peut-être de la seconde *ziara,* quelques années plus tard, que nous devions une fois de plus à ses organes génitaux, car ses parents décidément prêts à toutes les sollicitudes tinrent à fêter de façon tonitruante et à faire connaître au monde entier le jour où Raoul alla perdre son pucelage *Chez Nana.*

Quand j'ouvrais la fenêtre de ma chambre, notre chambre puisque nous y dormions à trois, Raymond et moi dans le grand lit, Georges dans le petit lit-cage en fer peint de vert, je me trouvais nez à nez avec Gonzales, l'ouvrier de la menuiserie Rodolfo, un jeune Espagnol installé derrière une interminable table à tréteaux dont la tâche était d'ajuster et de coller les planches. Il lui en arrivait toute la journée du rez-de-chaussée comme du premier étage de la petite usine. On les stockait contre un mur et lui faisait chauffer sa colle sur un de ces petits *braseros* en terre cuite qu'on appelait des *canouns*. La colle se présentait en plaques brunes qui avaient l'aspect du caramel et l'odeur du caoutchouc brûlé. Quand il faisait fondre ses plaques dans l'eau qui bouillait, c'est-à-dire toute la journée, le quartier entier respirait une odeur d'incendie de garage, mais je crois que nous finissions par aimer ça. Il y mettait un cœur énorme, maniant ses pinceaux avec l'art d'un peintre en bâtiment, il enduisait les jointures du bois de son liquide brunâtre et chaud puis disposait les planches ainsi réunies dans des étaux coulissants jusqu'à refroidissement complet de la colle. L'opération *canoun* était silencieuse et recueillie, l'opération étau aussi. Mais la phase badigeonnage était toujours scandée d'une chanson à tue-tête, toujours la même. Il n'en connaissait que les trois premières phrases dont il nous abreuvait à longueur de temps : « Mamma Ines, Mamma Ines, je veux danser la rumba-y-avec toi... » Il ajoutait le « y » imprévu par le parolier de cet énorme succès de l'époque, peut-être pour relancer avec force la phrase musicale, peut-être pour renforcer l'idée d'« avec toi » par un « et » espagnol, peut-être aussi parce que son gros accent ne lui permettait pas de faire autrement.

J'aurais dû me boucher les oreilles, le faire taire ou fermer la fenêtre, mais je me rends compte que j'aimais ça. Et ce n'était pas tout ! Venant de l'intérieur de l'atelier, il y avait régulièrement la stridence de la scie électrique mordant le bois qui préfigurait les sirènes de la guerre à venir, en plus violent parce que proche de nos oreilles.

Un plan incliné reliait le rez-de-chaussée à l'étage de la scierie ; c'était le chemin de l'âne. Car il y avait un âne attaché à l'atelier dont le rôle était de monter et descendre, ses deux sacs de raphia arrimés sur son dos, pour évacuer la sciure et les déchets de fabrication. Quand Gonzalès entonnait « Mamma Inès », l'âne se mettait à braire. Il le faisait aussi en solo ou en trio avec la scie électrique, sans compter les coups de marteaux, maillets, burins et autres qui complétaient harmonieusement cette symphonie diurne.

Pour en finir provisoirement avec les bruits, les cris, les us et les manies de notre voisinage, il me reste à parler de Martoune. C'était une fille de mon âge dont les parents habitaient rue Cavelier de LaSalle. Les fenêtres de nos cuisines donnaient l'une sur l'autre et restaient ouvertes la plus grande partie de l'année, trous sombres se regardant par-dessus une courette sinistre et malpropre. C'est là que Martoune, s'accoudant à la balustrade, une louche à passoire devant la bouche en manière de microphone, venait déclamer ses phantasmes érotiques en lisant des passages des romans qu'elle écrivait. Martoune n'avait probablement jamais été à l'école. Comment aurait-elle pu ? Elle était totalement simple, sans agressivité, suffisamment autonome pour aller faire le marché dans le quartier. Nous la rencontrions souvent avec son panier, chapeau de paille à larges bords mis n'importe comment sur la tête ; mais c'était à peu près tout ce qu'elle pouvait faire. Les textes qu'elle lisait étaient presque toujours des scènes de séduction, d'abandon ou d'étreintes qui ne dépassaient pas le stade de l'approche sexuelle. Ils avaient la particularité d'être écrits dans une langue qui n'appartenait qu'à elle car, ignorant totalement les conjugaisons de verbes, elle racontait ses histoires dans un passé simple de son invention qui donnait ceci : « Il la prena dans ses bras et la metta sur le lit. Alors il lui disa qu'elle était belle et pendant qu'elle dormait, il lui écriva une lettre d'amour... »

D'où sortait-elle ce texte inattendu qu'elle entonnait parfois, au terme de ses divagations érotiques, sur l'air de « Vous n'aurez pas l'Alsace et la Lorraine » ?

N'insistez pas, monsieur, j'ai mes affaires
Depuis deux jours, j'appartiens aux Anglais
N'essayez pas de franchir la frontière
Car vous feriez couler le sang français.

Nous étions cruels avec Martoune, nous la provoquions. Certains jours où elle était simplement accoudée à sa fenêtre, le regard dans le vague et pas du tout disposée à se donner en spectacle, nous la poussions à nous lire son roman. Elle résistait la plupart du temps car ce n'était pas « son moment », mais quand sa faible digue finissait par céder, elle pouvait aller au délire et nous nous délections de ce spectacle que nous offrions quelquefois à des copains. Depuis, j'ai toujours pensé à elle avec beaucoup de tendresse. Nous n'étions pas méchants. Ignorants plutôt, mal conditionnés par un monde primaire où il ne pouvait y avoir que les gens normaux dont nous étions et les fous comme Martoune. Martoune n'était pas folle ; aujourd'hui, elle aurait été intégrée et aurait eu sa chance.

La première image à me revenir si je veux évoquer notre vie de famille, c'est celle de papa et de Dado rentrant à la maison le vendredi soir, les bras chargés de paquets de dattes, de figues, de mendiants et de cacahuètes chaudes, enveloppés dans du papier kraft gris, qu'ils avaient achetés rue de Chartres, non loin de ma rue de Bône natale. Il entrait avec eux une bouffée d'odeurs qui venaient se mêler à celles qui envahissaient la maison depuis le matin : boulettes de viande traversées d'une branche de céleri, saucisse farcie de bœuf et de riz *(hasbane)* que j'avais vu préparer à partir de boyaux de bœuf méticuleusement nettoyés dans de l'eau bouillante. Il pouvait y avoir du *kaoua,* pâtes en forme de grosses gouttes d'eau, faites à la main et que l'on grillait d'abord puis que l'on faisait cuire avec des petits pois ou des épinards.

Le pain de ma mère avait un goût et un parfum de brioche et d'anis. Nous le brisions en morceaux et le trempions dans le sel après l'avoir béni dans nos prières. Nous avions d'abord bu à un gobelet d'argent qui passait de main en main le vin béni par Dado qui était le maître de cérémonie. La nappe de ce soir-là était plus blanche, les lumières plus généreuses, les conversations duraient plus longtemps. Les écales de mendiants s'amoncelaient dans les assiettes à mesure que la soirée passait. De temps en temps, on fendait en deux une figue séchée et on la fourrait de cacahuètes, de noix ou de noisettes. L'odeur qui dominait finissait toujours par être celle, persuasive et invitante, de la cacahuète tiède et quand on éteignait la maison pour aller se coucher, on avait l'impression qu'un moment plus important et plus beau que les autres venait de s'écouler.

La cuisine du samedi avait elle aussi des goûts spéciaux : pâté aux œufs, viande et légumes corseté dans sa pâte aux contours ondulés, pied de veau aux épinards, gâteau de riz ou gâteau de semoule, le tout flottant dans des senteurs de persil, d'épices lourdes, de cannelle, de vanille et de caramel.

Nous découpions la peau des oranges et des citrons d'une extrémité à l'autre, sans la briser. Cela donnait des spirales que maman accrochait à une vieille ficelle tendue d'un mur à l'autre de la cuisine ; ainsi elles se desséchaient et leurs zestes servaient à longueur d'année à aromatiser toutes nos pâtisseries. On laissait aussi sécher la menthe, la vanille, et nous ignorions les épices en boîtes ou en flacons.

On nous embauchait, nous les enfants, pour concasser des centaines d'olives vertes avec des pierres ou des pilons. On les mettait ensuite à mariner dans une saumure. Nous étions ainsi associés à beaucoup de petits rites et quand nous mangions ces mets que nous avions contribué à préparer, nous étions fiers.

Ce qui restait des baguettes de pain durcissait dans un sac accroché à la porte de la cuisine, puis un jour on trempait ces croûtons dans l'eau pour en faire des farces ou des saucisses.

Je ne me lasse pas de cette fête de l'Algérie où le soleil, la mer, le jasmin, l'oranger, la menthe et les caroubiers enveloppaient si bien les choses que chaque détail, chaque parfum, faisait musique ou poème. Qu'y a-t-il dans Pagnol de plus que de l'ail, du pastis, de la lavande et du romarin entourant avec génie de simples histoires de tous les jours ? C'est le miracle de cette

Méditerranée où nous sommes tous nés et dont la lumière violente, au lieu de tout écraser, donne au contraire du relief à la banalité et rend la misère moins lourde à porter.

Quand venaient les grandes fêtes, la mobilisation durait la semaine au lieu d'une journée. La pâque était précédée d'un nettoyage de fond en comble. On vidait les buffets de leur vaisselle habituelle, celle qui aurait pu accueillir un mélange interdit de viande et de produits laitiers, pour la remplacer par une autre, spéciale, cachère ; bougie en main, on faisait la chasse à toutes les miettes de pain car il ne fallait pas qu'il y eût, dans la maison, trace de pain levé, symbole d'orgueil. C'est l'humble pain azyme en forme de rosace qui, pendant une semaine, allait trôner sur la table et le buffet. Ce que j'aimais dans ces périodes de longues fêtes c'est que la table restait plusieurs jours de suite habillée de sa nappe blanche. On ne la défaisait pas. Pourquoi ? Peu importe et tant mieux car c'était bon, réchauffant, de voir une table prête à nous accueillir à toute heure, comme si toute la semaine n'était qu'un seul repas. C'était peut-être une façon de ne pas rompre avec l'esprit, de ne pas oublier que cette semaine de la sortie d'Égypte n'était pas une semaine comme les autres.

Yom kipour, le grand pardon, que nous passions à la synagogue, était le jour de jeûne et de prières. L'une d'elles, dite « Office du souvenir », est une des plus grandes émotions qu'une liturgie puisse offrir. Dans un langage sublime, elle évoque la mémoire de nos disparus et se fait bouleversante lorsque, devant « le mystère que pose la tombe », elle évoque « le sentier de granit, la dolente caravane des générations ». On y sent flotter le spectre des holocaustes et, comme pour prévenir tout sursaut de haine, cette phrase qui ne débouche jamais sur de l'indignation : « C'est sous l'entaille de la blessure que l'arbre verse son baume. » Une lame de silence venue du fond des sables submerge l'assistance et, dans ce moment où il ne faut surtout pas que tant de sacrifices aient été inutiles, la mort se transfigure en un éblouissement et s'appelle « le pas de lumière ».

On ne peut pas dire que la semaine qui précédait nous préparait à tant de recueillement car la tradition voulait qu'en vue du soir de *kipour,* on tue un poulet par membre de la famille. Cela faisait au moins huit poulets que le rabbin venait saigner rituellement l'avant-veille de la fête et la scène se passait au deuxième étage, dans les ténèbres de la cuisine de Tontine.

Une bête n'est cachère, c'est-à-dire propre à la consommation, que si elle est vidée de son sang « ...car l'âme de toute chair, c'est son sang ». Il est facile d'imaginer que le sang d'un animal qui vient d'être agressé, assommé, égorgé, garde la mémoire de sa peur et tourne au mauvais sang.

Pour être hygiénique, le cérémonial n'en était pas moins barbare. Le rabbin s'emparait de la bête qui se débattait, l'empoignait par la naissance de ses deux ailes relevées et, de son pouce resté libre, ramenait en arrière le cou et la tête du poulet, le neutralisant complètement. De sa main droite, il épilait la partie du cou qu'il allait trancher mais pour libérer cette main, il avait passé entre ses dents le rasoir-sabre qu'elle tenait. Image inquiétante comme était impressionnant le silence du poulet muet de terreur. Puis, lentement mais d'un geste très précis, le rabbin tranchait la carotide tout en récitant ses formules religieuses. Commençait alors la sarabande car la bête ne mourait pas tout de suite. Elle se débattait en hurlant et le rabbin la glissait sous une bassine retournée que l'on avait placée au sol à cet effet. Le combat de la bête contre la mort était si violent que le rabbin devait peser de toute la force de son pied pour que la bassine ne s'envole pas. On imagine le tintamarre des ailes affolées contre l'étain, les cris déchirants. Mais si l'on pense que l'opération se répétait huit fois et qu'à la fin plusieurs bêtes se débattaient et agonisaient en même temps sous la bassine qui les coiffait... c'était un tonnerre de quincaillerie.

Pourquoi assistions-nous à ces scènes ? Simplement parce que chaque poulet étant tué pour un membre de la famille, coqs pour les mâles et poules pour les femelles, la bête était tournée plusieurs fois au-dessus de la tête du bénéficiaire en manière de bénédiction avant d'être saignée.

Le carnage à peine terminé, je voyais Tontine et maman plumer les poulets. Aucun enfant ne verra plus ça. Ça donnait froid de voir peu à peu apparaître la chair granulée, la chair de poule, et je récupérais au passage les plus belles plumes pour m'en faire des parures d'Indien.

Le poulet une fois plumé restait couvert de tout un duvet de poils qu'il fallait éliminer. Le prenant alors par les deux extrémités, on le présentait sous toutes ses faces à une flamme d'où jaillissaient des grumeaux de suie noire dans un grésillement malodorant.

Il restait à vider la bête, mais maman y répugnait et c'était devenu l'apanage de Tontine. Elle y mettait une dextérité étonnante. Par la plaie que le rabbin avait ouverte au cou de la bête, Tontine introduisait son index recroquevillé dans le gosier et, d'un seul coup, en retirait la masse des viscères, dont le gésier et le foie qu'elle isolait comme délices à venir. Par l'orifice anal, elle parachevait le vidage ; le tout avait duré quelques secondes. Elle saupoudrait l'intérieur du poulet de gros sel et le suspendait par le cou à l'arrivée d'eau, de façon que l'extrémité du robinet plonge dans la plaie ouverte. Puis elle laissait couler à grande eau.

À ces rites cruels ou peu ragoûtants, il y avait cependant un préambule des plus folkloriques : les poulets vivants qu'il fallait se procurer quelques jours à l'avance si on ne voulait pas risquer d'en manquer (car la demande était à l'échelle du pays). Où les garder ailleurs que chez soi ? Où les mettre ailleurs que sur le balcon, une patte attachée à un barreau de la balustrade ? C'était compter sans nous, les enfants, qui ne résistions pas à la tentation d'aller jouer avec eux, ni à celle de couper les ficelles. C'était alors l'affolement, la fuite éperdue à travers l'appartement, la course-poursuite dans les escaliers, chez les voisins ou même dans la rue. Au passage, les pauvres bêtes abandonnaient un peu partout des traînées verdâtres à la serpillière furieuse de ma mère ou de ma tante.

À la veille de *kipour,* Bab-el-Oued n'était plus qu'une vaste basse-cour piaillarde au milieu d'une circulation de tramways, d'autos et de citadins incrédules ou blasés. La ville était tirée de son sommeil à quatre heures du matin par une chorale cauchemardesque de centaines de coqs. Il fallait beaucoup moins que ça pour réveiller l'antisémitisme ambiant et Hitler n'eût pas eu de mal à y faire son recensement.

De toutes les fêtes, la plus brillante, celle qui parlait le plus à mes sens, était *pourim.* Peut-être parce que cette

« fête des sorts » est d'abord une grande réjouissance. Elle commémore l'intervention heureuse d'Esther auprès d'Assuérus pour faire annuler le décret du traître Aman, son vizir, portant l'extermination de tous les Juifs de l'Empire perse au Ve siècle avant Jésus-Christ. Aman, décapité pour avoir voulu un holocauste qui n'eut pas lieu, c'est à marquer d'une pierre. L'histoire se termine généralement plus mal et c'est pourquoi il y a dans *pourim* comme une grande explosion de joie, celle du danger conjuré.

Enfant, lorsque venait cette fête du palais et de l'œil, avec son cortège de pâtisseries aux amandes, au miel, à la fleur d'oranger, aux graines d'anis, à la semoule et aux dattes, ma mère en remplissait quelques assiettes qu'elle recouvrait de linges blancs et je les portais l'une après l'autre chez des parents à qui j'étais chargé de les offrir. Certains étaient nos voisins de quartier et je m'y rendais à pied. Pour d'autres, plus éloignés, je prenais le tramway.

J'étais toujours accueilli par des embrassades, des caresses, quelques douceurs, une pièce de monnaie. Mais la coutume voulait qu'une assiette ne revînt jamais vide à la maison. Les plus riches renvoyaient à ma mère des piles de gâteaux recouverts de son linge blanc ; les moins favorisés ne laissaient pas repartir l'assiette sans y avoir mis quelques dattes, figues ou mandarines symboliques.

Le prix de ces pâtisseries, je le connaissais bien. J'avais vu émonder les amandes, les éplucher, les piler ; j'avais vu pétrir la pâte, préparer dans d'immenses chaudrons de cuivre posés sur des *canouns* un glacis de sucre blanc (le sucre glace n'existait pas), mélange de blanc d'œuf et de sucre qu'il fallait travailler interminablement avec une cueiller en bois. On y ajoutait goutte à goutte de la gomme arabique fondue dans de l'eau très chaude qui faisait liant et allait donner le satiné final. Et comme il fallait que ce blanç fût plus blanc que blanc, on y mêlait une touche de bleu de méthylène.

On travaillait encore ce mélange et chacun de nous y mettait la main, jusqu'à avoir mal aux bras, jusqu'à ce qu'il devienne une pâte onctueuse dans laquelle on trempait les galettes une à une. Tandis qu'il était encore mou, on le parsemait de minuscules pralines multicolores qui donnaient aux galettes en formes de rosaces, d'étoiles à cinq branches ou même d'oiseaux des airs de kaléidoscopes. On disposait alors ces galettes dans une loggia spécialement prévue sous une grille voisine des fourneaux où se consumaient des cendres de bois. Elles séchaient lentement, bientôt prêtes à introduire dans la maison en fête leur féerie de neige.

J'avais vu malaxer la semoule préalablement grillée des *makrouds*, y mêler de l'huile et des dattes, en faire une pâte qu'on découpait en losanges qu'on faisait frire dans de l'huile et qu'on trempait dans du miel.

Ce n'étaient pas seulement des gâteries qu'on partageait avec les parents et qu'on allait porter en offrande aux amis, c'étaient des journées, quelquefois des semaines de travail et de soucis car chacun de ces gâteaux était aussi facile à rater que difficile à réussir. Une huile un peu trop chaude, un sucre mal monté, une pâte trop fragile et le tout s'effritait dans le chaudron au lieu de se coaguler en une friandise pulpeuse et riante, ruinant les espoirs, l'orgueil et — pensait-elle — la réputation de la maîtresse d'œuvre. Et tout était à recommencer !

Tout le temps de la fête, une table était dressée dans un coin, recouverte d'une nappe blanche sur laquelle était disposée une forêt de longues et fines chandelles de toutes les couleurs plantées dans des dizaines de mandarines et que nous prenions plaisir à voir briller. Entre les mandarines, galettes blanches, pâtisseries et pralines, œillets et jasmin jonchaient la table en fête et rien n'était plus charnel que ce spectacle en l'honneur d'un jour où la chair du peuple juif avait failli périr. C'était sûrement la plus païenne, la plus matérielle de nos fêtes. Elle semblait n'avoir pas d'autre but que d'honorer la nourriture et de s'offrir les uns aux autres de la nourriture, comme en symbole de la vie retrouvée.

À propos de fêtes et par la plus inattendue des associations d'idées me reviennent les vers de Rostand dans « Chantecler », cet hymne au soleil qui me transportait aux sommets du lyrisme :

« Toi qui sèches les pleurs des moindres graminées,
Qui fais d'une fleur morte un vivant papillon...
...Ô Soleil, toi sans qui les choses
Ne seraient que ce qu'elles sont. »

C'est qu'il m'est impossible de parler des fêtes les plus sacrées sans me rappeler que la Méditerranée m'en offrait de plus simples, pour ne pas dire d'inavouables. Comment oserais-je associer aux grandes fêtes de l'âme dont je viens de parler des fêtes aussi prosaïques que pouvaient l'être les jours de lessive ? Et pourtant je l'ose, tant il est vrai que le soleil d'Algérie en faisait des moments d'une intensité insoupçonnable.

Sur la terrasse de l'immeuble, dont il fallait ouvrir la porte avec une énorme clef de château-fort, se trouvait un bâtiment cubique, la buanderie, qu'on ouvrait avec une deuxième clef presque aussi grosse.

Il y avait là deux bacs en grès, un premier dans lequel on faisait tremper le linge dans une eau de savon (la lessive n'existait pas) et un deuxième où l'on rinçait une première fois. Dehors, dans des baquets de bois où trempait, inclinée, une planche à laver crantée comme celles que les Noirs de Louisiane transformaient en grattoirs de *ragtime,* on savonnait au savon de Marseille et on brossait généreusement pantalons, tabliers, tout ce que la cour d'école et ses jeux sans merci ravageaient littéralement. Dans des lessiveuses posées sur un grand feu de bois, d'autres pièces bouillaient en dégageant des effluves nauséeux et douceâtres, tandis que dans une autre lessiveuse on confiait à l'eau de Javel les vêtements les plus maculés.

De la cheminée de la buanderie s'échappait une fumée qui fleurait le bon bois. Cela mettait des nuages passagers dans un ciel qui cultivait immuablement sa monochromie.

J'assistais à toutes ces opérations ponctuées des conversations de ma mère et de ma tante, des psalmodies en arabe de quelque lavandière additionnelle que l'on n'appelait pas encore aide familiale mais bonne tout court. Je m'étonnais que, voulant dire le contraire de mauvaise, ce terme fût toujours prononcé avec condescendance, quand ce n'était pas avec mépris. Il me semblait à chaque fois que de tout ce brassage hebdomadaire — chaque locataire avait son jour — quelque chose de nouveau, de meilleur, allait sortir. J'attendais avec impatience la phase finale, celle du rinçage, car c'est là que je commençais à prendre une part active à la cérémonie. On m'envoyait régulièrement acheter du bleu chez l'épicier. C'était un petit cube bleu crayeux emmailloté dans de la gaze, le même qu'on mêlait au sucre des galettes. On le trempait dans l'eau du rinçage et il donnait au linge blanc des reflets enrichis.

Puis on tordait le linge. « Essorer » était bien au *Larousse* mais nous ne le savions pas. J'aidais alors à étendre tout ce trousseau familial que nous fixions avec des épingles en bois sur des dizaines de cordes tendues entre des perches de bois. À peine avions-nous fini de tout étendre que les pièces les plus fines, mouchoirs, chaussettes ou autres étaient déjà sèches. Un soleil mastodonte, réverbéré par les dalles rouges de l'immense terrasse, ne laissait pas traîner les choses et l'air embaumait déjà le propre et le renouveau.

Ce déploiement multicolore me ramenait à Rostand et à son astre idéalisé auquel Chantecler disait :

> *« ...Tu fais un étendard en séchant un torchon. »*

Souvent je restais là le dernier, clef en main, m'attardant à la balustrade d'où j'aimais voir la ville et les bateaux s'embraser de rose, de violine et de mauve, dans ces fins d'après-midi où le soleil, se délestant enfin de son poids, n'offrait plus au regard qu'un disque jaune ou rouge dont je suivais le naufrage dans une mer que rien ne semblait séparer du ciel.

J'étais loin de me douter alors qu'un certain 8 novembre, à deux heures du matin, quelques années plus tard, j'allais contempler, de cette même terrasse, un des spectacles les plus inoubliables de ma vie : neuf cents navires anglais, américains et canadiens, fermant d'un ruban brunâtre tout un demi-cercle d'horizon, nous apportaient la liberté. De leurs escortes de cuirassés, de torpilleurs, de porte-avions, partaient des salves fulminantes en réponse à des tirs d'artillerie venus de la côte, dérisoire semonce de quelques attardés de Vichy qui n'avaient ni le sens de l'histoire, ni celui du ridicule. Pour ces quelques instants de bravade tragi-comique, ils reçurent collectivement une fourragère avec citation à l'ordre de la bêtise humaine.

À l'aube, nous vîmes s'affronter au-dessus de nos têtes des chasseurs anglais et des chasseurs allemands. Leurs mitrailleuses crachaient leur toux meurtrière et certains allèrent noyer leurs flammes dans la baie. Mais sur le moment, insconscients, ivres de nos premières secondes de liberté retrouvée, nous applaudissions, hurlions, encouragions nos sauveteurs, sans mesurer la réalité du drame et sans réaliser qu'il se jouait au-dessus de nos têtes un ballet de vie et de mort, indifférents à la mitraille qui s'abattait autour de nous, sur le sol de la terrasse, et qui aurait pu nous fracasser le crâne.

C'était le 8 novembre 1942 et, après trente mois de nazisme et de vichysme, nous commencions enfin à respirer.

LAVE-TOI LES MAINS, MON FILS,

Je ne suis pas biographe. Je feuillette un livre d'images, ou j'entrouvre plutôt, moi aussi, un coffre à parfums, à musiques et à couleurs dont je me sens le gardien. C'est la chambre royale dont parle Flaubert.

Trop de flammes aujourd'hui s'éteignent, trop de battements restent figés et trop de sources ne chantent pas. La pudeur, la fureur à vouloir être de son temps créent la honte des bagages et tuent les morts une deuxième fois. Trop de gens croient pouvoir aller quelque part sans vouloir savoir d'où ils viennent. Ils croient naviguer mais ils ne font que dériver car le navire n'est pas frété. Ils ne sauront pas parler de pays nouveaux puisqu'ils ont brûlé les terres anciennes auxquelles ils auraient pu les comparer et surtout, ils n'auront un jour plus rien à se raconter entre eux car les souvenirs ne remplacent pas la mémoire. Le vide se comble déjà de fausses musiques dont résonnent systématiquement les ascenseurs, les avions, les supermarchés, les boutiques, les taxis, les hôtels, les restaurants, les salons de coiffure, le métro, les pharmacies, les cliniques, les écoles, les salles à manger, les chambres à coucher, les salles de bains, les cuisines, les salles d'attente, les gares, les aéroports, les cerveaux, les cœurs et les âmes.

On apprend à entendre sans écouter, à se laisser porter sur des tapis roulants dont on ne sait plus qui manipule les commandes. J'aime à me rappeler, quand j'accomplis un geste, quand je prononce une parole ou quand j'écris une ligne, qu'ils me viennent de plus loin que moi, que chacun de mes mouvements naît d'une influence et que je suis non pas le commencement mais l'extrémité d'une lignée éternellement vivante dont mes parents ne doivent pas être rayés.

Il y avait jalousie de Dado envers mon père, le premier n'ayant pas eu de fils et exerçant sur moi l'affection et l'autorité qu'il eût aimé montrer à un héritier mâle.

Un jour, nous déjeunions au premier étage, celui des Bacri. Comme d'habitude, mon père était à une extrémité de la table, dos tourné à la fenêtre. Mon oncle Dado lui faisait face, à l'extrémité opposée. J'étais près de lui et je ne sais quel conflit les opposa, mais j'eus le malheur de prendre le parti de mon père. Dado me foudroya du regard et me dit : « Je t'interdis de choisir entre ton père et moi ! ».

Dérouté, je tournai les yeux vers mon père. Je venais de lui donner raison et je voulais qu'il m'aide à tenir tête. Mais il devint écarlate, mordit sa lèvre et se tut.

Ce n'était pas facile à vivre tous les jours cette dualité, d'autant que l'enfant, comme l'animal, a un sens aigu du territoire et de qui l'occupe. Je voyais mon père et ma mère dans le même lit, certes, mais partager un lit était pratique si courante qu'elle n'impliquait pas nécessairement l'idée de couple pour l'enfant naïf que je fus longtemps. Je dormais dans le même lit que Raymond. Quand Tontine s'absentait pour aller visiter

Edmée et son mari qui vivaient à Miliana, j'allais dormir au second avec Dado pour ne pas le laisser seul. Le mercredi soir (le jour de congé scolaire était alors le jeudi), j'allais souvent chez ma tante Germaine, et alors je couchais à l'étage au-dessous, dans le lit de la tante Mounie, vestige d'une époque monumentale qu'il fallait escalader (je parle du lit) au moyen d'un escabeau.

Je savais qui était qui de mon père et de mon oncle, mais Dado, qui m'inspirait moins de tendresse, forçait mon respect par une allure triomphale et m'impressionnait beaucoup.

Il avait l'air de l'un de ces guerriers indomptables que je retrouvais au coin de mes lectures dans ces contes et légendes de tous les pays dont je faisais collection. Sous un crâne nu de cavalier mongol, il était blond et avait des yeux d'un bleu très intense, la mâchoire carrée et des dents de carnassier. Pour trancher aussi nettement sur le reste d'entre nous, il ne pouvait être que d'ascendance kabyle et la barbiche triangulaire qu'il porta longtemps ne faisait que renforcer la différence. Son nom, Hadjadj, voulait d'ailleurs dire deux fois : « Celui qui est allé à la Mecque ».

Facilement arrogant ou cynique, il posait sur tout et chacun un regard vainqueur. Tout dans la maison était à lui et chacun lui appartenait. C'était lui « le » père. Il me faisait faire mes devoirs de maths, matière à laquelle je ne comprenais rien, et lorsqu'il m'avait expliqué quelque chose, il me demandait de répéter ce qu'il venait de me dire. Si je me trompais, j'avais droit à une gifle. J'appréhendais ces séances dont je connaissais par avance le déroulement, d'autant qu'à sa question : « Est-ce que tu as compris ? », je répondais systématiquement : « Oui » par peur des représailles. Mais je ne faisais que retarder sa gifle car il me fallait ensuite justifier ce oui et j'en étais incapable.

Le samedi après-midi, quand Tontine était à Miliana, il venait me chercher à la sortie du lycée et m'emmenait voir un film dans l'une des salles « chics » des beaux quartiers : *Le Régent, Le Splendid, L'Olympia* ou *Le Majestic,* qui étaient un luxe pour le fou de cinéma que j'étais, habitué cependant des places à dix sous dans des salles plus ou moins sordides de Bab-el-Oued.

Président d'associations juives et jouant dans la communauté un rôle de premier plan, il m'emmenait avec lui à la synagogue et me fit faire, dans le temple de la rue Randon, une *bar mitzvah* comme on n'en avait jamais vu à Alger. Fleurs, grandes orgues, rien n'y manqua, jusqu'à un discours que j'adressai à l'assistance, commentaire savant d'un verset de la Bible que le rabbin Habib, mon instructeur, avait rédigé pour moi.

Les jours de grande fête, au moment solennel de la bénédiction, il me prenait sous son châle de prière, posant sa main sur ma tête et récitant avec une ferveur profonde, les yeux fermés, des prières auxquelles je ne comprenais rien mais qui me pénétraient profondément.

Je me sentais glisser vers l'un de ces moments d'une intensité et d'un recueillement inviolables qui jalonnent le remous houleux et indiscipliné des cérémonies juives. Rompant le brouhaha habituel, le silence atteignait alors l'inatteignable. Synagogue ne signifie pas temple mais assemblée, réunion. Et le mot *religion* n'existe pas en hébreu ancien. On était là pour se rencontrer, échanger toutes sortes de propos bruyants, laisser les enfants courir en liberté, joindre de temps en temps sa voix à celle de l'officiant, jusqu'au moment où Dieu, surgissant en chacun, imposait soudain le plus total effacement derrière une prière muette que l'on allait chercher au fond de soi-même. Un balancement du corps d'arrière en avant scandait la psalmodie intérieure et il fallait bien que les siècles aient forgé à ce peuple une respiration commune pour que toute l'assistance sortît à la même seconde et sur le même mot de ce temps de silence.

La bénédiction est un acte purement paternel et je voudrais me souvenir qu'elle m'ait été donnée une fois par mon père. Mais je n'y parviens pas tant mon oncle a, là aussi, là surtout, occupé un espace cependant regardé comme exclusif, voire sacré.

Mon regard cherche vainement dans la marée des feutres (on ne portait pas la *kipa*) celui de mon père. Je ne le trouve pas. Mon père venait-il à la synagogue ? Sûrement. La synagogue est avant tout un lieu de retrouvailles. On sait que périodiquement, à l'occasion des grandes fêtes, on y pourra côtoyer des amis qu'on aime bien mais qu'on ne voit pas assez, qu'on y pourra s'assurer de leur santé, échanger deux ou trois bons mots et se souhaiter bonne chance. C'est nécessaire, c'est rassurant. Et peut-être y a-t-il là quelque fond de superstition. Peut-être plus que dans quelque autre temple a-t-on conscience que la prochaine fête aura ses manquants. Il n'est pas de demi-heure sans que soit célébré par une rangée d'hommes rassemblés devant le tabernacle *(ekhal)* le *kaddisch,* prière des morts, en souvenir de ceux qu'ils ont perdus. À tout instant, un homme peut monter à la *théba* (tribune) lire un passage de la prière puis faire évoquer et bénir par l'officiant la liste de ses morts.

Alors, comment ignorer que notre tour viendra ? « Repens-toi un jour avant ta mort », dit-on dans la période qui va du Premier de l'an au dixième jour qui est celui du grand pardon *(yom kipour)*. Comment mieux faire que l'homme soit averti de sa fragilité terrestre ? À la synagogue, on se quittait en s'embrassant et en formant le vœu de se revoir mais en accompagnant chaque souhait de la phrase : « Si Dieu nous prête vie ».

Mon père venait quelquefois en passant, comme beaucoup d'autres, pour chercher la confirmation de ce qu'il était vivant et passait plus de temps dans le vestibule à bavarder que dans l'enceinte elle-même ; mais ce qu'il en retirait, avec son goût de la parodie, c'étaient les attitudes des fidèles priant en se balançant d'avant en arrière, les yeux fermés, ou se frappant la poitrine trois fois sur le mot *kaddosch*. De la prière, il ne reproduisait que les exclamations de l'assistance ponctuant la lecture du rabbin. Ou alors il débitait un flot de sons informes, imitatifs de la façon dont l'hébreu sonnait à ses oreilles, et cela se terminait toujours par la même formule de son invention, psalmodiée en français : « Un cavé à la tribune ! » L'homme qui montait à la tribune pour y faire honorer ses morts faisait, c'était de tradition, un don en argent pour le temple. Et l'officiant annonçait en français le montant de ce don dans le cours de sa psalmodie hébraïque. C'était cette annonce que mon père parodiait en insinuant que l'on prenait pour des cavés ceux qui se prêtaient à ce rite.

Il tournait en dérision tout ce qu'il ne comprenait pas, rejetant, caricaturant, plutôt que de se faire expliquer. Mais il n'avait pratiquement pas connu l'école, et savoir se faire expliquer les choses est une forme d'humilité que ne permet pas toujours l'orgueil blessé des délaissés du savoir. Pour ceux-là, poser une question c'est dévoiler son ignorance et s'exposer au ridicule. Alors, on ridiculise ce qu'on ne connaît pas. Rien à y gagner qu'un peu plus d'ignorance, mais ainsi vivait mon père, dans un cycle destructeur qui faisait pitié. Il devait en souffrir au fond de lui, à moins que les rires que ses plaisanteries soulevaient chez quelques inconditionnels médiocres soient parvenus à lui masquer la profondeur de sa détresse. Je supportais mal ses sarcasmes et je lui en ai souvent voulu de ne pas chercher à s'élever au-dessus de la bouffonnerie, mais le bouffon n'est-il pas celui qui cherche à se faire aimer en rabaissant les autres ? Moins un homme est sûr de lui, plus il faut qu'il fasse rire.

S'il faisait rire, c'était moins par drôlerie naturelle que par besoin de faire rire. J'hésite presque à mettre sur le papier les mots — les mêmes toute sa vie — de son répertoire comique. Non pas qu'ils soient infamants mais parce que les ranger dans la catégorie « humour au premier degré » serait déjà un euphémisme. Il faut d'abord imaginer l'état primitif de la culture française en Algérie à l'époque où mon père naquit. La colonisation était récente et plus récente encore — dix-huit ans à peine — la francisation des Juifs. Ses grands-parents et peut-être même ses parents parlaient toujours arabe. Il avait grandi dans des sons qu'il comprenait à peine et parlait une langue qu'il n'avait pas eu le temps d'apprendre. Peut-être cela explique-t-il son abus de l'onomatopée. Une des chansons qu'il serinait le plus souvent disait : *« Timélou, lamélou, pan pan timéla, timelamélou cocondu labaya... »*

Il affectionnait aussi : *« On l'app'lait Boudou Badabou, il jouait d'la flûte acajou... »*

J'entendais souvent fredonner, sans savoir d'où cela venait : *« Trou scarferlati, funiculi funicula... tabac d'la Régie mets ton cul li mets ton nez là. »*

Ou alors, prétendant chanter en sénégalais : *« Ya yo ya ya yo... Ya yo ya ya yo... Kolo kolo di tagalé sambala... Mapodini Sinia. »* Mais les Sénégalais n'y comprenaient rien.

Au fond, il n'y a pas plus à rougir de ces éructations que du scoubidou de nos années soixante. Mon père était précurseur.

Il avait aussi un petit tour de force verbal qui impressionnait les auditoires. Il débitait à toute vitesse : « Le lenti plasti chromo mimo coli serpent tégraphe. »

C'était comme un défi à ses interlocuteurs qui perdaient naturellement leur dentier à vouloir égaler son exploit. Visiblement, la formule venait de l'invention du cinéma, dont il s'émerveilla toujours, mais peut-être moins que de celle du téléphone dont il ne cessa, jusqu'à sa mort, d'être éberlué. Qu'on pût, en décrochant un morceau de bakélite, se parler à distance, il n'en revint jamais. Il parlait d'oreille, et des expressions telle « La preuve en est », coquetterie de langage qu'il affectionnait particulièrement, devenaient dans sa bouche « La pauvre année ».

Il avait toutes sortes de jeux de mots approximatifs émaillés d'expressions arabes. Ainsi, lorsqu'il voulait dire, pour clore une conversation, « C'est tout », en arabe *« Ada macane »,* il ne manquait jamais d'ajouter : « ...et mon chapeau ».

Il avait aussi un langage codé. Pour signaler qu'il n'allait pas dire la vérité ou pour nous demander de ne pas aller plus loin dans les secrets que nous pouvions révéler en présence de tiers, il disait, avec un coup d'œil pas très discret, « D.H. », initiales dont il ignorait lui-même la provenance.

Pour s'indigner de la conduite de quelqu'un, il ne disait ni « salaud » ni « ordure » mais « typhus » avec trois « t » et un froncement de nez. Le temps des épidémies n'était pas loin.

Un juif était un « reu », un catholique un « latokem », un Arabe un « T.D. » (pour « tronc de figuier »), façons de parler à mots couverts de l'appartenance de chacun dans la société hautement raciste et totalement ségrégationniste que fut celle des villes d'Algérie jusque dans les années cinquante. D'où pouvait venir ce

« reu » ? Invention de mon père probablement car je n'entendis jamais personne l'employer. « Latokem » fut aussi une exclusivité bien que, là, on comprenne qu'il s'agissait d'une utilisation abréviative de « l'argomuche des louchébem ». Quant à « T.D. », c'était, en initiales, la reprise de l'une des dix façons péjoratives dont le million d'Européens occupants désignait les huit millions de musulmans autochtones.

Ce besoin de masquer les origines, la sienne aussi bien que celle des autres, dénotait assez bien la honte de mon père : celle d'appartenir à une communauté haïe et celle de haïr ou de mépriser les autres. Il aurait dû pourtant savoir que sur le plan du racisme, il ne devait rien à personne dans ce bouillon de culture que fut alors l'Algérie, où les juifs étaient pour les uns des « youpins » (à qui on ne parlait d'autres juifs qu'en disant en préambule : « un de vos coreligionnaires »...), pour les autres des « youdi ». Les catholiques, eux, étaient pour les uns les « frangaoui », pour les autres les « roumi » et il y avait aussi peu d'amour dans une dénomination que dans l'autre. Quant aux musulmans, ils remportaient la palme avec une nomenclature des plus variées : « bicots », « troncs de figuiers », « ratons »... Plus tard devaient venir : « melons », « crouïa », « fromages de Hollande », « bouteilles cachetées » (à cause de la chechia rouge), « bougnoules » et autres friandises. On comprend qu'à la longue ils en aient eu quelques bourdonnements d'oreilles et éprouvé la très salubre nécessité de se débarrasser de leurs frelons.

Lorsqu'il avait essayé d'expliquer quelque chose à quelqu'un, croyant peut-être — complexe d'infériorité oblige — qu'il s'était mal exprimé, papa concluait souvent sur un ton clownesque par : « Tu m'as compris, Tuma ? ». Ou à l'inverse, lorsqu'il avait eu du mal à comprendre le raisonnement de son interlocuteur, plutôt que de l'avouer il disait : « Je ne suis pas d'accord avec vous. Je vais vous expliquer pourquoi... » et il ne disait plus rien, laissant son vis-à-vis en déséquilibre.

« Qu'est-ce qui a fait le coup ? » disait-il si quelque objet manquait ou si un autre était détruit. Ou bien à ma mère lorsqu'on la complimentait sur l'excellence de sa cuisine : « Tu as fait comme je t'ai dit ? »

De quelqu'un qui avait du mal à entendre il disait : « Il est sourd d'un œil ». D'un autre qui toussait : « Il est faible de prostitution ».

Il avait toujours paru plus jeune que son âge et aimait le faire dire aux gens. « On ne dirait pas que j'ai soixante ans ? » questionnait-il. « Pas possible, répondait l'autre, on vous en donne à peine cinquante. » Et comme il en avait en réalité quarante-cinq, sa mauvaise plaisanterie lui retombait dessus.

Il n'y avait pas de réunion — familiale ou autre —, mariage, naissance, circoncision, sans qu'au dessert on demandât à mon père d'y aller de sa petite chansonnette. Il commençait par répondre : « Non, je vais vous expliquer pourquoi... » ou alors : « Non, je suis périmé » pour mieux s'entendre dire qu'il était plus jeune que jamais. Ou alors : « Non, sta foutout » dans un espagnol de sa composition. Ou encore en arabe *« Yarslah »*, ce qui voulait dire « Tout ça, c'est loin ! » en référence à sa carrière de chanteur amateur. Il finissait par faire ce dont il mourait d'envie et se produisait dans le répertoire de Félix Mayol : *« Les mains de femmes... Je le proclame... Sont des bijoux... Dont je suis fou ! ». « Y'a des loups Muguette — Y'a des loups — Des loups qui te guettent — Qui font ouh... ouh... ouh ! »*

Mais son triomphe, son bis inévitable, était un monologue dont l'origine reste obscure et dans lequel il mettait une telle dose d'outrance que les convives roulaient tous sous la table. Se levant solennellement et sortant un immense mouchoir de sa poche, il annonçait dans un sanglot : « Regrets à Augustin. Discours d'un scieur de long Auvergnat sur la tombe d'un autre Auvergnat scieur de long. »

Annonce banale en apparence mais au terme de laquelle l'assistance avait déjà les larmes aux yeux car, comme chacun sait, les Auvergnats ont une prononciation chuintante et « scieur de long » devenait « chieur de long ». Épongeant ses yeux d'un mouchoir qu'il tordait abondamment, il n'en finissait plus, sur un ton d'oraison, de chuinter ses regrets à « Auguchtin » qui chiait dur, qui chiait droit, jamais de travers ; et même trop, pour finir par promettre, en pensant à la veuve : « Désormais, nous chierons pour toi ! ».

Il avait d'autres classiques à son répertoire. De quelqu'un de mal attifé, il disait : « Il vient de Chéraga par la traverse ». Venir de Chéraga (banlieue d'Alger) par un raccourci impliquait que l'on traversât un oued et donc qu'on arrivât crotté. À kif-kif, il préférait « Blanc bonnet, bonnet blanc ». Quand on lui demandait l'impossible, il disait : « Compte dessus et bois de l'eau ». Il ne quittait pas ses hôtes sans dire : « Merci pour votre bonne nourriture ». Et quand il allait uriner, il disait : « Je vais changer l'eau des olives ».

Beaucoup ne savaient pas dire « Gaston » sans un petit rire. Quand ma mère disait « Gaston », c'était dans le meilleur des cas avec inquiétude, le reste du temps avec contrariété ou découragement.

C'est que l'envers du comique était tout aussi répétitif, tout aussi prévisible et inéluctable que son numéro de scène et, sitôt rentré en coulisses, le maquillage cessait de faire illusion.

En dehors du fait qu'il ne connaissait rien aux affaires, il n'était pas armé pour la vie. Affronter les gens lui était impossible. Quelle ancienne peur traînait-il, quelle honte cachée pour que jamais il n'ait su réclamer son dû, faire valoir ses griefs ou même se prémunir contre ses faiblesses ? On eût dit au contraire que l'attrait du vide le ramenait allégrement au bord de ses gouffres coutumiers. Il savait qu'une main frêle et forte, celle de ma mère, le rattraperait toujours par un lacet de chaussures, mais en même temps il ne supportait pas qu'elle le tirât d'affaire et allait même jusqu'à lui interdire — car il savait être agressif envers elle — de réparer ses erreurs ou de faire valoir son droit.

Il ne savait pas refuser ni fermer sa porte. Proie idéale des démarcheurs à domicile, il se retrouvait toujours — et nous du même coup — propriétaire d'objets dont il n'avait pas voulu. Les représentants en livres devaient se refiler son adresse car nous étions inondés de collections reliées pleine peau dont le paiement à tempérament venait grossir la colonne de gauche des livres de ma mère.

Des gens venaient s'asseoir dans son atelier, qui n'avaient rien à faire que bavarder, et passaient souvent là des heures qu'ils prenaient sur son travail. Il ne savait pas les éconduire. Certains s'en allaient avec quelques billets de banque soutirés au nom du dentiste de leur femme ou des études de leur fils. Il ne disait jamais non et quand ma mère découvrait le trou dans la caisse, il ne supportait pas qu'elle lui en fît la remarque. L'emprunteur ou l'emprunteuse étaient toujours des gens sérieux qui attendaient une rentrée d'argent et « lui rendraient » dans les délais promis. Et quand ma mère voulait aller les relancer, il se mettait dans tous ses états, mordant sa lèvre inférieure et crispant ses poings, comme si elle allait le couvrir de honte en accomplissant une telle démarche.

Se sentait-il coupable au point de redouter d'être mal jugé par ceux mêmes qui l'escroquaient ? Je ne crois pas que ma mère ait jamais pu essayer d'approcher un de ses extorqueurs. Et lorsqu'ils revenaient le voir pour lui prendre une autre moitié d'après-midi, il se laissait à nouveau grignoter, souriant, plaisantant et ne faisant bien sûr aucune allusion à l'argent prêté. Faisant monter par un apprenti limonade ou café pour le tapeur du jour, il finissait souvent par se laisser soulager d'une relance, clandestine celle-là, et prélevait sur ses deniers personnels. Souvent, profitant de son absence, il faisait une vente qu'il ne lui annonçait pas et se dispensait naturellement d'en faire entrer le produit dans la caisse.

Le trou n'apparaîtrait qu'au moment de l'inventaire du *stock* et alors il se perdrait dans la dentelle de trous que son imprévoyance, ses négligences et surtout ses complaisances engendraient et aggravaient au fil des années. Certains de ses ouvriers lui volaient les grammes d'or ou de platine qui font le bénéfice d'un bijoutier et il fermait les yeux, n'osait pas poser de questions, laissait aller « pour ne pas avoir l'air... » Un jour cependant, il surprit l'un d'eux dissimulant un petit lingot. Il osa lui dire : « Tu m'as volé ! » Mais l'autre précipita le lingot dans la cuvette des cabinets et répondit : « Vous voyez, je n'ai rien pris. » Il ne porta pas plainte.

Quand des clientes se présentaient, il avait la mauvaise habitude d'étaler tout ce qu'elles demandaient et ne demandaient pas. Sa fierté était de présenter à chaque fois toute sa collection. Plateau après plateau, il sortait de ses vitrines bracelets, bagues, pendantifs, déposant le tout sur son comptoir, admirant son travail comme s'il le découvrait en même temps que ses acheteuses : « Une merveille !... disait-il. Entièrement fait main, motif par motif, ornement par ornement... Une pièce unique... » Voulant démontrer comme un enfant la somme de travail que représentait chaque objet, il ne résistait pas à la tentation d'aller chercher dans son atelier des objets similaires mais à l'état brut pour mieux faire valoir la minutie et le fini du produit final. Ma mère, occupée à quelque autre vente, le voyait alors avec terreur tourner le dos à toute cette marchandise répandue sur le comptoir, franchir la porte vitrée qui menait à l'atelier et laisser à leurs tentations des clientes et des clients dont beaucoup n'eurent pas la force de résister.

Le pire — mais pouvait-il y avoir pire ? — était qu'il n'osait pas se faire payer. Avant même qu'on le lui eût demandé, il offrait des possibilités de crédit et les gens en profitaient largement. La comptabilité de ma mère devenait un défi à toutes les acrobaties, car il fallait faire face aux achats massifs de matières précieuses, payer le loyer, des salaires d'ouvriers toujours mieux rétribués chez mon père que chez ses concurrents. Les aléas de la Garantie étaient trop souvent la goutte d'eau fatale.

Il faut savoir que l'or, tel qu'on l'achète en lingots, titre vingt-quatre carats. Trop malléable il donnerait, si on l'utilisait à l'état pur, des bijoux extrêmement fragiles, voire importables. C'est pourquoi on en abaisse le titre en l'alliant à des métaux plus résistants, tels le cuivre ou le maillechort, selon la couleur qu'on entend lui donner. Or rouge, or blanc, la loi impose de ne pas descendre au-dessous de dix-huit carats. Mais réussir le dosage parfait relève de la même chimie qui fait qu'on réussit ou qu'on rate une recette de cuisine. Pour avoir le droit de livrer un bijou au commerce, il faut le soumettre — avant polissage — au contrôle de la Garantie qui le teste et, moyennant une taxe, y appose son poinçon.

Mon père maîtrisait-il si mal ses alliages ? Le fait est que le contrôleur contestait fréquemment ses bijoux, parce que d'un titre inférieur aux dix-huit carats réglementaires, et les lui retournait après les avoir purement et simplement brisés. Ils étaient donc à refaire, d'où catastrophe financière et doublement du prix de revient. Je n'épiloguerai pas sur la barbarie de tels procédés ni sur le fait que ce contrôleur-là prenait un malin plaisir à torturer mon père, comme cela devait se vérifier plus tard.

Mon père était poursuivi par une malchance qui assombrissait notre vie familiale. Vingt fois j'ai vu revenir de ces boîtes pleines de bracelets ou de colliers brisés impitoyablement. J'en avais les larmes aux yeux. C'est un des spectacles les plus cruels qui soient que de voir le travail d'un homme anéanti par la volonté d'un autre, même si cet autre agit au nom de la loi et même si cet autre est de bonne foi. Nous vivions chaque fois une sorte de deuil qui pesait lourdement sur le climat de la maison, déjà alourdi par le souci constant des échéances, ces implacables échéances de fin de mois auxquelles il ne parvenait jamais à faire face. C'était alors le cycle de ses nuits blanches. Obsession des traites impayées. Angoisses incessantes. Il fallait emprunter. À qui ?

À partir du vingt-cinq du mois, mon père ne dormait plus et ma mère entreprenait de relancer les débiteurs paresseux. Mais c'étaient alors des empoignades homériques car il ne voulait pas qu'elle fît ces démarches, « pour pas avoir l'air... » disait-il. Pour pas avoir l'air de quoi ? D'être quelqu'un à part entière qui venait exercer le droit élémentaire d'être payé de son travail ? Il ne supportait pas de réclamer ce qu'il n'aurait pas dû avoir à réclamer et s'en prenait à ma mère qui, elle, n'avait pas d'autre ressource que d'aller réclamer si elle voulait que les marmites ne restent pas froides. Elle forçait le blocus de mon père et frappait à la porte des débiteurs mais mon père passait souvent par derrière pour leur dire que s'ils ne pouvaient pas... qu'ils avaient le temps... que sa femme était intervenue parce que... mais qu'enfin... Et ma mère s'en tirait chaque fois avec le mauvais rôle et l'amère conclusion de voir mon père lui faire la tête alors que « pour pas avoir l'air... » il redoublait de courbettes et de sourires envers ceux qu'il encourageait à oublier de le payer.

Ah ! il était plus facile pour les enfants que nous étions de voir vivre mon père que de voir vivre ma mère. Léger, blagueur, débonnaire, il contrastait avec la gravité de sa femme comme le joyeux fêtard du carnaval contraste avec celui qui le lendemain balaie ses confetti. Mon père faisait la casse, ma mère ramassait les morceaux. Elle était comme le soutier d'un navire faisant eau de toute part et qui n'aurait eu qu'une tasse à café pour écoper la cale. On la voyait courir d'une brèche à l'autre ; incapable d'arrêter l'hémorragie elle bouchait un jour un trou, un jour un second et, ne pouvant endiguer le flot principal, elle garrottait autant qu'elle pouvait les points de saignée secondaires. L'eau, le gaz, l'électricité, tout nous était contingenté. Les ampoules étaient jaunes et faiblardes. Il ne fallait pas laisser derrière soi une pièce éclairée. Nous prenions nos bains à deux, une fois par semaine. On ne se lavait pas, on se décrassait. Pas question de tirer la chasse des cabinets. Il y avait toujours là un seau d'eau usée ayant servi à laver les sols et qu'on déversait dans la cuvette ; le papier journal remplaçait le papier de soie.

Nos menus quotidiens étaient faits de pois chiches, haricots, lentilles, pois cassés, fèves, tapioca, hareng ou morue desséchés, pâtes et pommes de terre dont elle faisait des gratins avec les restes de la veille, topinambours, salsifis, gâteaux de semoule, gâteaux de riz, toutes nourritures aussi substantielles que peu coûteuses dont nous faisions nos délices, car elle les accommodait comme personne. La patate douce nous faisait des frites sucrées, les pâtes à la confiture un dessert succulent ainsi que les tranches de pain trempées dans du lait, frites et soupoudrées de sucre qu'on appelait du pain perdu. Les restants de viande faisaient le jour suivant des farces à tomates, courgettes, aubergines, pommes de terre. Les anchois broyés dans le jaune d'un œuf dur donnaient à l'assiette un air d'aristocratie. Beaucoup de salades russes, c'est-à-dire toutes sortes de restants de légumes découpés en petits cubes dans une sauce mousseline. Et, bien sûr, toutes sortes de *tchouktchoukas, fritangas, coquès* à base de poivrons, tomates, ail et oignons qui embaumaient jusque dans l'escalier. Notre quatre heures, c'était du pain, de l'huile et du sel ; ainsi appelions-nous une demi-baguette abondamment ointe d'huile et salée, aillée quelquefois. Nous ne nous en lassions pas et aujourd'hui encore quand nous en parlons avec mes frères, nous n'y trouvons que délices. Mais ma mère, ma pauvre mère, de combien de bouts de chandelles nous faisait-elle ces pauvres fêtes ?

Elle n'était pas triste, plutôt prête à rire, mais son rire se figeait souvent et sa bouche se pinçait, soucieuse. Elle avait des brusqueries, pourchassait le gaspillage, et son excès de vigilance nous pesait, moins cependant que les colères aveugles de mon père qui menaçait d'enjamber le balcon ou de briser quelque objet de prix chaque fois qu'elle s'interposait entre lui et ses caprices.

Un jour, ce fut parce qu'il ramena à déjeuner un sculpteur en objets d'art, muet rééduqué et autrichien de surcroît, à l'heure du déjeuner. On devine qu'elle n'était ni prévenue ni fière d'offrir à l'improviste ce que nous avions à mettre dans nos assiettes. Elle eut le malheur de manifester vivement sa contrariété, ce à quoi il répondit en s'emparant de deux ours monumentaux sur leur banquise éclairante et qui ornaient notre buffet. Il les éleva au-dessus de sa tête, prêt à les pulvériser contre le mur d'en face. L'Autrichien, pas du tout impressionné, en profita pour glisser au passage un doigt d'expert sur la banquise et pour énoncer dans un bégaiement guttural : « Marbre coulé... coulé... » Du coup, mon père reposa les ours sur le buffet et tout dégénéra en un échange de propos techniques sur la différence entre le marbre, l'albâtre, le stuc et le porphyre, mais nous avions vécu au passage le frisson terrifiant d'imaginer nos ours répandus en miettes sur le sol.

Vêtements et livres d'école refilés méthodiquement de l'un à l'autre, hantise des honoraires de médecin, car il y avait toujours une scarlatine, une varicelle, un furoncle, une brûlure : c'est encore ma mère qui gérait cela comme elle pouvait. Elle vivait préoccupée, tendue, et cela ne nous la rendait pas toujours attrayante, mais jamais nous ne l'entendîmes se plaindre ou dénoncer notre père.

Un jour cependant, j'étais dans ma chambre et comme il arrive quelquefois quand la vie prend le décor du drame qui va venir, le manteau de la cheminée (dont nous ne nous servions jamais) était soulevé, laissant apparaître deux obus intacts que mon père avait ramenés de la guerre de 1914, trophées dangereux imprudemment laissés là depuis des années.

Devant la cheminée, ma mère et ma tante Germaine se parlaient à mi-voix et je devinai sans entendre clairement que ma mère laissait déborder pour une fois le trop-plein de son cœur. Faisant semblant d'être plongé dans mes livres, je guettai des bouts de phrases et j'entendis ma mère dire : « Un jour, je me supprimerai. » Mon cœur se mit à sursauter dans ma poitrine tandis que Germaine, rompant avec le chuchotement, l'admonestait comme il était de son devoir de le faire. Longtemps cette scène hanta mes moments de solitude. Des larmes me venaient à la pensée que ma mère pût m'abandonner ainsi, mais ce qui rendait mes phantasmes encore plus terrorisants, c'est que je ne pouvais chasser ces obus de mon champ de vision, ni m'empêcher d'imaginer que l'un d'eux, un jour, la réduirait en cendres.

Georges, mon jeune frère, était né en 1924. Le moins qu'on puisse dire c'est qu'il n'était pas attendu et on le lui fit sentir. Tant qu'à accepter l'inévitable, ma mère eût préféré une fille. Il poussa comme il put, objet de plus de rigueur et de moins d'attention.

Je le voyais en passant devant le square Guillemin où la maternelle prenait ses récréations, seul contre un mur, épaules rentrées, se tenant à l'écart des cabrioles et des cris, agneau rejeté de lui-même. Trop petit moi-même pour engager un vrai dialogue, je prenais sur mon dos le poids de sa mélancolie, incapable de partager mon malaise avec qui que ce fût.

Le miracle fit qu'un jour, vers l'âge de cinq ans, un médecin devina une hypermétropie importante. Il n'y voyait, le pauvre, ni de près ni de loin. Bonne raison de garder ses distances. On le conduisit à un ophtalmologiste qui le para de lunettes.

Ce fut explosif. Il devint une terreur. Sa prostration, son retranchement apparents n'étaient qu'incapacité à voir, donc à affronter les jeux de ses camarades. On avait négligé sa vue, elle se vengeait en faisant de lui, d'une école à l'autre, un perpétuel émigrant. Personne ne voulait le garder. Au lycée où il jouait dans la cour des petits et moi dans celle des grands, il m'arrivait toujours en trombe poursuivi par trois ou quatre gamins revanchards à qui il avait joué quelque mauvais tour. Il venait chercher protection et c'est moi qui devais faire face à la meute.

Il bénéficia de ce qui nous fut toujours refusé par convenance : jouer dans la rue. Infamie réservée aux pires voyous et qui n'était pas pour les fils de famille que nous étions, Raymond et moi.

La famille en parlait avec consternation. Dado le voyait comme une future épave. Quand il décrocha son certificat d'études, tout le monde en resta bouche bée. Dans cette société limitée où l'on confondait diplômes et intelligence, le fait qu'il puisse brandir une médaille ébranla un moment les plus irréductibles. Puis, la première vague d'étonnement passée, les idées reçues refluèrent et on le renvoya à son ghetto.

À l'école de la rue, il gagna ce qui lui fit plus tard un bagage précieux : le sens des contacts et de la débrouillardise, la gouaille et l'esprit de répartie, acquisitions plus proches de la réalité que les clichés puritains dont Raymond et moi étions bombardés.

Il eut une enfance et une adolescence ingrates et je ne vois pas d'excuse au peu de confiance dont il fut entouré, mais grâce au ciel et à la rue, il avait une solide inconscience ; sa peau tannée et ses lunettes qu'il ne quitta plus jamais le menèrent à la réussite vraie de ceux qui empruntent les voies simples.

Toujours tiré à quatre épingles, mon père ne s'habillait que sur mesure. Vers les années trente, il se découvrit une passion pour l'automobile et on le vit arriver un jour avec une petite Renault rouge d'occasion, décapotable sans capote (lui seul avait pu se laisser refiler un tel hybride) au museau biseauté d'iguane. Montée sur quatre roues trop hautes, elle donnait l'impression, avec sa roue de secours mal arrimée à l'arrière, d'être prête à faire le grand écart à la seconde où elle aurait fait son plein de passagers.

Il tint beaucoup à ce que nous descendions tous prendre le baptême de l'ère qui allait s'ouvrir devant nous : celle de la revanche sur ses origines miséreuses dont le symbole le plus éclatant ne pouvait être que cette torpédo, instrument de puissance et luxe de riches, ce que l'automobile allait vraiment être jusqu'au déclin des années quarante. Nous nous entassâmes — la petite bonne Hadidja y comprise — sur les sièges sans confort et il nous fit remonter avec lenteur et majesté la rue Dumont-d'Urville, la rue d'Isly et la rue Michelet, tout fier d'être à son volant, jetant des regards à droite et à gauche comme pour s'assurer qu'il soulevait l'admiration et l'envie des passants. Cette promenade cahotante eut tôt fait de nous persuader qu'il serait toujours un conducteur dangereux. Il était beaucoup plus soucieux de ce qu'il y avait à voir que de ce qu'il y avait à regarder. Autrement dit, le paysage l'intéressait beaucoup plus que le devant de la route et cela ne changea jamais. Il se fâchait contre son changement de vitesse plutôt que contre son pied qui se trompait de pédale et pestait contre les caprices du tramway dont il oubliait volontiers qu'il était sur rails.

Au bout d'un moment, nous étions grisés par la course mais sans illusions sur ses qualités de chauffeur. Ma mère, déjà si frêle, avait rétréci sur son siège à l'idée du chapitre nouveau qu'elle allait avoir à ouvrir dans son livre de comptes.

Quelles qu'aient pu être ses craintes ce jour-là, elle ne pouvait pas imaginer l'escalade mégalomaniaque qui se préparait et qui ne connut son dénouement qu'en 1937 lorsque la catastrophe se produisit et nous obligea à quitter l'Algérie.

Très vite, l'obsolète Renault sans capote ne suffit plus à son sens de la parade. Disons pour être juste que la parade n'était pas sa seule quête. Il aimait partager ses plaisirs et pour emmener en promenade avec nous Dado, Tontine, Edmée, la tante Germaine ou l'oncle Henri, il fallait un véhicule plus grand. Disons aussi que les garagistes avaient compris qu'il ne saurait jamais dire non à l'affaire du siècle.

Le monstre suivant fut une Fiat noire, décapotable elle aussi mais avec capote. Nous étions sans le savoir au temps d'Eliott Ness, le vrai, et notre Fiat égalait en télégénie avant la lettre les Packard des incorruptibles.

Le voyage inaugural eut pour but Médéa, ville de montagne où Picardo, un ancien compagnon de guerre de mon père, était restaurateur. Il nous était familier grâce à une chanson de tranchées qui avait accompagné notre enfance et qui disait : « *Picardo, tu te saou-ou-les...* » Cette chanson, comme souvent les chansons, valait toutes les encyclopédies de la Terre. Nous savions qui était Picardo bien avant de l'avoir rencontré.

Au retour, alors que nous descendions lentement les derniers lacets de la route, j'aperçus, le temps d'un virage, une voiture qui montait vers nous et que mon père, émerveillé par le paysage, n'avait pas vue. Je dis : « Attention papa, une voiture... », mais il ne m'entendit pas. Redoutant le vide, il roulait au milieu de la route déjà étroite et lorsqu'il se trouva presque nez à nez avec l'autre voiture, il ne put se résoudre à reprendre sa droite, car à droite c'était le précipice. Il mena alors sa Fiat à gauche sur un talus au flanc de la montagne ; elle s'inclina vers la droite comme une bicyclette sur un vélodrome et se coucha tranquillement sur la route, les quatre fers en l'air. Par miracle, aucun de nous ne fut blessé mais la voiture s'en tira avec une direction faussée dont je soupçonne — c'était l'époque héroïque ! — qu'elle ne fut jamais ou mal redressée car, par la suite, quand on l'interrogeait sur les vertus de son incorruptible, papa répondait : « Elle est bien, mais elle tire un peu à droite. »

À quelque temps de là, se trouvant entre deux ravins, il arrêta la voiture et en descendit, déclarant qu'il avait le vertige et ne pouvait poursuivre sa route. Par bonheur, le cousin Akoun — celui que tous les chauffards de Paris allaient plus tard appeler par son nom — nous suivait en auto et sa femme Fernande vint prendre les commandes. Manœuvrant sur un à-pic très étroit pour remettre la voiture dans le sens du retour, elle freinait à fond tout en accélérant. La machine rendait l'âme et le pot d'échappement éjacula la moitié de l'huile du moteur.

Comment et quand arriva Stofan ? Je n'en ai aucun souvenir précis, mais voilà que soudain mon père nous mit en présence d'un Algérien (on disait alors « un Arabe ») grand et beau, au sourire ingénu, une espèce de seigneur racé et d'une courtoisie rare qui prit place au volant de notre Fiat et ne la quitta plus jamais. Nous, les enfants, n'y voyions aucun inconvénient, au contraire. Stofan était discret, gentil, plaisantait volontiers avec nous, et les enfants, on le sait, aiment voir arriver dans leur vie des personnages nouveaux. Mais ma mère, ma pauvre mère ! Comment n'en eut-elle pas une attaque d'apoplexie ? Vous vous souvenez bien que pour parer aux désastres d'un budget hémophile elle économisait l'eau, le gaz, l'électricité, quand ce n'étaient pas les huiles de friture dont elle se resservait plusieurs fois. Or, il lui fallait maintenant nourrir en plus, non seulement une torpédo Fiat qui était une maîtresse exigeante, mais encore un chauffeur. Imaginez ! Personne ou presque, chez les Juifs d'Alger dans ces temps-là, n'eût osé se payer un chauffeur, à part peut-être une certaine famille riche connue pour sa morphologie ventripotente et dont on prononçait le nom avec moins de respect que de sarcasme car ils étaient la caricature même de ce que pouvaient être des parvenus.

Eh bien ! nous, les Bacri de Bab-el-Oued, criblés de dettes, économisant nos eaux sales, nous avions un chauffeur. Mon père amenait Stofan déjeuner à la maison ; voyages, hôtels, pique-niques : il était de toutes nos expéditions, compagnon suave, le type d'homme qu'on ne pouvait pas haïr. Comment ma mère n'est-elle pas morte cent fois de contrariété, de colère, d'indignation, de surprise, d'épouvante, de renoncement, de jaunisse, de fou rire nerveux ou simplement d'anorexie ?

Car elle ne mangeait pas, ou peu. Nous ne savions pas si c'était par économie, pour nous laisser des parts plus grandes, ou par un dégoût de la nourriture, marque d'un état nauséeux dont il n'eût pas été malaisé de déceler l'origine. Je pense qu'il y avait un peu de tout cela, car plus tard elle se révéla gourmande ; mais tant d'hôtels et de restaurants touristiques, dont la note s'augmentait d'un convive supplémentaire, devaient achever de lui couper l'appétit. D'autant que Stofan était probablement le chauffeur le plus singulier de l'histoire de l'automobile en ce sens qu'il voyageait plus souvent derrière, avec nous, que sur le siège avant. Eh oui ! mon père n'avait pas encore épuisé, il ne l'épuisa d'ailleurs jamais, sa fascination pour cet engin qui se propulsait tout seul ; et par-dessus tout, conduire était pour lui un acte d'affirmation personnelle qui lui conférait un sentiment de réussite. Nous avions donc un chauffeur qui ne chauffait pas et qui, de plus, embarrassait nos compagnons, familiaux ou autres. Il est vrai qu'une telle présence privait le dialogue de connivence et d'épanchements intimes, dans une époque où rien ne sortait de la famille. Si l'on y ajoute un arrière-goût de racisme, les gens avaient des raisons de s'interroger.

Après l'hybride Renault et la torpille Fiat vint la splendeur Citroën : une voiture comme on n'en avait jamais vu, comme on n'en verra sans doute plus jamais dans l'histoire de l'autotraction. Il n'y en eut que deux dans tout Alger et peut-être dans le monde. Papa se l'était laissé fourguer par son ami Douïeb comme l'affaire du siècle et je ne sais par où commencer à la décrire. Si l'on se penchait sur le moteur ou le châssis, c'était simple : on avait affaire à une Citroën de l'année, de type standard. Mais si l'on se fiait à l'aspect général, c'était l'ébahissement le plus total. Elle était bleue et noire, somptueuse symphonie semi-nocturne qui lui donnait un mystère indiscutable. Mais surtout — et ç'avait été l'argument décisif de Douïeb —, elle était carrossée par Van den Plas. Au risque de paraître ignorant, je ne sais toujours pas qui était Van den Plas, mais ce nom flattait nos oreilles et nous étions fiers d'avoir été carrossés par lui. D'une Citroën ordinaire, il avait fait une limousine. Elle était deux fois plus longue et plus large que toutes les autres. Van den Plas habillait grand. Et solide. On avait l'impression que la carrosserie était en fonte. Quant à sa ligne, c'était une surprise entre une Cadillac et une Rolls qui n'en finit jamais de faire se retourner les Algérois et les Algériens sans parler des touristes ou des marins américains, anglais, italiens ou autres dont les navires de guerre venaient souvent mouiller dans la rade. Le malheur c'est que le moteur n'arrivait pas à tracter un monument aussi disproportionné. Nous nous traînions sur la route. Nous eûmes au moins le temps d'admirer le paysage, et les paysans tout le loisir de nous contempler.

Deux événements marquèrent l'âge de notre Citroën. D'abord sa première sortie, que mon frère Raymond conduisit selon son vœu jusqu'à El Biar, hauteur d'Alger, et qu'il atteignit par je ne sais quel miracle balistique car hisser ce wagon jusqu'à ce piton montagneux relevait d'une gageure. Nous étions un petit groupe empilé à bord et la randonnée s'acheva contre un malencontreux bec de gaz, celui qui se trouvait devant la mairie. Fut-ce un signe d'époque ou le charme de notre carrosse opéra-t-il ? On s'en tira avec une remontrance du maire.

Le second événement, plus triste celui-là, viendra en son temps.

Puis vint l'engin qui devait clore glorieusement la liste : une Hotchkiss jaune et grise, bolide au moteur plus long que l'habitacle, chromée, nickelée, clinquante comme le nouveau sourire de mon père. Il nous était arrivé un jour sans prévenir avec une denture dix-huit carats : incisives, canines, prémolaires, molaires, dents de sagesse, il s'était fait faire par son dentiste un sourire en or. C'était forcément lui qui avait fourni le métal, l'idée aussi, et moi j'étais ébloui. Des dents biseautées ! Je trouvais ça beau. Mais l'égérie de l'ombre dut ne pas juger la chose d'un très bon goût et même redouter quelque décapitation nocturne : un tel butin dans Alger la nuit ! Cette denture disparut très vite pour laisser la place à une autre, de porcelaine. Il conserva tout de même, à droite, une canine en or qu'il avantagea désormais en mettant au point un sourire relevé d'un seul côté, un sourire de riche.

L'Hotchkiss avec son allure fière et ses tubulures d'acier était un vampire d'essence. Il lui fallait bien un défaut. Elle, au moins, avait un moteur digne de sa carrosserie.

Nous étions en 1936 et depuis trois ans, Raymond nous quittait neuf mois par an pour aller faire ses études de dentisterie rue de la Tour d'Auvergne à Paris. Quand il débarqua du *Ville d'Alger* cette année-là, diplôme en poche, il trouva sur le quai du port, briquée, polie, scintillante, la dernière et la plus prestigieuse des quatre-roues que nous ayons jamais eues. Une surprise l'attendait à l'intérieur : sur le tableau de bord en bois précieux était vissée une plaque d'argent sur laquelle on lisait, gravé en lettres fines et élégantes :

Raymond Bacri
Chirurgien Dentiste
14, avenue de la Bouzaréah
Alger

Salomon Gaston Bacri, enfant pauvre du quartier de la Marine qui n'avait pratiquement jamais été à l'école, avait fait de son aîné un dentiste. Il en était écarlate de plaisir et de fierté et comme il fallait à cette réussite bouleversante un signe extérieur digne d'elle, il avait mis l'Hotchkiss au nom de son fils.

Plus les milliers de francs valsaient et plus ma mère courait après les centimes. Elle rassemblait nos vêtements les plus lustrés ou les plus jaunis et guettait le passage du marchand d'habits. C'était une espèce de traîne-misère loqueteux, épouvantail vivant qui poussait son cri à la porte de l'immeuble, « Z'habits ! », et attendait qu'on l'appelât pour monter. Dès qu'on lui ouvrait la porte, il avait un bonjour rêche et peu amène qui avait l'air de dire « Ça ne m'intéresse pas ». En homme préparé à l'âpreté des marchandages, il décourageait d'avance toute velléité de surenchère.

— Combien tu veux ? demandait-il à ma mère après avoir retourné et palpé sans complaisance le vêtement présenté.

— C'est à toi de me dire ! répondait ma mère.

— Non, toi !

Après que ce « Non, toi ! » ait fait quelques aller-retour d'une bouche à l'autre, il finissait par lancer un prix :

— Sept francs !

— Comment ! disait ma mère, tu te moques de moi ? Ça en vaut vingt !

— Regarde, il est tout troué. Personne il en voudra ! Neuf francs. Bon prix !

— Quinze ! rétorquait ma mère.

Au bout d'un quart d'heure — le scénario était toujours le même —, il élevait le ton, tournait le dos à ma mère en l'appelant « madame la soupe », injure suprême, et redescendait les marches. Ma mère n'avait pas plut tôt refermé sa porte qu'il remontait et frappait quelques coups coléreux :

— Allez, douze francs ! Et je perds de l'argent avec toi !

Quel contraste avec la vision que mon père donnait de lui-même !

Kleiss, le muet bègue, était dessinateur. Il s'était fait une spécialité de silhouettes caricaturales peintes et découpées dans du contre-plaqué. Il y en avait une montrant mon père sur un trône royal, vêtu d'un manteau de velours rouge bordé d'hermine qui traînait jusqu'au sol, la tête coiffée d'une couronne en dôme d'or ajourée et sertie de diamants, d'émeraudes et de rubis à faire pâlir la reine de Hollande. De sa main droite, il brandissait un sceptre étincelant qui le désignait — la légende le disait — comme le roi des bijoutiers tandis que la main gauche, tendue comme en une offrande, soutenait une poire en or qui le symbolisait cruellement. La psychologie de Kleiss n'était pas bégayante.

Son deuxième profil le représentait devant un énorme coffre-fort entrouvert, véritable caverne d'Ali Baba d'où déferlait un torrent de joyaux inestimables, campé sur ses mollets et perle à la cravate. Sa main droite baguée de diamants reposait négligemment sur le haut de la porte du coffre tandis que sa main gauche, pendant au premier plan, baguée abondamment elle aussi, tenait un sabre d'or menaçant qui semblait dire : « N'approchez-pas ! ». Un sourire triomphal éclairait son visage et laissait apparaître... trente-deux dents en or !

S'il avait vu ces portraits, le marchand d'habits aurait été moins conciliant avec la femme d'un tel nabab...

Tous les vendredis matin, veille du *chabbat,* un Marocain haut et désarticulé comme un oiseau aquatique venait sonner à notre porte. Il n'était plus très jeune mais, avec ses pieds très à l'aise dans ses spartiates, il avait, dans son burnous, une allure dégingandée et l'air de danser plutôt que de marcher. Il saluait d'un doigt en proférant des formules de bénédiction dans un sourire aux dents rares mais plein de bonté. Il tenait haut trois chaînes en faisceau qui supportaient un récipient de fer, comme un moule à gâteau rempli de charbon de bois incandescent. Il pénétrait dans chaque pièce de l'appartement en jetant chaque fois sur le brasier une pincée d'encens tout en marmonnant des formules bénéfiques. Il bénissait la maison. Nous le suivions, le taquinions, tirions sur son burnous, soutirions des poignées d'encens de la petite boîte attachée à son ceinturon et en jetions dans le feu plus qu'il n'en fallait, mais il adorait les enfants et aimait qu'on le fasse rire.

Il allait aussi à l'atelier de mon père et là, régulièrement, mon père jetait dans son brasier une poignée de salpêtre dont il se servait pour activer la fonte de ses bijoux. Cela donnait une véritable flambée, comme ces flashes au magnésium des temps héroïques de la photographie, et le brave Marocain naïf et pieux se laissait prendre à chaque fois, ne sachant que dire, d'un ton de reproche gentil : « Y'a, m'sieur Bacri... Y'a, m'sieur Bacri... »

Mon père jouait de sa crédulité et il eut un jour, devant le brave Marocain, une altercation simulée avec son ami Zerbib. Ils firent semblant d'en venir aux mains. Le pauvre vieux se mit alors à invoquer Dieu et sa miséricorde et n'hésita pas à s'interposer pour les séparer.

L'encens dans la maison cessa vite d'être un rite débonnaire pour se muer en superstition.

Si le Marocain sautait un vendredi, nous ne nous sentions plus protégés et le mauvais œil rôdait. Passer sous une échelle, exclu. Treize à table, mortel. Casser une glace, sept ans de malheur. Un chapeau sur un lit, mauvais présage. Renverser de l'huile, du sel ou du lait n'augurait que calamités.

Dès que quelqu'un disait : « Tu as de la chance ! », on ouvrait la main droite sous la table en écartant bien les doigts. C'était le cinq qui conjurait l'envie, la main de Fatma. Si on était obligé d'opérer à découvert, alors on se grattait l'oreille avec le pouce, toujours en écartant les doigts, dans un geste raide dont le moins qu'on puisse dire est qu'il manquait de naturel.

On ne sifflait pas dans la maison, on ne se croisait pas les mains. On ne posait pas le pain à l'envers sur la table. On secouait son pantalon ou sa jupe quand on passait devant un cimetière. On accrochait aux rideaux neufs des épingles tordues « pour crever les yeux des envieux ». On brûlait les pelures d'ail parce qu'un malfaisant pouvait les prendre et s'en servir pour jeter un mauvais sort. Pour retrouver un objet perdu, on nouait un mouchoir ou on accrochait une paire de ciseaux à une poignée de porte. Le vendredi, on n'étrennait pas un vêtement, sous aucun prétexte une salière ne devait être pleine, on restait sans huile plutôt que d'en ouvrir une bouteille.

Il y avait une semaine, vers le mois d'août, celle qui précédait le jeûne de *ticha be ab,* où l'on nous disait qu'il ne fallait pas nous baigner à cause du « couteau à la mer ». Il y avait du péché dans l'air. Pour ne rien arranger, un phénomène climatique faisait que régulièrement en cette période la mer se montrait maussade et terreuse.

L'idée de ce couteau nous paralysait, mais si la tentation se faisait plus forte, nous nous retrouvions dans l'eau, pris par moments d'une crainte d'être éventrés, aveuglés, émasculés, amputés par la lame de Dieu.

La réalité, c'est que *ticha be ab*, le neuf du mois d'*Ab*, commémore la destruction du temple, que toute une série de rites de deuil fait qu'on ne doit pas, cette semaine-là, se raser, ni manger de viande, ni se baigner car se baigner est un plaisir.

N'aurait-il pas suffi de nous dire tout cela ? Mais je crois qu'eux-mêmes avaient perdu la clef de ce tabou. Ils avaient été élevés comme ils nous élevaient, à la menace plus qu'au raisonnement.

Tontine et ma mère avaient une conseillère-voyante-tireuse de cartes, chasseuse de maléfices, une femme qui n'avait jamais eu d'âge, dévouée, discrète, douce, et que nous regardions comme quelqu'un de la famille : madame Solal, 13, rue Randon. Elle nous débarrassait de nos nombreuses insolations de façon très spectaculaire. Remplissant un grand verre d'eau, elle le couvrait d'une serviette-éponge pliée en quatre et retournait le tout d'un geste rapide en le posant sur le sommet de notre crâne. On voyait l'eau entrer en ébullition, s'évaporer progressivement, et quand le verre était vidé, nos vertiges, nausées et éblouissements avaient disparu.

Elle faisait tourner au-dessus de nos têtes des poignées de sel qu'elle jetait ensuite au feu pour conjurer le mauvais œil. Elle nous pourvoyait en sachets d'un mélange terre-sel dont il fallait, chaque jour à une heure donnée, jeter le contenu par-dessus l'épaule gauche, dos tourné à la fenêtre ouverte, en prononçant une formule arabe dont j'ignorais le sens.

Où voulait-elle en venir lorsqu'elle trempait l'extrémité d'un mouchoir dans une assiette pleine d'eau et qu'elle nous en imbibait la langue ? Je ne sais plus.

Elle ne nous laissait pas partir sans avoir mis à chauffer un couteau qu'elle portait au rouge et dont elle nous faisait quelques pointes de feu sur les bras.

Il n'était pas question de la payer mais, la séance terminée, elle disait à ma mère ou à ma tante : « Revenez me voir et la prochaine fois vous m'apporterez un kilo de viande ! »

Pourquoi pas ? L'usage des offrandes aux oracles existait bien avant elle et ne pas rétribuer, fût-ce symboliquement, une intervention salvatrice vide la pratique de son sens. Les psychanalystes vous le diront.

Sur une colline du Frais Vallon, dans une maison modeste mais impeccablement tenue, vivait une famille musulmane composée d'une vraie maman, d'un fils déférent et de sa jeune sœur, une presque enfant de quinze à seize ans à la voix de miel. Elle et sa mère nous recevaient avec beaucoup d'affabilité et, le moment venu, la jeune fille passait dans la pièce voisine où elle allait se défaire de ses soieries pour revêtir une austère *djellaba* gris acier. Nous prenions place sur le sol, face à elle sur une natte. Elle s'agenouillait et nous parlait encore un instant de sa voix cristalline, puis rabattait le capuchon de sa *djellaba,* n'offrant plus à notre vue qu'une ombre grise sans visage. Il se faisait alors un grand silence et la jeune fille était bientôt prise de convulsions. C'était le moment où Baba Lakhdar, l'ange familier, descendait en elle et allait nous parler par sa bouche. Le choc était à chaque fois le même car, de ce corps d'enfant au langage naguère babillant, s'échappait maintenant une voix d'homme rauque et assurée qui commençait par nous souhaiter longuement la bienvenue puis, traduite au fur et à mesure par la mamma, faisait au consultant du jour toutes sortes de prédictions. Il y avait toujours une cause commune à nos difficultés et à nos malaises : le mauvais œil, quelqu'un de mal intentionné qui nous poursuivait de ses pensées nuisibles...

Prenant un œuf dans une coupe, elle (ou plutôt il) le cognait prestement contre notre front pour en briser la coquille, séparant l'œuf en deux à la manière d'un cuisinier, et en répandait le contenu sur le sol. Au milieu du liquide visqueux, on voyait apparaître des touffes de cheveux, des petits cailloux, toutes sortes de déchets qui symbolisaient le poison qu'on avait semé en nous et qu'elle extirpait.

Au même moment, aux quatre coins de la pièce, se répercutaient des couinements venus de petites apparitions brunes, limaces ou sangsues, étrange mise en scène qui marquait la fin de l'exorcisme. Nous pouvions aller en paix, purifiés par Baba Lakhdar de toutes les immondices dont un esprit malin avait souillé notre âme et notre corps.

La cape grise était alors reprise de convulsions. L'ange mâle quittait bruyamment le corps de la jeune fille qui, soulevant sa capuche, réapparaissait souriante, l'air fatigué, et s'adressait à nous de sa voix d'enfant retrouvée, totalement ignorante de ce qui venait de se passer.

Un soir où nous quittions la petite maison après l'une de ces séances, nous vîmes une quarantaine d'hommes assis en rond dans le jardin, des femmes se tenant derrière eux. Comme un diamètre de feu coupant leur cercle en deux, une coulée de braises blanches nimbée de flammèches rouges fendait le sol.

Dans un *brasero* près de là cuisaient des tisons dont seul émergeait le manche de bois.

Les hommes se mirent à réciter des incantations sourdes scandées par les battements de mains des femmes, laissant leur corps suivre librement les inflexions de la psalmodie. Puis un à un, selon le degré d'abstraction auquel ils étaient parvenus, ils se levèrent et commencèrent à tourner autour de la coulée incandescente. Le cercle fut peu à peu gagné d'une hystérie collective. Les bouches écumaient, les têtes se renversaient, les yeux se révulsaient et le ton montait au rythme d'un tam-tam. C'est alors qu'ils défilèrent en procession, pieds nus dans la rivière de feu. L'un après l'autre, ils retiraient du *brasero* un tison chauffé à blanc qu'ils portaient à leur langue pendante. Un grésillement furieux se faisait entendre, une fumée intense montait au-dessus de leur tête, mais ils étaient totalement possédés et ne sentaient rien. C'était fou, irréel. Je regardais, les yeux écarquillés. Je n'avais jamais vu un tel spectacle. Mais ce qui me frappait le plus, c'était de voir la nonchalance avec laquelle l'entourage vivait cette cérémonie. Elle leur était coutumière. Il n'y avait de surprise et de mystère que pour moi. Eux trouvaient ça naturel.

Parce qu'elles naissent de craintes archaïques, les superstitions sont peut-être l'expression de ce que nous sommes profondément, mais un individu se rencontre aussi au détour du langage qu'il s'est choisi.

Nous partagions avec ceux qu'on appelle aujourd'hui les pieds-noirs — qui auraient été alors surpris de s'entendre appeler ainsi — le folklore et l'accent que *La Famille Hernandez* et les films d'Alexandre Arcady ont largement répandus, avec, en plus, tout un arsenal de réflexions en arabe qui émaillaient en particulier la conversation de Tontine, formules lapidaires qui faisaient mouche mais auraient mal supporté le passage au français.

Mais c'est ailleurs, dans le choix d'expressions connues et même conventionnelles, que s'exprimait le ton de notre famille.

« Parlons peu, parlons bien », disait-on pour essayer de clarifier le débat. Ou bien, lorsque nous étions désobéissants, « Il ne sait pas ce que parler veut dire ». Quand le ton montait, on entendait : « Cet enfant, il me fait endêver ! », c'est-à-dire « devenir folle » ; c'est ce que « desver » veut dire en vieux français. Le *devil* anglais n'est pas loin.

Toujours dans l'exaspération, quand une fois de plus nous avions mal quelque part ou que nous exprimions une insatisfaction de trop : « Celui-là, il a toujours un pet qui roule ! »

« Tu vas entendre parler de moi » ou « Tu auras de mes nouvelles » était une menace classique. Elle ne nous empêchait pas de dormir. « Tu vas en prendre pour ton grade » était déjà plus inquiétant.

« Il a plus grands yeux que grand ventre » sonnait comme une réprobation dans une maison où gaspiller un gramme de nourriture était sacrilège.

« Éclairage a giorno » venait nous rappeler que nous avions oublié de fermer l'interrupteur et que notre négligence allongeait la note d'électricité.

Était-on à court de respiration, on entendait : « Cœur qui soupire n'a pas ce qu'il désire. »

« Grandeur et décadence » qualifiait l'échec après la réussite. Il fallait toujours « l'emporter haut la main » sur les concurrents et leur « damer le pion ». Un examen, une difficulté, ce n'était pas « la mer à boire ». Quelqu'un vous avait-il fait une « crasse » ? On lui rendrait « la monnaie de sa pièce ». Était-il suspect ? Il n'était pas « du bois dont on fait les flûtes ».

Quand nous demandions : « Qu'est-ce que c'est ? » d'un objet qu'on voulait nous dissimuler ou de propos qui ne nous regardaient pas, on nous répondait : « C'est de la graine de curieux ! »

Si, de mauvaise foi, pour gagner du temps, on voulait se faire répéter quelque recommandation ou quelque précepte, on nous opposait : « Le curé ne dit pas deux fois la messe. »

Lorsque, interceptant dans le couloir la trajectoire de celui-ci ou de celle-là qui allait « au petit coin », nous demandions : « Où vas-tu ? », il ou elle répondait : « Je vais où le roi va à pied ».

La moindre mauvaise intention ou la moindre perspective inquiétante faisait lever les bras au ciel et dire : « À Dieu ne plaise ! »

Au premier signe de découragement dans nos études, on nous enjoignait de « mettre les bouchées doubles » ou de « donner un coup de collier ». Le lundi matin, on parlait de « reprendre le collier ».

Je me sentais assimilé à une bête de trait. Les livres d'heures du Moyen Âge que je découvrais alors abondaient en enluminures représentant des serfs poussant dans la terre le soc tiré par un animal domestique. L'imagerie me faisait remonter encore plus loin, au temps où le collier n'ayant pas encore été inventé, c'est l'homme lui-même qui tirait la charrue.

On ne disait pas : « Porter les vêtements chez le teinturier », mais « au dégraissage ou chez le dégraisseur ».

D'un garçon niais, on disait « un grand dadais ». L'injure était de se faire traiter de « grand dépendeur d'andouilles ». On ne se traitait pas de salaud, mais de « sale être ».

Quand notre gloutonnerie nous faisait creuser jusqu'à la pelure un melon ou une pastèque, on se faisait dire : « Laisse au moins la part du bourricot ! »

Le soir de *yom kipour,* on « cassait le carême ». Barbarisme ? Certainement pas ! *Breakfast,* ce vocable en vigueur dans les cercles distingués, n'a jamais voulu dire autre chose.

Le fait qu'on nous engageait naïvement à répondre à toute question sur notre appartenance par : « Je suis juif avec gloire et honneur » dénotait assez bien que dans la société méprisante où nous avions grandi, il fallait souvent attaquer pour se défendre. Pourtant, on ne se privait pas de clamer : « On ne mélange pas les torchons et les serviettes », au mépris de la tolérance.

Je me souviens aussi que lorsque Tontine — injure suprême — disait de moi ou de quelqu'un d'autre : « Malhonnête ! », elle y mettait une telle rectitude et un tel accent que je croyais entendre « Mal au net », pas net avec soi-même. Et cela m'est resté.

De quelqu'un qu'elle jugeait par trop obséquieux, elle disait : « Il est trop poli pour être honnête ». Et moi, transposant la formule, je disais d'une femme de maigre vertu : « Elle est trop au lit pour être au net ».

« Qui trop embrasse mal étreint » et « Le mieux est l'ennemi du bien » étaient thèmes courants. Et si l'on voulait « courir deux lièvres à la fois », on entendait : « On ne peut pas être au four et au moulin ».

« Gardez vos poules, je lâche mes coqs ! » était destiné aux parents trop laxistes avec leur progéniture femelle. Si l'une d'entre elles « consommait » avant le mariage, c'était, d'un ton persifleur : « Elle a fait Pâques avant les Rameaux ». Et si on « n'y allait pas de main morte » dans quelque surenchère que ce soit, c'était « L'un dit : 'Tue' et l'autre : 'Assomme ! »

Simplette, désuète d'apparence, j'aime la philosophie de ce précepte dont on nous abreuvait : « Comme on fait son lit on se couche ».

Il y avait aussi le mot *escarboucle* pour lequel on avait un faible, mais qu'on utilisait toujours à contresens, à propos de coiffure, de ceintures ou de routes en lacets.

Mais la phrase leitmotiv de nos aînés, celle dont ils avaient fait une devise, était : « Bonne renommée vaut mieux que ceinture dorée ».

Il n'y avait pas plus soucieux de bonne réputation, plus sensible aux qu'en dira-t-on (Attention, mauvais œil !), plus attentif qu'eux à la façade. Il est vrai, dit le proverbe, que « La façade de la maison appartient à celui qui la regarde ». Chez nous, cela tournait à l'obsession.

Soucieux de réputation au point que Tontine me citait en exemple cette femme de ses amies, hantée par l'idée d'être volée et qui veillait, chaque jour, en quittant son appartement, à ce que chaque détail soit dans un ordre irréprochable, par peur non pas tellement des voleurs mais de ce que les voleurs pourraient penser d'elle s'ils trouvaient son appartement en désordre.

Je crois que ces expressions toutes faites nous rassuraient. Nous étions à la recherche d'une identité.

À part les éventails-drapeaux, le *rahat loukoum* qui veut dire « repos de la gorge », le *halva* que nous appelions « caca de cheval », les immondes cabinets à la turque auxquels les bistrots de France continuent de se cramponner, à part la rue du Divan et Barberousse, le nom laissé à la prison sinistre du haut de la ville par le pirate Khayl-Al-Din, les Turcs ne nous avaient laissé aucun patrimoine.

Quant à la France, lorsque nous ânonnions en classe d'histoire le fameux « Nos ancêtres, les Gaulois », nous ne parvenions pas, malgré notre imagination débordante, à nous trouver une filiation quelconque avec des païens à moustaches tombantes qui mangeaient du sanglier et buvaient de la cervoise.

Apatrides patriotes, nous étions primaires. Il nous manquait un peu de Mansard, un peu de Lenôtre, un peu de Châteaubriand, un peu de Ravel. Mais nous compensions par la fierté d'appartenir à un mot : France (Raymond devait le choix de son prénom au fait qu'il était né du temps de Poincaré) et par la consommation effrénée que nous faisions de toutes ces expressions traditionnelles françaises qui avaient mis deux mille ans à se forger sans nous et que nous prenions en marche, comme on prend le train de la culture, par son marchepied le plus accessible.

Nous qui sortions de nos babouches, nous disions : « Je te vois avenir avec tes gros sabots » ou « Gratis *pro deo* » qui n'avait rien d'oriental, pas plus que « Chat échaudé craint l'eau froide », dont je voudrais qu'on m'explique la logique. Nous disions que « Tout allait à vau-l'eau » en épelant *vau* v.e.a.u. On se « battait froid » ou on se « cherchait noise » sans savoir que noise vient du latin *nausea* (mal de mer) et qu'il veut dire par extension « bruit, tapage », comme chez les Anglais qui croient que le mot *noise* leur appartient. On faisait les choses « de bric et de broc », « au décrochez-moi ça ». Au résultat, ce n'était « ni chair ni poisson ». On sortait de l'école « frais émoulu », on « jetait sa gourme », on

« se battait la coulpe », on « mettait son grain de sel » dans les affaires des autres et on « tombait comme mars en carême ». Quand on « pétait plus haut que son derrière », on était « grand genre et petits moyens », « collet monté » ou « pète-sec ».

On se « serrait la ceinture » ou on buvait « à tire-larigot ». On « sentait la rose » ou on « refoulait du goulot » ; on « travaillait pour le roi de Prusse » et « des goûts et des couleurs » on ne discutait pas. Malades, on « rendait tripes et boyaux ». De mauvaise humeur, on était « un ours mal léché », « un mauvais coucheur », ou on avait « la tête près du bonnet ». Au contraire, on était « bon comme du bon pain ». Entre les deux, « la moutarde nous montait au nez ». On ne se faisait pas « du souci », on se mettait « martel en tête ». Quand une affaire était ratée, on était « de la revue ». Si l'affaire n'était pas urgente, il n'y avait pas « péril en la demeure ». Il fallait « marcher à la baguette » ou au contraire on nous « laissait bride sur le cou ». On était « mollasson » ou « soupe au lait », « à prendre avec des pincettes ». On était payé « rubis sur l'ongle » ou alors on avait « peau de balle et balai de crin » et il fallait alors « faire rendre gorge » au « gibier de potence » qui nous avait « roulé ». L'argent « ne se trouvait pas sous les pas d'un cheval » à moins qu'on ne soit « né coiffé ». On « sortait de ses gonds », on devenait « rouge comme un coq », on « s'engueulait comme du poisson pourri ». Au comble du défi, on disait : « Et ta sœur, elle bat l'beurre ? » sans savoir qu'on se référait à une vieille chanson française. Quand on disait « Je te ferai passer le goût du pain » savait-on seulement qu'on voulait dire : « Je te tuerai » ? Seuls les morts n'ont plus besoin de se nourrir. On pouvait être « gêné aux entournures » ou « plein aux as », « décrocher la timbale » ou être « un zéro en chiffres ».

Il y avait comme cela mille et une expressions toutes faites qui sillonnaient le langage de nos aînés, palliaient un manque de syntaxe et nous donnaient l'illusion de bien parler.

Quel dommage qu'il ne reste pas une trace enregistrée de tout ce français terrien passé au filtre de l'accent pataouète ! Ce serait sûrement désopilant (autre terme favori de Tontine) comme devait l'être aussi le quadrille des lanciers dansé dans les mariages, circoncisions et *bar mitzvah* par des Sonigo, Sarfati, Bensimon, Douïeb, Bentolila, Driguez, Fassina, Benchetrit, Lelouche ou Bacri qui n'étaient ni les fils, ni les frères, ni les cousins même lointains des cavaliers casqués, armés de lances, qui avaient donné leur nom à ces cinq figures de danse dont les changements, commandés sur un ton obligatoirement martial et « de tradition » prenaient, au détour de la Méditerranée, un accent assez éloigné de l'authentique.

Pour le bien parler, il y avait aussi les réunions de dames qui se tenaient l'après-midi chez l'une ou chez l'autre, autour d'une table. Mes yeux, mes oreilles d'enfant trop bien habillé qu'on traînait là quand on ne savait qu'en faire, me disent d'abord que le vouvoiement y était de mise. On ne s'appelait que « madame Unetelle » ou « madame Chose », rarement par un prénom. On gardait tout l'après-midi son chapeau sur la tête, les mains gantées et la fourrure autour du cou. Il y flottait quelques vapeurs de pipi, de mal lavé, et les bouches sentaient le dentier de caoutchouc. Sur la table se trouvait traditionnellement, en plus du thé et des galettes maison, un compotier de confiture de raisin planté d'une cuiller que l'on se passait de bouche en bouche quand la maîtresse de maison disait d'une voix suave : « Vous en reprendrez bien un petit peu ? »

On gelait dans ces maisons au sol de faïence ou de mosaïque qui n'étaient jamais chauffées, sauf au moment de la toilette, par un réchaud à pétrole qui empuantissait l'atmosphère et ne chauffait pas. On préférait, le plus souvent, « dégourdir » l'atmosphère en faisant deux flambées d'alcool dans le couvercle d'une boîte en fer, l'une au moment d'entrer dans l'eau, l'autre pour en sortir. C'était accablant, moite, et ça nous piquait les yeux. Puis on nous enroulait dans des draps de lit comme dans une fouta pour nous sécher.

On n'a jamais aussi froid que dans les pays chauds. Les hivers glaciaux d'humidité en font des foyers de bronchite, de grippes et de rhumatismes. Sous prétexte qu'on vivait sous une certaine latitude, installer un chauffage dans la maison y aurait été regardé comme quelque chose d'incongru. On préférait l'absurdité de manger des gâteaux secs en col de fourrure. D'ailleurs, on ne se posait pas la question. On passait nos hivers la goutte au nez, les pieds glacés, et je crois qu'à l'époque la simple vue d'un élément de chauffage central dans notre appartement, chez nous en Algérie pays du soleil, nous aurait fait mourir de rire. On préférait mourir de froid.

« À la guerre comme à la guerre », aimait répéter mon père qui ne cessait de s'émerveiller de toutes les inventions du siècle. On se rend mal compte que le passage de la voiture à cheval à l'automobile fut un bien plus grand bouleversement que tout ce que nous avons pu connaître par la suite. La distance et le temps avaient, depuis des millénaires, depuis les Thraces et les Scythes, entretenu des rapports immuables. Aujourd'hui, les records tombent d'une année à l'autre. Mon père avait vu tomber un record vieux de trois mille ans ! Nous nous irritions souvent de le voir encenser l'électricité ou le téléphone. Je réalise aujourd'hui qu'il venait d'un temps où « on veillait en famille autour de la lampe à pétrole et chacun allait se coucher avec sa lampe à l'huile » et que dans nos maisons subsistait quelquefois au mur un bec de gaz d'éclairage conservé au cas où... et que très tard, peu avant la guerre, celle de 1939-1945, même dans Paris, on voyait encore des réverbères à gaz qu'un « allumeur » muni d'une immense perche à briquet venait éclairer tous les soirs.

Je me rappelle qu'une ancêtre avait soufflé sur la première ampoule qu'elle avait vue et s'était approchée le lendemain de cette « flamme » en se protégeant d'un coussin.

Si elle guindait le langage de nos parents, l'aspiration au bien parler déteignait très peu sur nous. Nous véhiculions dans notre vocabulaire, mais seulement hors de la maison, les pires insanités locales. Ce mot en pointillé que Sartre fait suivre de l'épithète « respectueuse » était l'une des poutres maîtresses de nos conversations. Seul, ou suivi « de ta mère », « de ta sœur » ou « de ta race », il était le fond de sauce de notre cuisine verbale. Quand nous en étions fatigués, nous avions recours à cet autre de trois lettres désignant le gagne-pain de la respectueuse en question et que nous faisions suivre des mêmes politesses familiales ou ethniques. Un participe passé synonyme de « sodomisé » nous servait vingt fois par jour à régler le sort de nos professeurs, du surveillant général, du censeur, du proviseur, des flics et même de « la mère de famille » comme on appelait la brave dame chargée de la crèche. En ce temps-là, on finissait de biberonner au lycée.

Nos jeux favoris étaient d'une qualité tout à fait comparable. Ainsi, nous poussions sur le balcon d'Anaïs, voisin du nôtre, un pétard à retardement puis nous l'appelions frénétiquement pour l'agrément de la voir surgir en chemise de sa fenêtre, accueillie par l'explosion qui la rendait hystérique. Nous balancions d'autres pétards au train arrière des voitures qui passaient pour faire croire à un pneu éclaté. De notre balcon, nous jetions aussi des bombes à eau sur les passants. Très instruits de supplices chinois, nous enrobions les boutons de sonnettes de *chewing gum* et y plantions une épingle par la tête. L'obscurité régnante (la minuterie n'existait pas) était notre complice et résonnait parfois de gémissements ou d'injures.

Nous avions d'autres raffinements, tel celui de creuser un trou dans le sable de la plage, de le recouvrir d'un treillis en roseau, puis d'un journal et enfin d'un épais camouflage de sable. Nous nous postions bien dans l'axe de cet ouvrage d'art et invitions indifféremment enfants, adultes ou vieillards à venir nous rejoindre. Par miracle, il n'y eut pas de jambes cassées. J'ai entendu dire que bien plus tard, pendant la guerre du Viêt-nam, les partisans d'Ho Chi Minh nous avaient volé notre idée et avaient joué le même tour aux soldats américains, à cette nuance près que leurs fosses étaient à l'échelle d'une compagnie et que le fond en était hérissé de pieux en bambou.

Nous rêvions de « chasse au tchibeck » dont certains, plus hardis, nous avaient fait le récit. Il s'agissait de repérer un gogo, de lui parler de chasses miraculeuses et de lui révéler l'existence de cet animal qui ne se montre qu'à minuit et que l'on attire au bord de l'eau en faisant du tam-tam sur des bassines. On amenait le néophyte à se rendre seul dans le noir sur la plage et à cogner comme un sourd sur son métal, ce qui avait pour effet de faire s'éclairer toutes les vérandas des cabanons environnants et de lui valoir une bordée de tomates et de détritus de toutes sortes.

Les boules puantes, poil à gratter, fluide glacial avaient nos faveurs. Nous disposions sur les chaises et fauteuils des coussins à pets qui projetaient des chapelets sonores dès qu'on s'asseyait dessus. Nous faisions les lits en portefeuille, c'est-à-dire d'un seul drap qu'on repliait à moitié du lit et qu'on rabattait sur la couverture, culs-de-sac impénétrables qui nous valurent quelques imprécations nocturnes.

La liste est loin d'être close. On pourrait croire qu'elle tend à dresser le portrait de petits voyous (on disait *oualliounes*) algériens d'une certaine époque. Et cependant, nous passions pour être plutôt bien élevés.

Accroché au porte-manteaux, le martinet à lanières, le chat à neuf queues, voisinait avec les parapluies et nos mollets n'avaient pas toujours le temps de refroidir entre deux volées de cuir. Nous étions terribles, il est vrai. Georges et moi n'arrêtions pas de nous battre. À bien y réfléchir, ce qui me choque à distance, ce n'est pas tellement que nos parents se soient servis de cet instrument, c'est que la vente en ait été tolérée.

Un jour où ma mère allait chez sa modiste, madame Molco, rue du Divan, elle m'emmena avec elle. Elle tenait un grand sac en papier dans lequel elle avait mis ses chapeaux à mettre au goût du jour (les femmes ne sortaient jamais tête nue) et le martinet. J'avais dû être particulièrement turbulent. J'étais prévenu. Ma mère se faisait faire une espèce de cloche beige en forme de casque romain. Pourquoi est-ce celui de tous ses chapeaux dont le souvenir m'a le plus marqué ? Madame Molco s'extasiait sur ma gentillesse ; ma mère fit quelques réserves, un « Oh, pas toujours » qui se référait à quelque péripétie récente et, pour confirmer ses dires et montrer à quel point j'étais bien la terreur annoncée, je sortis le martinet du sac et l'exhibai avec un sourire fier.

La seule image que j'aie gardée de vacances en France est cette double rangée d'arbres centenaires qui recouvraient d'une voûte gothique l'allée principale de Luchon. Plus haut, dans le parc de l'établissement thermal, un kiosque à musique désuet nous servait de point de ralliement. Une très coquette baraque en bois dispensait toutes sortes de laitages dont nous étions friands. Il y avait l'air de France, le lait de France, le beurre de France, la viande de France. « De France » était pour nous synonyme de meilleur.

Nous buvions à grands verres le lait venu directement de fermes environnantes. Dans de larges bols, on nous servait une sorte de lait caillé onctueux parsemé de mûres ou d'airelles. Nous n'avions jamais rien goûté d'aussi bon.

C'est bien peu de souvenirs, mais on ne nous emmena en France que tout petits, « pour notre santé ».

Par la suite, nous prîmes toutes nos vacances à Alger. Quand je dis à Alger, c'était vraiment à vingt minutes de chez nous; à l'ouest quand nous allions « à la mer », au nord quand nous allions « à la montagne », dans les banlieues immédiates qu'étaient Saint-Eugène, les Deux Moulins, la Pointe Pescade où nous louions des cabanons, la Colonne Voirol et El Biar où nous louions des villas.

C'était un peu comme si des Parisiens partaient en vacances à Neuilly ou à Saint-Mandé. Quelque dix arrêts de tramway nous séparaient de nos résidences d'été. Mais le folklore était que nous ne nous contentions pas d'aller à la mer. Nous déménagions chaque année, c'est-à-dire nous emportions nos meubles aussi bien que nos malles, nos sommiers, nos matelas, notre vaisselle et nos ustensiles de cuisine. Nous changions de maison pour deux mois.

Papa et Dado partaient le matin et rentraient le soir en tramway, comme d'habitude. Cela leur prenait simplement un peu plus de temps.

Comme on nous enjoignait de ne pas trop nous éloigner du rivage, nous ne pouvions nous empêcher de plonger des rochers les plus proches, trop hauts quelquefois pour les faibles profondeurs où nous nous tenions. Cent fois nous avons raclé nos ventres, nos cuisses et même nos visages sur des fonds rocheux ou caillouteux parce que nous avions le choix entre plonger sur le ventre (nous disions « la *pancha* ») au prix d'une douleur à nous couper le souffle, ou « piquer une tête » et risquer de nous rompre le cou.

Il fallait concilier les deux techniques, entrer dans l'eau la tête la première et redresser en même temps, mais nos reins ne suivaient pas toujours et souvent nous y laissions nos *slips* ou la peau de notre nez.

Slip est un terme impropre. On ignorait l'acrylique et même le coton. Les « caleçons de bains » étaient en laine et souvent même tricotés par des mains familiales ou amies. C'est dire qu'ils n'épousaient pas idéalement les formes, laissaient parfois entrevoir nos secrets et nous lâchaient si nous tranchions l'eau trop brutalement.

Nous changions d'élément et devenions des créatures aquatiques, ne sortant plus de l'eau que pour faire des farces ou manger. C'était la vie rêvée.

Le poisson nous arrivait frétillant sur des lits d'algues. Les pêcheurs nous ramenaient pageots, rougets, mérous, daurades, rascasses, *tchoutch,* bogues, bonites, sardines, sépias, dans leurs *pasteras* qu'ils mettaient à l'eau dès trois heures du matin. Nous-mêmes pêchions au boulentin depuis notre véranda et ramenions des sargues, des congres et des murènes qu'il fallait estourbir à coups de pierres plates avant de les décrocheter car nous n'avions pas envie d'abandonner une phalange à leurs dents redoutables.

Quand on nous disait : « Tu pêches le congre ? », nous répondions : « Ouigre ».

Tomates et poivrons séchaient au soleil, répandant des parfums oubliés qui allaient se marier à l'ail-roi, à l'oignon et à l'iode des jours venteux.

C'était surtout un déluge de fruits. Ils ne coûtaient rien. Papa et Dado ramenaient pastèques et melons d'Espagne par douzaines. Si l'un n'était pas assez sucré, on le lançait sur le rocher d'en bas où il « s'esclaffait » pour notre plus grande joie et pour celle des rats qui accouraient au festin.

Là-haut, sur le boulevard, nous guettions les camions gorgés d'oranges, mandarines, abricots, raisins qui allaient livrer leur marchandise en ville et en semaient toujours une part providentielle dans le grand virage de la corniche.

Les fruits étaient nécessaires à maman plus qu'à d'autres. Elle ne pouvait s'en passer. C'était même la seule nourriture qu'elle absorbât avec délectation. Elle n'aimait que les plus modestes, dont certains ne se voient plus sur les marchés, quand ils n'ont pas changé de nom. Orangettes grosses comme le pouce qu'on avalait peau et chair et qu'on appelait *kin kang,* arbouses, nèfles, plaquemines. Plaquemines surtout, avant tout, fruit juteux et rêche à la chair jaunâtre, douceâtre, pour lequel elle aurait donné tous les autres et qu'on nomme aujourd'hui kaki.

C'est là qu'elle devenait soudain gastronome et qu'il entrait dans ses propos une grande volupté. Elle évoquait les saveurs, la chair, le degré de maturité, le miel de chaque fruit comme d'autres parlent de millésimes, de robe, de bouquet.

Ce n'est pas par hasard que ce livre lui doit son titre.

Pour l'enfant en vacances que j'étais, les fruits ne devenaient intéressants que quand ils avaient pris un gros coup de chaleur et devenaient impropres à la consommation. Nous savions alors que nous avions notre provision de munitions pour affronter les combats sans merci que nous nous livrions d'un cabanon à l'autre avec les enfants du dessus, du dessous, de gauche, de droite, joutes homériques et de préférence nocturnes, festivals de raisin, de tomates, de concombres et d'abricots avariés, pour lesquels les adultes cravatés en col cassé finissaient par se joindre à nous, et qui se terminaient à coups de siphons d'eau de Seltz ou de bassines pleines, dans des bains de flotte et de détritus.

Une pudeur à peine imaginable régentait notre vie. Je n'avais jamais vu un genou ni la naissance d'un sein de ma mère. Elle vécut quarante-six ans au bord de la Méditerranée sans tremper un pied dans l'eau.

Quant à mon père, si nous avions pu apercevoir son torse et ses mollets, c'est qu'il n'avait pas su dire non à un de ses amis, un nain maigrelet qui, très loin de Schwartzeneger, ouvrait une école de culturisme. Il nous avait entraînés, Georges et moi, aux Bains Padovani où, deux fois par semaine à six heures du matin, nous allions surtout aider de nos cotisations les débuts de son camarade Mimoun. Mais l'ardeur n'y était pas malgré l'hymne triomphal et obligatoire de début et de fin de cours : « De bon matin, bien vite sur pieds allégrement... Nous aimons l'eau et le soleil éperdument... Le culturisme, voilà ce qu'il nous faut... Le culturisme nous rend vaillants et beaux... » Nous vociférions cet air martial en défilant autour de l'immense salle de réception et chaque fois que nous passions près de la sortie, je lisais dans les yeux de Georges qu'il n'avait qu'une envie, se sauver.

Pour papa, la promiscuité du vestiaire était un martyre. Il n'avait pas prévu l'étalage de fesses et d'organes génitaux que nous découvrions avec des yeux écarquillés. Il piquait un fard chaque fois qu'un de nos condisciples dévoilait sa nature, et — contrarié — nous enjoignait de ne pas regarder. L'expérience Mimoun ne dura pas longtemps.

Il ne s'habillait et se déshabillait que dans sa chambre fermée, adossé au mur contre lequel se rabattait la porte. Il avait calculé que si elle s'ouvrait inopinément, il devenait invisible. Mais nous avions parfois des irruptions brutales qui lui arrachaient des mains sa chemise ou son caleçon et il était furieux, honteux jusqu'au rougissement, de s'être laissé surprendre.

Je n'ai jamais su — Raymond vient de me l'apprendre — qu'il avait toujours souffert d'hémorroïdes mais, à la seule idée d'avoir à présenter cette partie de son anatomie, il ne le dit jamais à son médecin.

Se cachant l'un de l'autre, n'ayant jamais eu d'intimité affective, ils ne pouvaient pas, tels qu'ils étaient faits, se révéler leur nudité corporelle. Il y eût fallu une confiance dont leur enfance les avait privés. Ils étaient infirmes, démunis, minés par le plus grave de tous les maux — qui est de ne pas savoir aimer —, ce qui n'a jamais voulu dire qu'on n'ait pas d'amour en soi. Tant d'autres font profession d'amour en ignorant de quoi ils parlent.

Mon père avait non seulement gommé de son comportement toute forme d'épanchement verbal ou gestuel, mais il s'efforçait de prendre la sentimentalité à contrepied. Il n'appelait jamais ma mère autrement que Marguerite de Bourgogne, Joséphine de Beauharnais, Marie conçue sans péché ; jamais Célestine, tout au mieux Célesto. C'était le plus près qu'il pouvait s'approcher d'elle. Sa dérision me faisait mal pour ma mère mais peut-être plus encore pour lui car j'y sentais percer le peu d'amitié qu'il avait pour sa pauvre personne.

Tant de retenue, d'inhibitions nous privaient de tous les gestes et de tous les mots qu'un enfant est en droit d'attendre de ceux qui l'ont mis au monde. Ils auraient certes fait n'importe quoi pour nous ; ils nous donnaient tout ce qu'ils pouvaient et plus, mais les paroles qu'on ne leur avait pas apprises, les caresses qu'on leur avait refusées ne pouvaient leur venir naturellement. J'entendais les mères de mes petits camarades les appeler « mon chéri », « mon amour », « mon roi » et une bouffée d'envie me montait au visage. Je m'en tirais par un faux sourire ou une pirouette drôle. Rentré à la maison, je guettais un élan de ma mère qui ne venait jamais et je dressais sans le savoir la comptabilité de tout ce qui me manquait. Par hostilité, j'appris à ne rien demander, à ne pas me plaindre.

Ne pouvant tout avoir, je finis par ne plus rien vouloir. Elle était froide, je le fus aussi, d'autant plus froid que mon besoin d'amour grandissait. Elle était profondément malheureuse, je le sais maintenant. Moi aussi, mais c'était sans espoir et je l'avais compris.

Alors, je me réfugiais dans les mensonges du cinéma américain, dont je dressais l'anthologie dans mes cahiers d'écolier. À dix ans, j'allais dépenser le peu que j'avais en places de premier rang au Bijou, au Trianon, au Variétés, les cinémas du quartier. Les secondes, places des trois premiers rangs, coûtaient dix sous. C'étaient trois rangées de bancs de bois sans dossiers où s'entassaient beaucoup plus de lentes que d'individus et aussi pas mal de risques pour un gamin de mon âge exposé à toutes sortes de détraqués sexuels.

Les cinémas n'étaient pas toujours des lieux très sûrs. Il y pleuvait du balcon, en plus de pelures de cacahuètes, des objets bien moins inoffensifs, sans parler des crachats et des mégots, qui étaient chose courante. Un jour, nous étions au parterre de La Perle, le mal nommé car le plus pouilleux de tous. Le film était une grande fresque biblique et, à un certain moment, mettait en scène la crucifixion du Christ. Des premiers rangs s'éleva un *« Châh ! »*, mot arabe qui signifie « Bien fait ! ». La réplique ne se fit pas attendre. Nous reçûmes une volée de bouteilles de limonade en provenance des balcons aristocratiques et chrétiens.

C'était une telle drogue que les jeudis où je n'avais pas d'argent, je rôdais autour du Bijou comme un jeune renard, guettant un moment d'inattention du contrôle pour m'infiltrer dans la salle.

Entre les actualités, le documentaire et le film, il y avait un entracte d'un quart d'heure. On distribuait aux gens qui voulaient aller prendre l'air des contremarques qu'ils devaient rendre au retour. Il m'arrivait de voler une de ces contremarques ou, me faisant encore plus petit que je ne l'étais, de me glisser au contrôle, à l'abri de quelque matrone ou de quelque géant providentiel. La propriétaire de la salle était la femme d'un vague cousin de ma mère. Connaissant ma soif d'images, il arrivait qu'elle ferme les yeux et me fasse signe d'entrer en douce. Pourtant, un jour où elle ne m'y invitait pas, je profitai d'un moment d'inattention de sa part pour m'infiltrer sous la barre du contrôle. Elle me surprit et plus jamais je n'eus droit à ses faveurs.

Les films américains étaient le support de mes rêves, ma fontaine d'amour. C'était le temps de Scott Fitzgerald et le romantisme était roi. On s'aimait sans mesure. La musique enflait les sentiments ; on était purs, droits, passionnés et platoniques. Ces jeunes filles pudiques que l'on quittait galamment sur le pas de leur porte, ces garçons lustrés et *clean* qui ne savaient que faire de leur petit bouquet de fleurs coupées, se disaient les mots les plus vibrants, les plus bouleversants, sur des violons à vous arracher l'âme. J'ignorais que dans le réel, mes idoles étaient une bande de lubriques, de drogués ou de poivrots. Heureusement, car cela eût détruit mon univers.

Ils étaient grands et je transportais chez moi leur démesure. Je devenais eux, parlais comme eux et vivais en état d'amour perpétuel dans une euphorie que relayait un profond désespoir quand le quotidien se faisait trop frustrant. Je vivais plusieurs tons au-dessus de la réalité, mais les redescentes me menaient quelquefois à des abîmes dont ma mère, pauvre mère, n'avait pas les moyens de me tirer.

Avec mon père, c'était pire car non seulement il ne se contentait pas d'être amputé du don d'amour, mais quand il le constatait chez les autres, lorsqu'il voyait simplement un mari entourer de son bras l'épaule de sa femme, il avait un sourire sceptique, gonflait ses joues et les dégonflait de quelques coups secs de ses cinq doigts réunis en disant : *« Sberoth ! »* (C'est du vent, du chiqué !). Alors je le haïssais car il voulait me faire croire que Clara Bow, Mary Pickford, Cary Grant, Gary Cooper, c'étaient des mensonges, alors que moi je savais que c'était ça la vérité et que lui voulait détruire ce qu'il était incapable de me donner.

C'était simple, ce père jovial, débonnaire, drôle, ouvert, ne supportait pas les sentiments. Il ne supporta pas qu'un jour, ouvrant la porte et me trouvant face à Edmée, qui débarquait par surprise de Miliana où elle était maintenant mariée, je pousse un grand cri de joie. Le souci d'alerter la maisonnée et peut-être un certain sens du théâtre chez l'enfant trop imaginatif que j'étais me firent, c'est vrai, exagérer ce cri. En voyant Edmée, il aurait dû comprendre. Mais non, il me dit : « Imbécile, tu m'as fait peur ! » et il m'envoya une gifle à me faire tourner la tête.

Plus tard, lorsque je découvris dans les classes supérieures le goût de lire, d'apprendre, et que je ne pus rien partager de mes découvertes avec eux parce qu'ils ne répondaient pas à mes exigences, je devins odieux, distant, blessant, avec en moi la culpabilité que faisaient naître leurs regards incrédules ou pitoyables. Mais le mal était fait et il me fallut franchir beaucoup de portes et d'épreuves pour un jour, bien plus tard, redresser des murs, cacher des lézardes et faire entrer quelques fleurs dans la maison.

Chacun réprimait ses sentiments (papa, maman) ou les gâchait comme on gâche du plâtre en les confondant avec l'autorité et la répression (Tontine et Dado). Si les coups (on disait « les taloches ») pleuvaient, c'est parce qu'on ne savait pas se parler. La violence n'a jamais eu d'autre cause.

Comment s'étonner que nous ayons été privés de toute éducation, voire de toute information, sexuelle ?

Le jour où Dado, voyant mes traits tirés, me dit : « Toi, tu as la tête de quelqu'un qui se tripote ! », je ne sus même pas ce qu'il voulait dire, mais je le pris comme une condamnation injuste pour une faute que je n'avais pas commise et que je ne connaissais pas !

Quand, naïvement, je fis part avec une certaine inquiétude de mes premières érections, on se regarda gênés et on me répondit que ce n'était rien et que cela allait passer. Et comme cela ne passait pas et que je me montrais angoissé, on ne trouva rien de mieux que de m'envoyer chez le docteur en compagnie de Raymond pour lui soumettre mon cas.

Ce bon vieux docteur aurait pu, aurait dû me débarrasser en peu de mots de ma ridicule inquiétude. Mais voilà ! il était issu de la même aberration mentale que mon entourage ou alors il avait reçu des instructions précises car il me dit lui aussi que ce n'était pas grave, que ça s'arrangerait, et il ajouta, échangeant un regard entendu avec Raymond, qu'il serait préférable d'éviter « certaines lectures ». J'imaginais qu'il voulait parler des romans policiers, qu'on m'interdisait aussi, de crainte, que sais-je, qu'ils ne me donnent des idées de crimes. Quelle angoisse est plus grande que cette confusion totale dans laquelle on m'enfermait, l'aggravant du sentiment que ce qui est le plus naturel des réflexes humains était chez moi un mal mystérieux, si mystérieux que personne n'osait même lui donner un nom ?

Que Raymond ait pu être complice d'une telle machination m'a longtemps étonné par la suite lorsque me revenait le souvenir de cet épisode surréaliste. Les autres, passe encore, ils ne savaient pas se conduire autrement. Je n'approuvais certes pas leur attitude, mais on ne change pas l'Himalaya de place, on fait avec. Toutes mes révoltes se brisaient contre le monolithe d'une éducation fondée uniquement sur des notions de sacrifice et de devoir, où l'individu n'existait pas, d'où toute psychologie était absente. Et je devais découvrir un jour une phrase de Sartre qui m'aida à ne pas m'attarder en règlements de comptes stériles : « Un homme doit toujours pouvoir faire quelque chose de ce qu'on a fait de lui. »

Mais Raymond ? Du fait qu'il fût mon frère, je mis beaucoup plus longtemps à comprendre qu'il ne m'ait pas éclairé d'un mot pourtant si simple à première vue. Il était de huit ans mon aîné, ce qui signifie que, jusqu'au jour où il m'emmena chez ce médecin plus somatique que psycho, il avait grandi seul faute de pouvoir communiquer avec l'enfant que j'étais, sans allié, sans complice, sans confident, sous l'éteignoir. À cette époque, faute de points de comparaison, pris dans un faisceau d'attentions particulières pour l'enfant unique qu'il avait longtemps été, puis pour l'adolescent brillant — le seul bachelier de la famille — et la future gloire dentaire, il avait vécu en symbiose inconsciente avec ce milieu où les sentiments allaient tellement d'eux-mêmes qu'on ne les exprimait pas, où les pulsions étaient des maladies si honteuses que les adultes se les chuchotaient en secret (celles des autres, pas les leurs) loin des oreilles de leur progéniture. Raymond était pris dans la toile d'araignée. Lui aussi avait souffert de n'être pas informé.

Lui aussi allait avoir à faire quelque chose de ce qu'on avait fait de lui.

Salomon était l'oncle paternel de maman et de Tontine. C'était un géant débonnaire et basané au langage rude. Il venait quelquefois déjeuner chez nous le samedi. On faisait alors du poulet, un poulet à chair jaune et ferme qui ne devait rien aux hormones et qui était un plat de luxe.

Il avait, sous les arcades de la place de Chartres, face au marché, un magasin qui me faisait rêver : une brûlerie de café. La machine à torréfier au bac circulaire tournait plusieurs heures par jour, secouant les graines naturelles que l'on voyait peu à peu virer au brun puis au noir. Il les remuait au passage, les retournait amoureusement à l'aide d'une palette.

Toujours vêtu d'une blouse grise, son feutre immuablement vissé sur la tête, il avait l'air d'un ministre officiant et sa boutique embaumait jusqu'aux rues voisines.

Les vieilles boiseries de ses étagères abritaient l'objet de ma convoitise : toutes les tablettes de chocolat possibles et imaginables, qu'on habillait alors comme des objets de luxe en rouge, or, bleu, noir et qui avaient des noms à faire monter l'eau à la bouche : Nestlé, Menier, Kohler, Cailler, Gala Peter.

Tous les jeudis après-midi, jour de congé scolaire, m'échappant de l'atelier voisin de mon père, j'allais humer l'air de la place de Chartres et en ramenais presque toujours l'un de ces précieux lingots, offert par l'oncle de ma mère. Je le déshabillais avec précaution pour ne pas déchirer des images qu'il recélait et qui représentaient des familles d'oiseaux, de poissons exotiques ou bien encore des contrées lointaines et mythiques, dont je faisais collection.

Salomon, vieux célibataire, était donc notre invité régulier. Il n'arrivait jamais sans une boîte de gâteaux de chez Keller, le meilleur pâtissier de la ville. Il prononçait « Kellerr » car, d'une génération proche de la conquête, il avait été élevé dans la langue arabe et en avait gardé un accent rugueux et un roulement des « r ».

Il ne s'embarrassait pas de circonlocutions et lorsqu'il trouvait que les préliminaires, civilités et autres échanges sur la santé des uns et des autres avaient assez duré, il lançait abruptement : « Alors, on bouffe ? » Le reste de sa conversation était à l'avenant avec, souvent à mon égard, des attendrissements touchants. Régulièrement (nous l'attendions et il ne nous décevait jamais), venait une de ses phrases clefs : « Le jongleur de Notre-Dame » est le seul opéra où il n'y ait pas de femmes... que des hommes ! » Il y avait autre chose à dire du « Jongleur de Notre-Dame », qu'on jouait beaucoup à l'époque, et pas forcément en bien, mais lui, en célibataire endurci guetté par un proche et désastreux mariage, il voyait dans ce parti pris masculin de Massenet et de son librettiste le triomphe de la misogynie qu'il avait toujours pratiquée.

Pour Salomon, viveur et fumeur de cigares, nous sortions notre liqueur de cacao et notre *Ron Escarchado,* rhum blanc venu d'Espagne dans une bouteille effilée au centre de laquelle grimpait une stalagmite de cristaux de sucre.

Le dimanche soir, entre dix-huit heures et l'heure du dîner, Edmée nous faisait la lecture. Elle avait une prédilection chauvine pour les romans d'Élissa Raïs et y mettait un lyrisme qui nous tenait en haleine.

En jeune fille bien éduquée, Edmée suivait des cours de diction où elle m'emmenait quelquefois. Je dus en prendre quelques-uns moi-même, mais me laissai vite rebuter par la répétition obligatoire et de plus en plus rapide de la phrase : « Je veux et j'exige ». J'en avais assez de m'entendre prononcer : « z'exige ».

Son professeur, madame Capus-Granier, square Bugeaud, m'impressionnait autant par son nom tellement peu local que par sa prestance et son élocution théâtrale. Pour le reste, après avoir répété des centaines de fois : « Le rusé rural, ruminant rouerie sur rouerie, avait le rire rare », Edmée aurait difficilement pu passer pour une Tourangelle, tout au plus pour une Marie-Chantal locale, c'est-à-dire de l'ouest de Bab-el-Oued.

Les roueries rurales avaient fini par faire opérer ses lèvres sur un mode batracien. Elle parlait un peu comme on mange des amandes salées et le fait qu'elle ait eu, en plus, un professeur de chant, ne venait pas à son secours. La méthode consistait à faire devancer le son par un dessin des lèvres approprié, si bien qu'on devinait une fraction de seconde à l'avance si elle allait dire « a » ou « o ». À ce régime, « Adieu notre petite table », de « Manon », passait entièrement en voix de poule. Son professeur s'appelait pourtant madame Lecocq.

Tout ce dont je souris aujourd'hui constituait mon merveilleux de l'époque. Edmée me plongeait dans les plaisirs du langage et du chant. Elle était la seule à me faire participer vraiment à sa vie, à deviner quel gâteau j'aimerais manger et à me demander de l'aider à le préparer. Je découpais des ronds de pâte avec un verre, comme Stéphane Audran — qui ressemble à Edmée — le fait dans « Le festin de Babette », et j'avalais tout crus les interstices. C'était délicieux, mais il y fallait un estomac d'autruche.

Edmée avait surtout eu la brillante idée de naître un 31 décembre et son anniversaire servait de double prétexte à réveillonner.

Ce soir-là, la famille entière se réunissait au deuxième étage chez ses parents. Bacri, Hadjadj, Lelouche, Fassina, Akoun réunis, cela ne faisait jamais moins de vingt personnes autour de la table la plus gaie de l'année.

Chacun des convives arrivait chargé de cadeaux pour chacun des autres. Accompagnés d'une carte au destinataire, les cadeaux étaient recueillis, empilés méthodiquement dans la chambre à coucher, attendant derrière la porte soigneusement fermée l'heure de la remise.

Le dîner était somptueux mais inhabituel : huîtres, vins, foie gras, gigot, bombe glacée, petits fours, car le jour de l'An était une fête française.

Au dessert, c'était la tradition, chacun devait faire montre de ses talents cachés et cela donnait lieu à pas mal de beuglements ou de chatteries. Robert barytonnait « Le Chant du désert », André bassifiait l'air de la « Calomnie », les deux détonnaient et chevrotaient ; Edmée roucoulait « Manon », une autre déclamait « Béruria » avec les doigts pincés et un inexplicable frétillement de croupe. Mon père y allait de son « Augustin », mais le moment attendu était celui où Raymond et Robert, dans une joute oratoire, se livraient l'un après l'autre à une mise en pièces de tous les convives. À la manière des chansonniers de Montmartre, c'était une revue rimée des événements familiaux. Ils y déployaient des trésors d'observation et chacun de nous y voyait ses manies, ses tics ou ses défauts mis à jour avec bonhomie ou férocité.

À l'occasion, Raymond ne dédaignait pas le pataouète, le langage de la Bassetta, celui dont Edmond Brua avait revêtu sa fameuse « Parodie du Cid ». Le célèbre : « Cette pâle clarté qui tombe des étoiles » y devenait « Ce noir à moitié blanc que des étoiles y vient ».

Sonnait minuit et, le moment des effusions passé, nous, les enfants, ne tenions plus en place car c'était l'heure de la distribution des cadeaux. Un maître et une maîtresse de cérémonie faisaient la navette entre salle à manger et chambre à coucher, ramenant les paquets destinés à chacun, ouvrant les enveloppes comme cela se fait à la nuit des Césars et lisant à haute voix : « De la part de tonton Untel et tata Unetelle pour leur gentil neveu X en lui souhaitant... »

La distribution commençait par les plus jeunes qui déballaient trains électriques, mécanos, poupées, boîtes de peinture ou globe terrestre et commençaient à jouer pendant que les adultes, l'un après l'autre, recevaient, deux heures durant, des cadeaux que chacun emportait en disant : « À l'année prochaine... si Dieu nous prête vie ! »

Les occasions de faire le plein de la famille ne manquaient pas : anniversaires, pique-niques en procession de voitures, *bar mitzvah.* Il y avait aussi les nombreux *azguirs* ou prières commémoratives qui se faisaient à la maison. Pour la date anniversaire d'une mort, on adossait aux murs de la salle à manger un rectangle de chaises et le rabbin s'installait à la table centrale nappée de blanc, entre deux chandeliers. À ses côtés prenaient place le ou les fils du disparu. La prière achevée, on apportait sur la table des amandes, des olives, de l'anis, du sirop, de l'eau de fleur d'oranger et l'on se séparait pour aller dîner.

Mais, de toutes ces retrouvailles, les plus imprévues et peut-être les plus chaleureuses avaient pour décor les quais de la gare ou du port.

Chaque fois que l'un de nous partait ou arrivait, tous les autres l'accompagnaient ou venaient l'attendre.

Il était impensable que l'un de nous manquât à l'effectif. Les autres ne l'auraient pas compris. On abandonnait tout : bureau, boutique, promenade, pour être à l'heure au train ou au bateau. Les départs étaient déchirants : on agitait nos mouchoirs et on pleurait, même si l'autre partait à quatre-vingts kilomètres. Les arrivées étaient délirantes : de très loin les mouchoirs se répondaient et on se tombait dans les bras.

Les bateaux de la Compagnie générale transatlantique accostaient à Marseille, ceux de la Compagnie de navigation mixte accostaient à Port-Vendres. Les noms des navires étaient déjà des promesses : *S/S Timgad, S/S Lamoricière, De Grasse, Ville d'Oran, Ville d'Alger, Port Vendres, Chanzy.* Des grues géantes chargeaient et déchargeaient des richesses exotiques ou continentales dans une odeur venue des *docks* où les négociants entreposaient sous des voûtes vins, tabacs, épices, huiles.

Là-haut, sur le boulevard qui dominait le port, foisonnaient les commerces des *shipchandlers,* les agences de navigation, les boutiques indiennes répandeuses d'encens, les comptoirs de tissus ou de tabac où l'on trouvait toutes les cigarettes du monde : turques, grecques, russes, anglaises, américaines, allemandes, italiennes, les russes longues comme de véritables crayons, les turques plates à bouts dorés, les hollandaises fines et de toutes les couleurs. Turmac, Muriatti, De Reske Minor, noms oubliés, noms de trésors opiacés pour enfants éblouis de couleurs, de parfums et de mots qu'on ne cherchait même pas à comprendre tant leur musique nous comblait.

Alors, descendre au train ou au bateau était une fête pour les enfants. Pour les grands, c'était le devoir de l'affection qui, comme tout ce que l'on doit, avait fini par devenir une exigence des uns envers les autres.

Vingt ans plus tard, alors que j'habitais Paris, je reçus d'Alger un télégramme de mon très cher oncle

Henri disant à peu près ceci : « Charly (son fils) arrive le 18 à Marseille par *Ville d'Oran*. Prière d'aller l'attendre au bateau. »

Je restai stupéfait, émerveillé de tant de naïveté (naïf, comme natif, veut dire « près de la naissance »), de persistance dans la fidélité aux rites ! Neuf cents kilomètres séparent Paris de Marseille ; l'œil de mon oncle ne les voyait pas. Il s'agissait de son fils, de son neveu et d'un bateau qui touchait le port.

Je ne descendis pas à Marseille mais je l'ai toujours regretté comme on regrette les naïvetés perdues. Quarante ans ont passé depuis que j'ai quitté mon pays et ses douces tyrannies. Je suis devenu un grand voyageur mais je hais mes départs solitaires et quand je reviens à Paris, dans l'indifférence grégaire des aéroports, bien que je me sache non attendu, mes yeux ne peuvent s'empêcher de chercher, à travers la vitre des douanes, un visage ami que je sais ne pas pouvoir trouver.

Je pense alors à mon oncle Henri et je me demande ce qu'il est advenu de l'espèce humaine.

Mon père avait toujours gardé un pied dans le *music-hall.* Jamais il ne rata un seul spectacle du Casino d'Alger, où passaient les grandes vedettes aussi bien que les tournées provinciales. Ma mère détestait ça. Comme mon père n'aimait pas être seul, il m'emmenait avec lui. Aussi loin que remontent mes premiers souvenirs, je me revois à ses côtés, disparaissant dans mon fauteuil, mangeant quelque sucrerie tout en ouvrant des yeux avides sur un monde qui m'éblouissait. J'avais cinq ans, peut-être moins, et c'est ainsi que je connus et que je garde, fixées comme sur une plaque photographique, des images de vedettes d'un autre temps que les gens de ma génération peuvent ne pas avoir connues : Dranem, Mayol, Yvette Guilbert, Perchicot, Polaire, Damia, Ouvrard, Fréhel.

La salle du Casino d'Alger était semi-circulaire, bordée de loges. De fines colonnes soulevaient les balcons, mais il y avait surtout le promenoir où s'amassaient des enragés à la bourse plate, dont allait dépendre le climat de la soirée ou de la matinée. Ils passaient trois heures debout, car les spectacles étaient pléthoriques et ils en voulaient pour leurs sous. Ceux du poulailler aussi. Il faut dire que le Casino d'Alger disputait à L'Alcazar de Marseille le titre du public le plus dur de France. Je n'ai pas connu L'Alcazar. À Alger, la dureté du public ne venait en aucun cas d'exigences artistiques, mais uniquement d'une muflerie et d'un irrespect congénitaux. Il fallait vraiment passer entre les mailles de je ne sais quelle digestion plus ou moins réussie ou de je ne sais quelle cabale tacite pour trouver grâce à ses yeux quand on était un jeune chanteur et qu'on faisait là ses premiers pas.

Le chef d'orchestre en frac et gants blancs dirigeait une poignée de musiciens comme s'il se fût agi d'un orchestre symphonique. Son grand truc était de rouler ses poings immaculés l'un autour de l'autre en pédalier de bicyclette pour commander les roulements de batterie.

Il exécutait, c'est le mot, une ouverture maigre et dissonante fortement ponctuée de ces roulements racoleurs et, à chaque moulinet de ses avant-bras, il récoltait une marée d'applaudissements.

Puis venait une *pin-up* aux cuisses généreuses et à la poitrine mal contenue qui était censée présenter le spectacle, mais elle était sifflée avant d'ouvrir la bouche. Dans un brouhaha insurmontable, elle essayait d'introduire les premiers numéros, ceux que, dans le reste du monde, on appelait des levers de rideau ; à Alger on les appelait des chameaux, c'est dire le respect dans lequel on les tenait et le degré d'indulgence qu'on était prêt à leur accorder. « Chameaux » ne s'appliquait d'ailleurs jamais aux hommes, seules les femmes y avaient droit... « Chameaux » n'est-il pas la presque anagramme de macho ?

Je crois pouvoir affirmer que les chameaux chantaient. Ce dont je suis sûr, c'est qu'ils ouvraient la bouche et que le chef d'orchestre gesticulait normalement. Pour le reste, comme je me bouchais les oreilles et disparaissais dans mon fauteuil pour ne pas entendre les hurlements d'un promenoir et d'un poulailler en furie, ou recevoir quelque projectile mal ajusté, je ne peux dire qu'une chose, c'est que je les voyais toujours quitter la scène au milieu d'une chanson et souvent en larmes. La chose était prévue et beaucoup de gens ne venaient que pour ces mises à mort dont on faisait des gorges chaudes dans tout Alger. On se targuait d'être le public le plus connaisseur du monde, mais en réalité tous ces Méditerranéens en mal d'adolescence venaient là jeter leurs pétards, comme moi je jetais les miens sur le balcon d'Anaïs ou sous le derrière de Riri, ce pauvre Riri passager clandestin suspendu à un camion, que j'avais fait sursauter et lâcher prise d'un tir bien ajusté au moment où il venait de s'accrocher à l'arrière du véhicule.

C'est dire que je n'entends pas jouer les moralisateurs. Ce public, j'en faisais partie et je riais comme un fou de voir de pauvres saltimbanques se faire malmener. Quant à mon père, je ne dirai pas qu'il ne venait que pour ça, mais il en parlait toute la semaine et attendait la corrida suivante avec impatience. Chaplin et Fellini n'ont-ils pas démontré que la cruauté est le plus sûr ressort du rire ? Il y a quelque chose d'homérique et d'irrépressible à voir un théâtre inversé. Quand le spectacle passe dans la salle, la logique bascule et c'est peut-être le plus grand de tous les leviers comiques.

On m'a raconté que sur la scène de L'Alcazar de Marseille s'était présenté un jour un chanteur dont la voix fluette n'arrivait pas jusqu'au troisième balcon. Ce fut aussitôt l'hallali et le pauvre garçon allait déserter le plateau lorsque, créant le silence, s'éleva la voix tonitruante d'un spectateur à l'accent légendaire qui dit : « S'il vous plaît, messieurs, laissez chanter le muet ! »

Au Casino, on entendait des « Hou ! Pédé ! Rombière ! Rentre à la maison ! Va chez ta mère ! » Il fallait que ces débutants aient faim, au propre comme au figuré, pour affronter une telle humiliation, mais c'est à ce prix qu'on finissait par faire carrière et tenir une salle. Il n'y avait ni sono, ni laser, ni danseuses pour tricher avec le public et il fallait se défendre à mains nues.

Les jongleurs, les prestidigitateurs ou les acrobates subissaient un sort moins inhumain, à condition bien sûr d'étonner un minimum ; les couples de danseurs artistiques ne s'en tiraient jamais car il suffisait que la jupe de la danseuse vole un peu trop haut pour qu'un flot de métaphores sexuelles déferle de tous les angles de la salle et trouble parfois le porteur au point de laisser échapper sa partenaire.

Bénévole (au promenoir, on disait « L'Aztèque Bénévole ») était un magicien espagnol. Cousin germain de Figaro coiffé d'un foulard noué sur la nuque, il présentait des tours surprenants pour l'époque. Il fut le premier à enfermer deux hommes ligotés dans une malle ficelée et à les faire réapparaître dans la seconde, accourant, les mains libres, du fond de la salle. Il terminait son spectacle par un numéro que je n'ai jamais revu. On disposait sur le plateau une centaine d'objets instables : bougies éclairées, bouteilles inversées, couteaux pointés vers le haut. Bénévole arrivait, au son d'un *fandango,* castagnettes en main, les yeux bandés, et entamait une danse faite d'entrecroisements de pointes et de bras fièrement levés, à travers ce dédale menaçant et fragile, sans jamais bousculer le moindre objet. Le triomphe était assuré.

Il y avait Inaudi, le calculateur, cousin germain par la silhouette et la chevelure d'Albert Einstein. La ressemblance, j'imagine, n'était pas fortuite. Il était génial. On lui proposait d'extraire la racine cubique de 103 892 574 608 523 713 405 601 et il fournissait la réponse dans les cinq secondes. « Je suis né le 13 janvier 1888 ! » criait mon père. « C'était un dimanche ! » répondait Inaudi. Chacun avait préparé ses questions et aucune ne le prenait de court, ce qui faisait dire à mon père qu'il était sûrement juif.

Il y avait aussi Joë Breitbar, « l'homme le plus fort du monde ». Il tordait des barres de fer épaisses comme des barreaux de prison et qu'il avait préalablement soumises au contrôle des spectateurs. Il parvenait à contenir, avec ses bras d'abord puis avec ses mâchoires, quatre, six, huit spectateurs reliés à lui par des chaînes et qui tiraient dans les quatre sens. Une photo dans le programme le montrait faisant de même avec quatre énormes chevaux. Il était le plus fort donc pour mon père, cela ne faisait pas de doute : lui aussi était juif. Mais n'allait-il pas jusqu'à colporter en boutade que Maurice Chevalier était juif et s'appelait en réalité Moïse Chabalim ?

Enfin, venait la vedette. C'était Damia. Grande, sculpturale dans une robe noire en trapèze qui descendait jusqu'au sol, ses bras nus se mouvant comme des ailes d'oiseau, quand elle chantait « Les goélands », on avait l'impression que leur déploiement royal faisait reculer les murs du théâtre. Elle me donnait le frisson quand elle chantait, d'une voix ondulante et rauque, une très belle chanson qui disait :

Sous un roi d'Allemagne ancien
Est·mort Gottlieb le musicien
On l'a cloué sur les planches
Ouh-ou-ouh...
Le vent souffle dans les branches

Elle avait des yeux verts de félin, immenses et oblongs, qui remontaient en courbe vers les tempes, toujours noyés de je ne sais quelle liquide nostalgie qui la rendait lointaine et cependant tellement charnelle.

Il y avait Georgel, le fin diseur, énorme vedette qui arrivait en frac, surmaquillé, ténébreux, tenant d'une main une chaise, de l'autre une table de bistro à laquelle il s'asseyait, s'accoudait, la tête dans sa paume droite, pour chanter :

C'est en dansant l'tango
Qu'il est d'venu neurasthéni-que

Quand Georgel n'était pas à Alger, il y avait Firzel, sa copie conforme, moins prestigieux, les cheveux trop crêpés, mais en l'absence du maître, il faisait l'affaire.

Georgel, pour mon père, faisait point d'interrogation. Mais Firzel, c'était sûr, était juif.

Nous avions droit, avec d'autres interprètes, à des pièces d'anthologie comme « Ah les p'tits pois... les p'tits pois... les p'tits pois... » ou :

Mon cœur est un vi-o-lon
Sur lequel ton archet joue
Et qui vibre tout du long...

Perchicot, en frac et haut-de-forme, profil d'aigle prenant son essor — ainsi le montrait son affiche —, avait un style que son nom définissait bien. Perchicot perchiquait.

Le malheureux Charlesky, en frac lui aussi, s'avançait sur la scène en prenant, mains gantées de blanc et jointes sur son bas-ventre, une attitude de récital classique. Face à ce public inculte, il était perdu d'avance. Il n'avait pas plus tôt annoncé, d'une bouche trop précieuse : « Je vais vous chanter une mélodie de Reynaldo Hahn », qu'il se faisait jeter hors de scène.

Le « pétomane », l'un des seuls que j'aie ratés, était gainé de noir et exerçait son sport par un orifice ménagé dans son collant lustré : pet de la jeune fille, pet de la mariée, pet du grand-père ou du maçon, le ton variait. Ce n'était plus du folklore mais de la sociologie. Il pratiquait aussi l'art des vesses et il éteignait une bougie à six pas. C'était la révolution chez les Arabes, dont la religion prône le rot comme marque de remerciement à Dieu mais bannit les vents arrière comme une abomination. On entendait dire, ou bien était-ce lui qui en propageait le bruit, que le « pétomane » était le seul artiste qui ne touchât point de droits d'auteur.

J'arrêterai là l'évocation. D'autres y ont consacré des livres entiers. Pour moi, ce fut l'éveil d'une vocation. Mon père m'emmenait dans les coulisses et je voyais de près ces artistes grimés, pavoisant ou tristes, je respirais des odeurs de résine, de fond de teint et de sueur. Ce monde, je le savais, allait être le mien. À l'entracte, il m'offrait toujours des bananes en pâte de fruit rose, enveloppées de cellophane, qu'on ne trouvait que là. Et la fête était complète.

Rentré à la maison, quand on me demandait : « Qu'est-ce qu'une chanteuse réaliste ? » (le terme était nouveau), je répondais : « Une chanteuse réaliste, c'est une chanteuse qui a une voix d'homme, comme Tontine ».

Papa transportait hors du *music-hall* son goût du spectacle. Nous avions des peintres à la maison. C'était au temps où l'on chantait en travaillant, et surtout les peintres, qui étaient réputés pour avoir les plus belles voix du monde. On disait : « Chanter comme un peintre ».

L'un d'eux, perché sur une échelle, badigeonnait nonchalamment le mur au rythme traînard de cette rengaine sublime :

Pâ-â-arlez moi-d'â-âmour...

Pour le pousser à travailler plus vite et à lui coûter moins cher, mon père lui suggéra un rythme un peu plus alerte et, joignant le geste à la parole, il s'empara du pinceau et se mit à barbouiller le mur de haut en bas en chantant : « Allons-z-enfants de la patri-i-e » sur un tempo de chasseur alpin.

En 1930, on commémora le centenaire de la conquête de l'Algérie. Ce fut un spectacle auquel papa se sentit mêlé car Alger, pour la circonstance, eut la visite du Président de la République, qui se nommait Doumergue mais que tout le monde appelait par son prénom : Gaston, et même Gastounet. Il était méridional, le plus populaire des présidents que la France ait jamais eus. La France n'était pas encore en monarchie et cette familiarité ne choquait pas.

Rue d'Isly défilèrent, derrière les spahis superbes sur leurs chevaux blancs, derrière les chasseurs d'Afrique à la gloire légendaire, des unités en costumes d'époque, fantassins, sapeurs du duc d'Aumale et du père Bugeaud, chaussés de leurs courtes bottes de cuir qui devaient leur valoir — de la part des populations conquises — l'appellation clandestine de pieds-noirs.

Nous n'avons jamais su que l'on nous désignait ainsi.

Il fallut une autre guerre et un vent de libération pour que ce vocable remonte à la surface et que les Français d'Algérie se l'appliquent à eux-mêmes, sans se douter qu'il était né péjoratif.

Gaston, celui qui portait frac, gants blancs, chapeau haut de forme, écharpe tricolore et macaron de Grand

Maître de la Légion d'honneur, passa sous nos fenêtres, debout dans une limousine décapotable, saluant la double haie de ceux qui l'acclamaient. Mais, de notre premier étage pavoisé de bleu, blanc, rouge, partirent de telles clameurs qu'il ne put s'empêcher de lever les yeux vers nous. Tout le monde criait « Vive Doumergue ! », mais notre « Vive Tounet ! » ne manqua pas d'attirer son attention.

Papa le prit presque pour lui. Il était rouge de plaisir.

J'avais treize ans lorsqu'un dimanche nous partîmes en pique-nique à Sidi Ferruch dans la Citroën dont Van den Plas avait malencontreusement doublé le poids. Au retour, un pneu arrière éclata et mon père se mit en devoir de changer la roue. Il avait des difficultés avec son cric. Le poids de la voiture y était peut-être pour quelque chose mais le fait que, par un reste de chevalerie mal comprise, les dames étaient restées assises à causer à l'intérieur n'arrangeait rien. Il avait mal assuré le pied de la crémaillère sur une surface en déclivité. Par paresse, ne voulant pas le démonter, le déplacer et le remonter, il se contenta de la stabilité précaire que pouvait donner un cric à la diagonale du châssis, soutenant tant bien que mal l'énorme masse noire et bleue. Papa crut pouvoir, à la force de son bras, le pousser en avant pour le remettre d'aplomb, mais sa manœuvre ne fit que rompre le dernier gramme d'équilibre qui subsistait encore et le tout s'écroula.

Dado et moi avions suivi l'opération avec doute et inquiétude, mais quand mon père nous dit qu'il avait le doigt pris entre le châssis et le cric, nous crûmes une seconde qu'il plaisantait comme d'habitude car il ne montrait aucun signe de souffrance. Les très grands chocs, sur le moment, sont indolores. Quand nous réalisâmes qu'il disait vrai, Dado plus très jeune et moi presque enfant, nous soulevâmes le monstre par le pare-chocs arrière. Je n'ai jamais compris où nous avons puisé cette force.

Ce fut un spectacle atroce que de voir mon père se relever, soutenant de sa main gauche sa main droite aux os éclatés, aux chairs pendantes, et je crus m'évanouir. Un trou total me prive de la mémoire de ce qui se passa alors. Mais il fallut bien qu'il reçût les premiers soins et rentrât à Alger. Je me retrouve dans cette clinique Laverne où, quelques années auparavant, on m'avait opéré par surprise. Revivant l'agression du chloroforme, je revois le docteur plaçant une attelle et terminant un énorme pansement dans une odeur d'éther qui, une seconde fois, faillit me faire perdre connaissance. Aux questions que nous lui posions, il répondit qu'il n'était pas sûr de pouvoir sauver le doigt, car tout le choc avait porté sur l'index de la main droite et il doutait que les os broyés puissent se ressouder. Il faudrait peut-être amputer. Une terreur glaciale me broyait les intestins. J'avais envie de vomir. Ma gorge était blanche et j'étais terrifié à l'idée que mon père puisse rester infirme. C'était la main qui, déjà pendant la guerre, avait été atteinte d'une balle. C'était son gagne-pain. Le retour à la maison fut pesant. Maman, Tontine étaient accablées. L'effet de l'anesthésie passé, papa se mit à souffrir et la nuit fut un cauchemar éveillé. J'étais tapi dans mon coin, glacé, sans pouvoir déglutir, et je pleurais.

Par la suite, j'accompagnais mon père pour ses soins. Une énorme masse violacée remplaçait maintenant la charpie du premier jour et le chirurgien finit par lui donner le choix entre l'amputation ou garder un doigt complètement raide qui le gênerait dans son travail et dont, par surcroît, la phalange extrême resterait fortement déviée vers la droite. Le conseil de famille opta pour la deuxième solution. Mon père apprit très bien et très vite à travailler avec un doigt en l'air qui ne suivait pas les autres.

Il y eut deux effets secondaires à cette catastrophe. Le premier, c'est que mon père se découvrit un plaisir accru à montrer leur route aux gens qui la lui demandaient : « Vous prenez... par là ! » leur disait-il en tendant un index censé être dans l'axe indiqué, mais qui en réalité pointait vers une autre direction.

Le deuxième effet est que, dès qu'il se trouvait devant un enfant ou un adulte inconnu, il ne pouvait s'empêcher de lui proposer un tour de magie : « Tu vois ? » disait-il, lui montrant son médius rectiligne, « Alors regarde bien ». De sa main gauche il s'emparait du médius, qu'il faisait mine, le visage crispé de douleur, de tordre vers la droite. Puis substituant un doigt à l'autre, il exhibait son index courbé et quelquefois surprenait son monde.

Il joua ainsi de son accident pendant les quarante années qu'il lui restait à vivre.

Vint octobre 1934 et le Front populaire.

J'avais été entraîné dans les Jeunesses socialistes par mon ami Charles Bessis, d'un mois mon cadet, qui s'était engagé avec fougue à la section française de l'Internationale ouvrière et que ses talents d'orateur devaient porter, en quelques semaines, à toutes les tribunes de toutes les nombreuses réunions — on disait *meetings* et on prononçait « métingues » — que le parti de Léon Blum organisait çà et là. Je le revois, dans l'immense salle des Bains Matarès, haranguant du haut de sa chaire une foule électrisée, un enfant de quatorze ans tellement pénétré des mots d'ordre qu'il proclamait que j'en venais à douter de mes convictions. Je n'avais pas sa maturité et n'avais pas alors fait un choix d'idées mais un choix de caste.

En vérité, il n'y avait pas eu choix. D'abord parce que Charles m'avait entraîné dans son sillage avant même que je fusse préparé à toute vie politique. Ensuite parce que le bain familial était inconditionnellement de gauche, non pas que l'on se préoccupât chez nous de la classe ouvrière ou de réformes sociales — sur ce plan on était résolument bourgeois et même pas tellement sympathisants —, mais il y avait notre condition de Juifs qu'une droite virulente ne nous laissait pas ignorer, même si nous l'avions voulu. Nous étions tenus à distance, pour employer un euphémisme peu en rapport avec les réalités plutôt teintées de haine.

Les Européens, comme nous disions, rejetaient dans le même camp Juifs et Arabes. Les Arabes vivaient très mal — et c'était justice — le fait que nous ayons reçu, en 1870, la citoyenneté française, et pas eux. Nos aînés avaient avec les musulmans un contact naturel dû à des origines communes, au fait aussi que, comme Tontine et Dado, ils parlaient l'arabe ou tout au moins faisaient l'effort de le baragouiner. Mais les auraient-ils pour autant reçus à leur table ? Sûrement pas.

Et pourtant, en souvenir d'autres temps, nos grandes réceptions, mariages ou autres, se chantaient et se dansaient en arabe, violon à la verticale sur les cuisses, archet à l'horizontale, henné et pièces d'or porte-bonheur au creux des mains, aspersoirs d'eau de fleur d'oranger largement déversés sur les invités.

Était-il seulement acceptable que l'arabe ne fût pas obligatoire à l'école ? N'est-ce pas la plus grande condamnation du colonialisme que quatre-vingt-quinze pour cent des pieds-noirs d'aujourdhui ne sachent le parler ? Le mépris était tel que parler la langue du pays eût été comme descendre au niveau de l'inférieur colonisé.

Le clivage était total. Et quand d'inévitables connivences commerciales faisaient que nous recevions ou étions reçus à l'apéritif (cela se faisait) par des Européens, il y avait dans l'air quelque chose de pas très naturel, d'un côté une condescendance trop affable qui entraînait, de l'autre, une insistance à plaire et à être admis qui chatouillait désagréablement mon subconscient d'enfant, puis d'adolescent. Jamais mon père ne cherchait autant à faire rire.

Si nous avions pu nous faire la moindre illusion sur le fait que notre valeur personnelle, nos qualités innées ou le charme que nous déployions pouvaient, par miracle, briser les barrières et nous gagner enfin des amitiés inaccessibles, nous étions remis à notre place d'un mot, toujours le même, par une phrase, toujours la même ou à peu près : « Je suis en relations d'affaires avec votre coreligionnaire, monsieur Untel... » qui nous tombait dessus avec tellement de ponctualité que les pendules étaient remises à l'heure.

Alors mes parents, racontant le lendemain à des coreligionnaires leur soirée de la veille, disaient : « Nous avons été reçus chez des catholiques... » et on n'en sortait pas.

Au lycée, l'antisémitisme était toujours sous roche. Il fallait quelquefois se battre dans la cour. Certains professeurs venus de France n'en revenaient pas de constater la violence des préjugés. L'un d'eux, dans une tirade qui fit date, s'attacha un jour à faire valoir à ses élèves de philosophie qu'ils se croyaient à tort antisémites, car s'ils l'étaient vraiment, ils cesseraient de s'en prendre aux Juifs, qui, dans le confort de l'indifférence, ne se trouveraient plus de raison de devenir les premiers de la classe.

Voilà pour le local. Quant à l'universel, Hitler et Mussolini (nous pensions que Staline était de gauche) n'étaient pas de nature à nous rassurer sur notre avenir de Juifs.

En France, Doriot, de La Rocque, P.P.F., Croix de Feux plus toute une presse d'extrême droite, Gringoire, Mauras, Brasillach, Daudet, Bailby, l'*Action française*, tous ces noms, tous ces sigles, ces slogans et, par-ci par-là, des défoulements de nervis qui n'auguraient rien de bon, ne risquaient pas non plus de nous faire considérer la droite comme une alternative possible. Les affrontements du 6 février, place de la Concorde, nous avaient fait nous réfugier, par instinct de survie, de l'autre côté du danger. Enfermés dans le manichéisme d'un monde où il allait bientôt falloir choisir son camp sans faire de nuances, nous étions incapables d'imaginer une seconde qu'il existât une droite libérale.

Voilà comment je me retrouvai, le jour d'une manifestation monstre rassemblant dans une marée impressionnante communistes, socialistes et sympathisants, un brassard à trois flèches sur ma manche, dans le service d'ordre du défilé du Front populaire.

Je tenais à peine sur mes jambes et, tendant mes bras de part et d'autre, je saisissais les mains d'autres gringalets de mon gabarit pour empêcher ce flot bigarré et tonitruant de déborder. Nous risquions d'être broyés à tout instant par cette masse délirante, omniraciale pour une fois, qui hurlait « L'Internationale » à tue-tête. Mon ouïe, plus disponible que mes bras et mes jambes, ne pouvait pas manquer de discerner, dans le secteur à dominante islamique que j'essayais de contenir, des variantes assez intéressantes aux textes généralement en vigueur dans ce genre d'occasions. Ainsi, la fameuse phrase : « L'Inter-na-tio-na-a-a-le sera le genre humain » devenait : « L'inter-la-sou-la-a-ail-le sera le genre humain », avec roulements d« r » du crû. De même, le slogan mille fois répété : « Les Soviets partout ! Les Soviets partout ! » devenait « Les serviettes partout ! Les serviettes partout ! »

Le cortège approchait des arcades de la rue Bab Azoun et une appréhension s'empara de moi. Il y avait là Valentine, la fille d'un cafetier, blonde aux yeux bleus, un corps qui me faisait rêver, quinze ans, française, de droite, quasi intouchable. Pourtant, chaque fois que je passais devant le bistrot de ses parents ou la croisais dans la rue, une attirance réciproque nous faisait échanger des sourires de complicité. De loin je l'aperçus, attirée sur le seuil du café par le grondement de la foule, la moue haineuse. Quand elle me vit, débordé mais la cherchant des yeux, son regard glaça mon sourire. Elle tourna le dos et rentra dans le café. Elle ne me sourit plus jamais.

La porte monumentale du lycée d'Alger était fermée le matin lorsque nous arrivions. Elle ne s'ouvrait qu'en milieu de matinée. Pour aller à nos cours, il fallait soit entrer par la petite porte du concierge, soit par une porte latérale fort éloignée et située dans une dégringolade d'escaliers qui menaient vers le haut de la ville et nous rebutaient parfois. En ces temps troublés où chacun affirmait ses opinions et marquait son territoire, les étudiants nationalistes s'étaient mis à arborer une cocarde bleu-blanc-rouge à la boutonnière. Nous nous étions donc crus obligés d'orner nos revers d'une cocarde rouge. Mais le matin, quand nous voulions passer par le sas du concierge, nous trouvions, de part et d'autre de la porte, des bleu-blanc-rouge en faction qui rendaient l'accès difficile. Au mieux, nous étions accueillis par des quolibets. Quelquefois, des coups s'échangeaient. Le plus souvent, rendez-vous était pris dans les escaliers de la Rampe Vallée pour y régler nos comptes à la sortie des cours.

Depuis 1933, il s'était produit du nouveau dans la vie de mon père.

Cette année-là, il était sorti lauréat de l'Exposition nationale du travail et avait été nommé « Meilleur Ouvrier de France ». C'était considérable, bouleversant pour notre petite cellule si peu sûre d'elle-même. Car toutes les réflexions que nous essuyions, tous les « coreligionnaires » dont on nous gratifiait, plus quelques sourires entendus et parfois quelques insultes directes, impliquaient que nous n'étions pas des Français. C'est bien cela qui se passe finalement dans la tête d'un antijuif. Aujourd'hui encore, et partout dans le monde occidental, ceux qui nourrissent contre les Juifs un sentiment hostile le font au nom d'un nationalisme psychotique qui leur fait considérer que seuls les chrétiens sont dignes du drapeau de leur pays.

Notre famille avait payé de son sang en 1914-1918. Nous étions patriotes et pas certains au fond de nous d'être français, alors, mon père « Meilleur Ouvrier de France », de France ! cela prenait des proportions démesurées. Meilleur ouvrier, nous n'avions besoin de personne pour nous le dire, mais « de France », c'était la reconnaissance, la consécration, et je revois mon père brandissant avec fierté l'ouvrage qui lui avait valu ce titre : un bracelet large de cinq à six centimètres s'ouvrant et se fermant par un système de tige à glissière retenue par une chaîne très fine. Il était en ogive et frappait par l'assemblage d'ors rouge, vert, jaune répartis de chaque côté d'une arête d'or blanc. Serti d'onyx, il avait une splendeur égyptienne. Ciselage, guillochage, filigrane, toutes les techniques y apparaissaient, poussées à leur plus haut degré de perfection. C'était un superbe bijou.

La cérémonie de remise des prix eut lieu à la mairie d'Alger, face au port ensoleillé, par une lumineuse journée de fin d'année. Dans la grande salle de réception avec son toit en verrière, luxuriante de verdure comme un jardin d'hiver, étaient assises une centaine de personnes de toutes ethnies, assistance soyeuse, rougeoyante, *djellabas* filetées d'argent, voiles nuageux des musulmanes (nous disions « les Mauresques »). On y sentait une recherche vestimentaire en rapport avec l'importance que tous ces artisans attachaient à ce jour. Car tous venaient recevoir des diplômes : médailles d'or, d'argent ou de bronze récompensant des mérites professionnels divers.

Il y avait là aussi bien des vanniers que des spécialistes en cuivres et cuirs repoussés, des tisseurs de tapis de laine. Les discours furent les mêmes que toujours, mais mon père rayonnait. Nous aussi.

Je crois que ce titre de « Meilleur Ouvrier de France » nous fit un bien qui dépassait de loin la portée de l'événement. Il nous donna un supplément de fierté. Pouvoir dire « Mon père est Meilleur Ouvrier de France » coupait court à toute velléité de doute sur notre appartenance. C'était un recours bien naïf peut-être, mais à cette époque nous en avions encore besoin.

Le statut de mon père avait donc changé et il voyait désormais plus grand. Je ne sais de quelle année date l'acquisition de ce magasin face au square Bresson, jouxtant la brasserie chic de la ville, *Le Tantonville,* proche de l'Opéra, mais passer de la rue de la Lyre à cet environnement prestigieux, c'était un peu comme quitter la Cour des Miracles pour Versailles.

Je ne sais trop ce que devait en penser ma mère, mais j'étais ébloui par ce local de très belles dimensions puisque, en dehors de la boutique elle-même, il abritait un atelier aussi important que l'avait été celui de la rue de la Lyre, doté des mêmes machines et du même outillage, séparé de l'espace commercial par une porte vitrée.

L'Art Oriental, c'était le nom du négoce, était pourvu de trois grandes vitrines dans lesquelles étaient exposés avec beaucoup de recherche (je me faisais souvent étalagiste) non seulement les bijoux de mon père mais aussi des objets d'art, des Daume, des Gallé. Avec sa façade d'un rouge grenat, le magasin avait beaucoup d'allure et devenait pour nous tous un but de promenade fréquent. On y côtoyait une clientèle beaucoup plus large et variée que celle d'antan. En plus des habitués, il n'était pas rare d'y voir des chanteurs, des acteurs, des danseurs de l'Opéra où se produisaient les troupes de passage à Alger, parfois de grands noms.

Il y avait une certaine chanteuse lyrique connue des amateurs, belle et volumineuse, toujours escortée de son mari, ténor lui aussi, mais que l'Opéra d'Alger, disait-il, n'intéressait pas. Il avait fallu qu'il administre à mon père la preuve de son talent en entonnant « Ô, de beautés égales... », le grand air de « La Tosca », en plein atelier. Papa avait été subjugué par l'ampleur de ce coffre et, depuis lors, chaque fois que le couple passait par Alger, moyennant un contre-ut du mari, l'épouse emportait un bijou ou deux, dans des conditions à faire s'évanouir ma mère.

Les consommateurs du *Tantonville*, dont la terrasse se terminait devant la boutique, se laissaient aussi attirer par les vitrines abondamment éclairées, de même que toutes sortes de marins et officiers américains, anglais et italiens dont les escadres venaient souvent mouiller dans le port.

Dans le square Bresson, de l'autre côté des tramways, vers la mer, le kiosque à musique abritait parfois les concerts maladroits d'orphéons locaux, tandis que de petits ânes emmenaient des enfants sur leur dos pour un tour ou deux de ce jardin de ville aux proportions gracieuses mais restreintes.

Tous les soirs, *Le Tantonville* abritait un orchestre de six à sept musiciens qui changeait de mois en mois. On vit défiler là des tziganes, des *jazz-bands,* des orchestres de tango avec chanteurs ténébreux et danseuses talonnantes et castagnantes.

C'était le paradis musical de papa. J'avais bien essayé de lui faire aimer Yehudi Menuhin, mais il me répondait : « Je ne vois pas ce que tu lui trouves. Il ne joue pas vite. » Et il me citait en exemple de compétence musicale le tzigane du *Tantonville* qui s'emmêlait les doigts à courir à cent à l'heure après la *csardas* de Monti, en ratant une note sur quatre.

Au *Tantonville* venait aussi le Cabaret du Chat noir de Paris, avec ses chansonniers persifleurs, dont la vedette était un certain Max Hilaire. Je me délectais de les entendre improviser avec autant de facilité sur des thèmes, politiques ou autres, que le public leur fournissait en même temps qu'il leur imposait des rimes qui n'avaient strictement rien à voir avec le sujet réclamé. Faire par exemple une chanson sur Marlène Dietrich avec, pour rimes imposées : omnibus, marché aux puces, acétylène et pêche à la baleine, cela relevait pour moi d'un tour de force dont je n'avais pas encore appris à pénétrer les arcanes et qui me fascinait.

Non loin de là, rue Bab Azoun, se trouvait la boutique des frères Jawarmahl, espèce de grotte des mille et une nuits, sauf que les Jawarmahl étaient indiens. Dans cet amoncellement de cuivres, de cuirs, de tapis, de saris, de soies piquetées de pastilles vertes, bleues, rouges et violettes, or et argent, flottait en permanence une odeur d'encens qui enveloppait les tapisseries, les éléphants peints, gravés, sculptés d'ivoire ou de porcelaine, répandus sur des coffres incrustés de nacre ou de pierreries, déballage de tout ce que l'Inde produisait de pacotille ou de vraies richesses (je n'étais pas expert) et qui ne laissait en son centre que très peu d'espace pour s'asseoir sur des poufs en cuir ou à même le sol sur un tapis de fine laine.

Les Jawarmahl exposaient quelques bijoux de mon père et c'est ainsi qu'ils étaient devenus amis. Un soir de grande fête indienne, nous fûmes invités dans la grotte à partager le repas familial. Ce fut pour moi la découverte de cette cuisine généreuse, sans doute la plus abondamment parfumée de toutes, mais surtout d'un raffinement et d'une douceur d'accueil que je n'avais jamais encore connus.

Ainsi, *L'Art Oriental* valait à mon père et à nous-mêmes des relations nouvelles. Lui le primaire, l'enfant des rues au vocabulaire modeste, avait le don de plaire aux artistes et aux intellectuels. Entre autres, il nous rebattait les oreilles d'Emmanuel Bove, un « grand écrivain » affirmait-il sans l'avoir lu. Les magazines littéraires devaient mettre plus de temps que lui à le découvrir. Il venait souvent bavarder avec papa, et madame Bove, qui lui survécut, resta toujours une familière de notre maison, même lorsque plus tard nous habitâmes Paris.

Tout ce brillant ne faisait que farder les difficultés de toujours. On avait pris ce magasin pour s'en sortir, étendre la clientèle, vendre d'autres marchandises plus commerciales tout en continuant la fabrication habituelle. Mais mon père était mon père et des bijoux disparaissaient ; les amis emportaient leurs achats au prix coûtant. Le drame, c'était que tous les clients devenaient amis après une ou deux visites. Il s'approvisionnait mal et surabondamment. Les échéances se faisaient de plus en plus lourdes et de plus en plus angoissantes. Ma mère était le garde-fou, le rempart, la digue qui cédait de tous les côtés car rien ne pouvait contenir l'inconséquence de ce pierrot lunaire merveilleux et redoutable qu'était mon père.

Alors il fallut un jour en venir à une extrémité impensable, inconcevable dans un microcosme pis que provincial, colonial, tel qu'était notre grande petite ville où la honte était partout : il lui fallut déposer son bilan. On tourna autour des difficultés des jours et des nuits, cherchant à les résoudre, à éviter le pire, et j'imagine que si Dado lui-même, soucieux de respectabilité plus que tout autre, en vint à baisser les bras, c'est qu'il n'avait pas les moyens ou jugeait désormais dérisoire de renflouer papa. Et c'était vrai qu'on n'y pourrait rien changer. Nous avions toujours vécu au-dessus de nos moyens ; les affaires et mon père étaient deux étrangers qui n'avaient pas de langage commun. Il n'avait de dialogue réel, fécond et sans surprise désagréable qu'avec son établi, qu'il aurait toujours dû fréquenter en solitaire. Contrôler dix ouvriers n'était pas de sa compétence. Quelques-uns, les meilleurs, les honnêtes, ont toujours proclamé par la suite qu'ils lui devaient leur art et leur savoir-faire. Il aurait probablement fait un bon professeur mais il était trop tard pour se dire toutes ces choses. La honte était là, il fallait la boire. Les journaux publièrent, quelque part au bas d'une page secondaire, dans une rubrique discrète, le texte officiel du dépôt de bilan, mais tout le monde lisait *L'Écho d'Alger* ou *La Dépêche algérienne* et les nouvelles allaient vite. Je ne sais quel bruit fit exactement dans la ville l'annonce que Salomon Gaston Bacri ne pouvait plus faire face à ses engagements, mais chez nous, au 14, avenue de la Bouzaréah, nous nous terrions comme pour échapper aux ondes de choc d'un gigantesque séisme.

Nous étions loin de nous douter que le pire restait à venir.

Nous sommes, à ce point du récit, en 1936, année troublée s'il en fut. En février, les militaires espagnols s'insurgent contre la victoire électorale du *Frente popular* et la guerre civile éclate. En mai, la France se donne, avec Léon Blum, un gouvernement de Front populaire.

La guerre d'Espagne fut loin d'être une abstraction pour nous. Toute la Bassetta parlait espagnol. Notre domestique venait de Valencia, d'où sa nièce nous envoyait des cartes postales quand elle y allait en vacances. Elle s'appelait Dolorès et sa nièce Remedio. La santé était rétablie. Son beau-frère, maçon au parler rocailleux, au sourire franc, venait quelquefois s'asseoir chez nous pour boire un verre et dès le premier jour, tout un vocabulaire de noms de villes, de noms de politiciens et de héros civils envahit la maison. Nous vîmes même entrer chez nous un combattant de là-bas qui venait en mission à Alger, probablement pour y collecter des fonds dans la colonie espagnole. Guadelajara, Teruel, L'Alcazar de Tolède, Guernica, les Brigades internationales, firent partie de nos discussions journalières. Nous avions fait nôtre le fameux « *No passaran* » (Ils ne passeront pas) que l'histoire devait tristement démentir et même les chants des Républicains, que nous avions adoptés par sympathie :

Los quatro generales
Los quatro generales

Los quatro generales
Mamita mia
Nos han trahido !
Nos han trahido !

Nous étions sûrs de la victoire des Républicains. Il fallait qu'ils gagnent. Un romantisme aveugle nous faisait croire que ces hommes insuffisamment armés, malgré l'aide soviétique, malgré des initiatives folles comme le fut celle de Malraux, malgré leurs désastreuses dissensions internes, allaient venir à bout des blindés et de l'aviation franquistes, renforcés par ceux de l'Allemagne et de l'Italie qui se préparaient là à d'autres combats.

Nous ne pouvions pas deviner que le porteur de tous nos espoirs, Léon Blum, refuserait de les aider et prendrait une lourde responsabilité au regard de l'histoire.

L'Europe sort prématurément de ce qu'on a appelé les années trente, période dorée, frénétique, la plus brillante peut-être de ce siècle, celle des élégances, des plages à la mode, des voitures extravagantes, des grands couturiers, des musiciens et des poètes aussi. Le *jazz* emporte tout. On s'étourdit au sortir de la crise de 1929. Ravel, Cocteau, Stravinski, Poiret, Chanel, Picasso, Gershwin... on n'en finirait pas de nommer les étoiles dont brille cette ère fugace à la fois superficielle et féconde. Les années folles, disions-nous ; les Américains les disaient rugissantes. Elles ne devaient guère durer que six ans, car déjà l'Europe s'embrasait de toutes parts et il fallait vouloir fermer les yeux pour ne pas voir venir la catastrophe.

Toutes sortes de bruits circulaient et l'on vit mon père arriver un soir à la maison en disant que la guerre allait éclater. Je revois ma mère dans l'entrée, accueillant la nouvelle gravement. Papa en rajoutait peut-être, ou bien était-il gagné lui-même par une psychose ? Je me jetai dans ses bras en pleurant et en disant : « Je ne veux pas que tu ailles à la guerre ! »

Maman et moi venions d'accompagner Raymond qui prenait le bateau pour la France où il allait faire sa préparation militaire et suivre un peloton d'élèves officiers de réserve. Mon père était resté seul au magasin. Nous prîmes l'ascenseur qui, des quais, nous éleva jusqu'au boulevard de la République et traversâmes le square Bresson pour rejoindre la boutique, que nous trouvâmes vide.

À moins que deux inspecteurs de police se soient trouvés là... Mes idées s'emmêlent.

Qu'on me pardonne cette hésitation, mais c'est la première fois en cinquante ans que j'éveille le souvenir de cette minute, la plus dramatique de ma vie. Je me rends compte — et c'est aussi la première fois que pareille chose m'arrive — que ma plume refuse les mots que je veux écrire.

Je me rappelle qu'un pressentiment m'avait saisi en franchissant le seuil du magasin. Mais pourquoi ? Je gratte les couches d'une mémoire stratifiée et j'y découvre une troisième version des faits qui n'est toujours pas la bonne. Quelqu'un nous dit que papa avait été emmené par deux inspecteurs.

Faut-il que j'aie redouté ce moment qui a failli m'empêcher de terminer ce livre ? Plus d'une fois, en écrivant, je me suis fait pêcheur de perles et j'ai remonté, intacts, des abysses les plus lointains, des faits et des visages enfouis depuis longtemps bien au-delà des souvenirs, dans ces cavernes reculées où la mémoire se déleste parfois de ce qu'elle juge accessoire ou superflu.

Mais je bute ici sur une image qui ne m'a jamais quitté, mais que ma mémoire a toujours réfractée, distordue, parce que dans sa lumière véritable — j'en prends conscience en l'écrivant — je n'aurais pas su vivre avec. Je n'aurais pas supporté, cinquante ans durant, de voir mon père arrêté sous mes yeux.

J'étais dans ma quatorzième année. Trop de protection avait fait que j'étais plus proche de l'enfance que de l'adolescence et d'une émotivité incontrôlable. Je mesure en cette seconde que ce qu'on appelle couramment la mauvaise foi n'est pas tant de ne pas vouloir voir les choses telles qu'elles sont que de ne pas pouvoir le faire.

La vérité est que mon père était descendu au port avec nous. Sinon, qu'auraient fait ces deux inspecteurs seuls dans notre magasin ? Ils étaient bien là pour l'attendre et pour lui demander de les suivre. Ce fut tellement bref ! — « Pourquoi ? » demande mon père. « Mais où l'emmenez-vous ? » demande ma mère. Leur consigne était de ne pas répondre à ces questions et mon père disparut, encadré de deux hommes, dans une Citroën noire de la police qui attendait de dos à l'entrée du magasin et dont le moteur n'avait pas cessé de tourner.

Le soir, nous étions, Dado et moi, au commissariat du boulevard Baudin où on nous dit qu'il fallait attendre, que nous aurions des nouvelles le lendemain, mais que papa était en sécurité...

On passa la plus grande partie de la nuit debout à se poser toutes les questions. Je ne pouvais pour ma part qu'écouter ce que se disaient Tontine, maman, Dado, et qui ne menait pas loin. Maman était défaite.

Que pouvait-il s'être passé ? Toutes les suppositions nous laissaient incrédules. Nous pensions, bien sûr, à des dettes. Mais on n'arrête pas les gens comme ça, sans préavis, pour des dettes ! Qu'avait pu faire mon père ?

La réponse fut en première page de tous les journaux. On y parlait de « L'affaire des faux poinçons ». Trois photos y apparaissaient. Celle de D., accusé de fabrication et usage de faux poinçons, suivie de celles de mon père et de H., autre bijoutier, accusés de complicité.

D. venait de Belgique. C'était un artisan de grande qualité dont le petit atelier se trouvait sur le même palier que celui de mon père, rue de la Lyre. Papa lui confiait des travaux particulièrement sophistiqués et ils entretenaient des rapports amicaux teintés, de la part de mon père, d'un certain respect. D. avait tout pour l'impressionner. Vêtu en permanence d'une veste de velours noir, il portait lavallière et ne sortait que coiffé d'un chapeau noir à la Bruant. Une éternelle pipe de tabac anglais à la bouche, il était seigneurial et beau, avec un langage parfait et une voix agréablement timbrée. Cultivé, sûr de lui, il exerçait un ascendant indéniable sur papa et sur nous-mêmes. Il fut reçu chez nous pendant des années mais un nuage était un jour passé et leurs relations s'étaient refroidies. Nous avions toujours su que D., artisan aussi expert que pouvait l'être mon père, prenait ombrage de ce que papa ait une certaine réputation alors que lui-même, avec un mérite équivalent, n'avait pas pignon sur rue. C'étaient des jalousies professionnelles inévitables et nous n'y attachions pas grande importance.

H., lui, tenait boutique non loin de chez mon père. Ils étaient de vieux amis.

Une photo de police suffit à condamner un homme. On leur avait retiré leurs cols amovibles. Avec leurs chemises au ras du cou, une barbe de quarante-huit heures, la tête rejetée en arrière des gens qu'on a mis sous la toise, et l'éclairage sans pitié d'un *flash* qui leur avait fait légèrement détourner la tête, ils avaient l'air de trois assassins traqués. Nous étions sans voix, effrondrés, ne sachant que faire pour ma mère qui pleurait et ne disait rien.

Tontine ne perdit pas son temps. Mon père déficient, Raymond en France, il fallait que quelqu'un devint l'homme de la famille. Elle m'emmena dans ma chambre et, sans préambule, me dit : « C'est toi maintenant le chef de famille. Est-ce que tu le sais ? » Une fois de plus, elle avait réglé la vie des autres. Hébété, je répondis oui sans savoir, sans pouvoir me rendre compte de ce à quoi je m'engageais. C'était monstrueux d'investir ainsi quelqu'un qu'on avait jusque-là amputé de tout sens des réalités. L'enfant que j'étais se prit très au sérieux en cette seconde où l'on décidait pour lui d'une maturité qu'il n'avait pas.

Dès le lendemain je fus avec Dado chez Maître B., avocat moins sollicité que les ténors de l'époque mais dont le talent — nous avait-on dit — n'attendait qu'une cause de cette importance pour éclater au grand jour.

Maître B. était d'un abord assez froid. Il était de la race d'hommes avec qui, dans l'univers de préjugés où nous vivions, nous ne pouvions pas espérer avoir un contact profond, mais il nous garantissait, par sa différence, plus de crédibilité que quelqu'un de notre famille naturelle. Refusant tout attendrissement, il ne voulut voir que les faits et les chances que nous avions de faire sortir mon père de prison.

Les faits ? Il me faut rappeler que tout bijou, avant les dernières finitions, doit être soumis au contrôle de la Garantie qui est là pour attester que le métal employé est vraiment de l'argent, de l'or ou du platine véritable, au titre réglementaire. Un poinçon apposé par l'administration (pour l'or, c'était une tête d'aigle) fait foi d'authenticité.

Ce poinçon est infiniment petit, illisible à l'œil nu. Il faut une loupe de joaillier pour en apercevoir le dessin. D. était accusé d'avoir fabriqué de faux poinçons. Comment ? Il fallait un art diabolique pour graver ces figurines microscopiques. Avait-on trouvé dans son atelier un faux poinçon ? Toujours est-il qu'il avait avoué et dénoncé comme en ayant fait usage mon père et H. L'incarcération de papa tenait donc à une dénonciation. Mais les preuves ? Encore fallait-il trouver de ses bijoux revêtus de faux poinçons. Or, il niait et nia toujours, et Maître B. axa toute sa stratégie sur l'absence de preuves car il voulait obtenir la relaxe de mon père sur ce seul argument.

Tonton Albert était accouru en renfort de Paris. Dado et moi étions allés le chercher au bateau et je me revois, remontant à pied vers la maison, encadré des deux hommes. Albert avait tenu à ce que nous marchions. Il voulait renouer avec sa ville qu'il avait quittée une vingtaine d'années auparavant. Sous les arcades de la rue Bab Azoun, je lui expliquais Alger, qui était devenue « sinon une grande ville, du moins une belle ville ». Nous parlâmes, bien sûr, de l'affaire et sur une réflexion que je lui fis, il se tourna vers Dado et dit en arabe « *Radjel* » (C'est un homme !).

Albert n'avait de commun avec papa que le sourire en demi-lune et le nez un peu fort. À part cela, tout dans le comportement les séparait. Avec sa carrure massive, ses mains de boxeur et sa démarche imposante et souple à la fois, il donnait l'impression d'un homme qu'il valait mieux ne pas trop mettre hors de lui. Son langage était étonnant pour quelqu'un qui n'avait pas été à l'école ou si peu. Il y traînait bien quelques scories du genre : « Je ne sais pas comment qu'ils font », mais à part cela, il construisait bien ses phrases et respirait, à défaut de culture, la curiosité et le goût d'apprendre. Peu de sujets, scientifiques, artistiques ou autres, le laissaient dépourvu.

Il était pour moi un peu mythique : l'oncle de Paris. Raymond avait habité chez lui pendant ses trois années d'études à Paris. Il entretenait une correspondance régulière avec papa. Je ne l'avais vu en tout que quelques jours lors de deux ou trois passages à Paris. Je le connaissais très peu. Alerté dès le premier jour, Albert venait à la rescousse et nous fûmes désormais trois à rencontrer Maître B.

Le plus dur, en dehors de notre grande désolation, était d'affronter les voisins, la rue, l'opinion. Après quelques jours d'absence, il fallut bien que je retourne au lycée ; j'entrai en classe plein d'appréhension, mais je dois dire qu'il ne se passa rien d'assez dramatique pour être relaté, tout au plus quelques apartés. C'est plutôt moi qui, écorché, agressif, prêtai à plusieurs reprises aux gens des arrière-pensées qu'ils n'avaient pas nécessairement.

Quinze jours après son arrestation, mon père bénéficia d'une mise en liberté provisoire.

Son arrivée à la maison fut une explosion de joie et de larmes, mais une cassure s'était produite au fond de nous. Nous savions que désormais il y aurait « avant l'affaire » et « après l'affaire ». C'était le pénible pressentiment que rien ne serait jamais plus pareil. « On ne se remet jamais tout à fait d'une injustice », dit Serge Bramly. Bien que nos mouvements, nos habitudes, fussent inchangés, une certaine joie qui nous venait du soleil, du bleu de la mer et des effluves du marché ou de la pêcherie n'était plus là. Nous ne pouvions plus nous laisser tromper par l'animation de *L'Art Oriental*.

Nous savions que la comédie de cette clientèle agréable, mise en joie par les facéties de mon père, masquait une affaire exsangue et dérisoire. Il ne pouvait plus être question de faire tourner tout ça. Nous savions désormais que ça ne tournait pas.

L'Exposition universelle de 1937, le grand événement du siècle, se préparait à Paris. Dado et papa décidèrent d'y louer un *stand* de bijouterie orientale et par un jour de printemps Dado, Tontine, mon père, ma mère, Georges et moi prîmes le bateau pour Marseille.

À Paris, ils avaient loué en commun un appartement de trois pièces, boulevard des Invalides, dans un immeuble vieux de plus de cent ans au plancher plaintif et disjoint, aux proportions oppressantes, mais c'était une belle adresse. Avec, pour voisins immédiats, Rodin, Napoléon, Talleyrand, nous avions changé de statut. Nous étions loin de Bab-el-Oued, de la Bassetta et des Bains Matarès ! À vrai dire, je ne suis pas sûr que nous ayons été très conscients, à l'époque, de l'honneur que nous faisaient nos illustres voisins en nous accueillant parmi eux, d'autant que Tontine s'était immédiatement chargée de convertir ces lieux de vieille tradition en succursale de l'avenue de la Bouzaréah et que casseroles et marmites avaient eu tôt fait de répandre dans la maison des fumets à faire vaciller l'histoire de France.

Les raisons de ce choix étaient purement pratiques. Le boulevard des Invalides était à deux pas du Pavillon du Froid qui abritait notre *stand.* Choix paradoxal pour l'artisanat de soleil que nous y exposions, mais je suppose que des délais trop courts et des raisons financières les avaient fait opter pour cet emplacement qui devait s'avérer agréable et pratique.

L'Exposition déroulait sa multitude de pavillons sur des kilomètres tout au long des deux berges de la

Seine. La surprise qui nous attendait fut que, d'un bout à l'autre, cet impressionnant ruban de constructions aux styles les plus divers était encore en chantier à la veille de l'inauguration officielle par le Président de la République. Bon nombre devaient ne jamais être terminées, mais ce que l'Exposition donnait à voir était quand même d'une grande beauté. Le site d'abord : exceptionnel, gracieux, sillonné de bateaux en fête, se transformant la nuit, quand il inversait ses lumières dans les remous de la Seine, en une espèce de dragon chinois multicolore et mouvant. Peu de choses étaient de mauvais goût. Chaque pays, chaque artisan et chaque industrie avait joué la carte de la séduction et de la surprise. Le Palais de la Lumière présentait un enfant qui n'était pas encore né : la télévision ; Saint-Gobain était un rêve de verre ; Larousse projetait en permanence *François Ier*, ce film dans lequel un hurluberlu du XVIe siècle, incarné par Fernandel, passait pour un sorcier aux yeux de ses contemporains en leur prédisant leur avenir grâce à un Larousse du XXe siècle tombé prématurément entre ses mains. On abordait le Palais de la Découverte avec dévotion et respect, comme si on entrait dans un temple. Le temps fort était l'affrontement de marbre et de bronze du pavillon de l'Allemagne nazie et de celui de l'U.R.S.S., face à face prémonitoire de deux monstres historiques. Surmontant une masse de béton, un couple d'ouvriers soviétiques en marche brandissait une faucille et un marteau au nez de l'aigle nazi sur croix gammée perché sur un monolithe noir, lustré comme une botte de S.S.

Le Pavillon du Froid présentait des techniques révolutionnaires pour l'époque. Le clou en était la Tour, empilement de cônes inversés qui avaient la particularité d'être... en neige. En plein été 1937, c'était une attraction.

À l'étage du bâtiment, une porte discrète donnait sur une banquise où déambulaient quelques pingouins tristes et malodorants.

Notre *stand* était de belles proportions, bien situé dans l'allée centrale. Dado et papa n'y firent pas fortune. Mais pour moi, ce fut comme une villégiature entre le palais de Chaillot, seul survivant actuel de l'Exposition, remplaçant plus qu'avantageux de la turquerie obsolète qu'était l'ancien Trocadero, et le pont Alexandre-III, chef-d'œuvre incontestable de toute la manifestation. On l'avait transformé en voie triomphale en ceignant ses réverbères de tuyaux d'orgues surmontés de grappes d'étoiles dont s'échappaient jour et nuit des musiques célestes.

Septembre approchait. Avec la rentrée venait le temps des décisions. Dès avant le départ d'Alger, l'idée de se fixer à Paris avait germé dans la tête de ma mère. Mon père y souscrivait ; Albert faisait pression et le projet faisait son chemin. Boulevard des Invalides, le sujet était tabou car, pour Tontine, il était hors de question que sa sœur ne rentre pas à Alger. Mais il fallut bien finir par en parler, d'autant que pour Georges et moi-même se présentait la nécessité d'une inscription scolaire.

Les affrontements se firent de plus en plus durs. Tontine ne consultait pas, ne négociait pas. Elle avait décidé pour nous et n'admettait pas la discussion, mais elle n'était plus tout à fait sur son terrain. La meurtrissure qu'avait été l'incarcération de mon père avait déterminé maman à tourner le dos à tout un passé d'angoisses. Mon père lui-même, préférant peut-être la tutelle de son frère à celle de Dado, redoutant comme ma mère de retrouver cette ville où sa réputation ne serait plus jamais la même, faisait front. Pour la première fois de sa vie, à quarante-six ans, ma mère trouva la force de dire non à sa sœur.

Dado et Tontine rentrèrent à Alger, la mort dans l'âme, et nous restâmes seuls pour la première fois devant l'aventure d'une existence nouvelle.

Jusqu'à cette année 1937, nous n'avions connu Paris qu'à deux ou trois reprises, à l'aller ou au retour des vacances prises en France (l'air de France !). De Paris, nous n'avions guère connu que la Cité bergère, le faubourg Montmartre, et leurs hôtels où toute la colonie se retrouvait pendant les mois d'été.

Rien n'a changé. La Cité, le faubourg et toutes les rues environnantes, Trévise, Richer, La Grange batelière et autres sont aujourd'hui encore un fief nord-africain. C'est curieux (comme aurait dit mon père) cet entêtement d'une ethnie sur un lieu. Pourquoi là ? Et pourquoi toujours là alors que le monde a bougé, que la guerre avait fait le vide ?

C'était pareil pour nos coins de vacances. Jamais, à l'époque, la Touraine, l'Alsace, l'Aquitaine, la Bretagne ou les Vosges n'avaient vu passer l'un de nous. Pour trouver un Juif d'Alger en France au mois d'août, il fallait aller à Luchon, à Vichy ou à La Bourboule, c'est-à-dire là où on se remettait des méfaits de l'humidité ou de trop d'huiles de friture. Il y aurait eu d'autres choix possibles, mais un manque de curiosité total nous faisait nous cramponner à ces trois sempiternelles forteresses thermales.

À Paris, quand nous risquions un pied hors de la Cité bergère, c'était pour aller nous attabler à quelques mètres sur les grands boulevards, au *Café Brébant* et au *Café de Madrid,* où, l'été, les Parisiens devenaient une minorité raciale.

Albert venait nous prendre par la main pour nous conduire chez lui, dans son *Far West* du faubourg Saint-Martin, à dix minutes de là, et si nous connaissions de la capitale une dizaine de cartes postales vécues, c'était à peu près grâce à lui. De notre propre chef, nous n'aurions visité que le Musée Grévin.

Le choc fut rude. Sans logement, sans argent, il fallait sortir du trompe-l'œil de l'Exposition et affronter pour la première fois de notre vie un automne noirâtre et sale.

Albert nous prit chez lui, Georges et moi, tandis que mes parents louèrent une chambre dans le faubourg Saint-Denis, chez sa belle-mère.

Raymond, qui avait passé une partie de l'été avec nous, décida de rentrer s'installer à Alger.

Il me faut d'abord décrire l'appartement d'Albert : une salle à manger, un salon et une chambre à coucher en enfilade donnant sur la rue et séparés par un couloir étroit et sombre d'une cuisine et d'une salle de bains caverneuses qui donnaient sur une cour. Le tout devait faire soixante-dix mètres carrés au sixième étage d'un immeuble sans ascenseur, aux escaliers incertains gardés par une concierge sale et son fils débile. Sa loge, les alentours et les premiers étages empestaient à longueur d'année le chou, le lard et l'eau de vaisselle.

Albert était marié. Il n'avait jamais eu d'enfant et se faisait une joie de nous accueillir — Georges treize ans et moi seize — sous son toit. Il venait de loger Raymond pendant trois ans, mais Raymond était déjà un adulte et à la manière dont il jouait avec Georges, « le petit », on sentait à quel point son sentiment de paternité avait dû être frustré. Mais Albert avait une femme et avec elle il en allait un peu différemment.

Rachel était une bonbonne dont les déplacements faisaient cliqueter le lustre en verrerie du salon et qui se voyait mince. Fagotée comme la folle de Chaillot, elle se voyait élégante. Prototype de la Juive de Mellah, elle se prenait pour une Parisienne. Son visage aurait gardé de jolis restes de la beauté « grassieuse » dont témoignaient des photos anciennes si elle n'avait eu les yeux, dont le dessous était charbonné par je ne sais quelle carence de la peau, convulsés en permanence par une secousse qui partait de la nuque et lui ébranlait la tête. Son nez busqué et le branlement de son crâne lui donnaient quelque chose d'un hibou tragique quand son visage était grave. Mais lorsqu'elle souriait, elle découvrait, dans l'ovale assez pur de ses traits, une denture éclatante, à croire que la jeunesse qui l'avait désertée n'avait quitté ni sa bouche ni son front resté lisse. Elle parlait haut, riait fort, pleurait volontiers et passait d'un état à l'autre avec une soudaineté tropicale.

Il y avait aussi, logeant au septième, dans une mansarde sous les toits, Sarah la Martiniquaise qu'Albert avait ramenée de son séjour aux Antilles pendant la guerre. Elle était veuve et travaillait depuis vingt ans chez mon oncle, entretenant avec Rachel des rapports à la fois complices et orageux. Mais il était clair que n'eût été pour Albert, à qui elle vouait un véritable culte, elle ne serait pas restée dans cette maison. Sarah était majestueuse et nonchalante, avec un sourire de peu de dents mais qui rayonnait de bonté et contrastait avec l'air sévère qu'elle voulait se donner. Elle était grande, plus café au lait que noire, et ses cheveux blanchissants lui conféraient quelque chose d'une reine. Elle était bavarde, dévote, très active dans sa paroisse, et quand elle parlait de Dieu, sa croyance la transfigurait.

Mes parents avaient dû se trouver pris au piège quand Rachel leur avait proposé de louer le salon de sa mère car ils savaient très bien à quoi s'attendre. Nous connaissions cette mégère édentée qui aurait pu se promener avec un balai entre les jambes sans qu'on y vit une anomalie. Elle respirait l'aigreur et était affublée d'un fils de cinquante ans qui vivait avec elle. Immense, voûté, il avait lui aussi perdu ses dents et traînait une carcasse misérable dont il ne faisait rien. Il ne travaillait pas, se piquait, et nous savions que cette chouette et son fils étaient le lourd fardeau d'Albert qui, harcelé sans cesse par Rachel pour subvenir aux besoins des siens, faisait les frais d'une drogue qui coûtait cher.

C'est dans cet appartement sans soin, n'ayant à leur disposition qu'un salon crasseux, que mes parents devaient vivre un an, subissant la méchanceté de cette femme et la déchéance de son fils.

L'entrée du lycée Charlemagne, où l'on m'inscrivit, était située au fond d'une impasse longeant l'église Saint-Paul et qui devait être restée telle qu'elle était née, au XVIIIe siècle vraisemblablement. Le contraste de ce lycée vétuste et obscur avec celui d'Alger, éclatant de blancheur et ouvert sur la mer, me donna la sensation d'entrer dans une prison. Je pensais à Eugène Sue. D'emblée, mon accent me valut les moqueries des autres élèves. La vague pied-noir ne devait arriver que quelque vingt-cinq ans plus tard. Pour l'heure, j'étais un échantillon égaré, curieux spécimen d'un genre inconnu de ces fils de bourgeois bigots dont certains étaient en pension chez les jésuites voisins. Les Français, peuple chauvin et casanier, étaient alors nuls en géographie. Ils étaient imbus de leurs colonies mais ne savaient pas où elles se trouvaient. Un de mes condisciples me demanda s'il y avait des lions dans les rues d'Alger et comme mon faible poids faisait que j'étais le meilleur au grimper à la corde, on me dit : « Bien sûr, tu vivais avec les singes ! »

Charlemagne me prouva définitivement que l'Algérie n'était pas la France car le niveau des cours était ici très supérieur et je ne parvins jamais à atteindre la moyenne même dans les matières où je me croyais fort.

Je souffrais de tout ce noir, d'être différent, d'être seul, et certains jours, pendant les cours, il m'arrivait de verser une larme en pensant à ce paradis de soleil et de parfums que nous avions quitté.

Il régnait dans la classe un antisémitisme moins agressif qu'à Alger, plus intellectuel, plus veule. Un jour où l'on parlait de l'échec du système de Law, le professeur d'histoire dut s'interposer parce que j'avais entendu mon voisin de derrière dire : « Ça ne m'étonne pas... un Juif ! »

Chez Albert, nous dormions Georges et moi sur un divan d'une place et je passais des nuits à pleurer. L'exil est un mot qui résonne durement au cœur quand on n'en a pas fait le choix délibéré. Plus tard dans ma vie, j'aurais pu, au gré des circonstances, me fixer là ou ailleurs parce que je m'y sentais bien, mais être projeté d'un monde de lumière et de complicité dans la moiteur anonyme d'une métropole sans l'avoir décidé relevait pour moi d'une punition.

Comment les grandes villes ont-elles pu jamais exister ? Elles sont le contraire de ce que la Création a voulu. Peut-être sont-elles une protestation contre Dieu ? Dans ce cas, la démonstration est ratée. Creuser des trous sous terre pour y faire voyager des troupeaux humains ou construire des cages en béton pour les y empiler n'a rien de glorieux. On y favorise tous les maux de la terre, de la solitude au sida. Que reste-t-il de Babylone ? Babylone et Babel n'ont-elles pas la même étymologie et n'est-ce pas parce qu'on ne parvient plus à s'y comprendre qu'un jour les grandes villes disparaissent ?

Paris était vieux, noir et sale. André Malraux avait peut-être déjà pensé à lui refaire une jeunesse, mais il n'était pas encore ministre de la Culture. Nous avions tout le temps froid. Chez Albert, il y avait une salamandre qui tirait comme elle pouvait, certains jours pas du tout, dégageant une odeur âcre de gaz carbonique. Le bougnat du coin hissait sur son dos des sacs de charbon jusqu'à notre sixième ; quand je pense qu'il faisait cela à longueur de vie dans tout le quartier... L'appartement était en permanence recouvert d'une fine pellicule de charbon que Sarah époussetait en râlant. Elle râlait toujours, comme les bons apôtres, mais nous avions de la chance de l'avoir. Elle nous aimait. Elle non plus n'avait pas eu d'enfant. Rachel n'était pas mauvaise mais je compris très vite qu'en plus de la place que nous prenions, Georges et moi, sur cet espace exigu qui était le sien, nous grévions le budget de son mari de sommes qu'elle aurait préféré voir aboutir chez sa mère et son frère. Albert était un homme harcelé, rançonné, haï de sa belle-mère et de son beau-frère comme le sont ceux qui donnent trop. Il était sans cesse critiqué par une femme veule débordée d'appels, otage des siens et qui ne voyait d'autre remède aux rechutes de son frère que de les alimenter, une femme qui, pour avoir la paix, n'aurait pas vu de dommage à ce que son mari cède indéfiniment.

Jeune fille, Rachel avait vécu un certain temps dans de la famille à Bruxelles et ça lui était monté à la tête. Du fait qu'elle s'était frottée à un peu de civilisation, elle considérait de haut le clan Bacri, son mari y compris. Elle ponctuait chacune de nos « incongruités » d'un discours réparateur où il apparaissait qu'en pareil cas, les Belges (c'est-à-dire elle) se conduisaient différemment, c'est-à-dire avec classe. Ça ne l'empêchait pas de roter à table, où elle dévorait comme quatre Belges, tout en affirmant qu'elle avait un appétit d'oiseau. Se voyant toujours comme une jeune fille, elle disait : « J'ai beaucoup d'élasticité dans le corps » et nous, voyant pendre le triple bourrelet de ses bras, de ses seins ou de ses cuisses, nous pensions que l'élastique tirait vers le bas. Les samedis soir, elle nous rebattait les oreilles de son « souper belge », qui n'était autre qu'un *breakfast* anglais mis à l'heure du dîner avec thé au lait, *toasts, chipolatas* et, naturellement, choux de Bruxelles.

Albert était bon et rigide à la fois, prêt pourtant à toutes les faiblesses pour nous. Il était intéressant, savait beaucoup de choses et éveillait notre curiosité. Les nouvelles du matin et les commentaires des grands éditorialistes étaient un rite qu'il ne manquait jamais. Il était très tourné vers les affaires du monde et m'apprit à m'y intéresser.

Mais ça allait mal et je surpris à plusieurs reprises des attrapades au sujet de mes parents et de nous-mêmes. Albert avait beau fermer la porte de sa chambre, j'entendais tout. Nous étions des parasites ; maman ne fichait rien. Rachel était sans honte et sans pudeur. Elle défendait ses deux épaves en nous attaquant. C'était humain, pitoyable et triste pour Albert qui ne méritait pas cela.

Je pense à mes parents confrontés jour et nuit à la hideur d'un couple de monstres, rejetés dans ce trou à rats du faubourg Saint-Denis où les murs n'avaient pas été repeints depuis trente ans, où les tentures moisissaient, où les fauteuils n'avaient plus que des ressorts dénudés à offrir au confort. Cette année dut être pour eux un calvaire mais nous n'entendîmes jamais une plainte. Mon père vivotait des restes de l'Exposition qu'il plaçait ici et là.

Maman partit pour Alger, où elle se chargea de tout liquider, magasin, *stock*, gros outillage, laissant l'appartement à Raymond qui devait en faire son cabinet.

Il était temps que nous sortions de nos abris provisoires et que nous soyons chez nous. À la veille de l'été 1938, nous emménagions au 70 de la rue La Fayette, face au métro Cadet.

Au terme de cette première année à Paris, ma mère s'était liée à une vieille amie d'Albert, madame S., veuve dont le fils Dési, d'un an plus âgé que moi, devait devenir mon ami. Mon père s'était rapproché de son plus jeune frère Maurice, grand gazé de guerre qu'Albert avait pris avec lui dans son affaire comme homme à tout faire et chauffeur. Maurice était marié à Élisa et ils avaient deux filles, Marcelle et Simone, à peu près du même âge que Georges et moi. Nous allions souvent déjeuner le dimanche dans leur petit pavillon du pré Saint-Gervais au jardin minuscule. Le métro s'arrêtait assez loin de chez eux, à l'une des portes de Paris, et nous fûmes étonnés d'avoir à franchir l'Octroi et son gabelou d'un autre âge, survivance douanière du XVe siècle qui jurait avec la débauche de progrès dont nous avait repus l'Exposition.

Autre vestige du passé, il fallait, lorsque nous rentrions la nuit, sonner à la porte d'entrée, réveiller la concierge pour qu'elle tire le cordon et crier son nom en passant devant sa loge, faute de quoi on voyait surgir dans l'escalier une furie en bigoudis qui vous insultait. Si on voulait sortir après vingt-et-une heures, il fallait crier : « Cordon s'il vous plaît ! », faute de quoi la porte ne s'ouvrait pas et l'on finissait par être haï, surtout quand on était jeune, peu économe d'allées et venues et d'escapades nocturnes.

J'allai passer mes vacances d'été à Alger après avoir échoué, on s'en serait douté, à l'écrit du baccalauréat. L'émotion de ce bateau entrant dans la baie éclatante, le triomphe de ce soleil sur le bleu de la mer et l'immaculée blancheur de la Casbah, l'accueil familial... J'étais fêté en héros, on me trouvait l'accent parisien et je me rendis vite compte que Paris nous avait donné une dimension nouvelle. J'appréciai le privilège rare que nous avions longtemps eu de connaître une vie relativement facile sous une latitude aussi généreuse. Mais je comprenais que tout n'était pas là et qu'il y avait ailleurs des possibilités de s'ouvrir que je commençais à reconnaître. J'eus l'émotion d'ouvrir la porte au tout premier patient de Raymond, un jeune musulman égaré qui avait eu la bonne idée d'avoir mal aux dents au moment où il passait devant la plaque, fraîchement apposée, sur laquelle on lisait : « Raymond Bacri, chirurgien dentiste de la Faculté de Paris et de l'École dentaire de Paris ».

Je ne peux parler de cette plaque sans rapporter un fait significatif d'un état d'esprit qui persistait dans notre ville. Revenant avenue de la Bouzaréah en tramway, j'avais lié conversation avec une fille de mon âge assise en face de moi. Nous avions ri et sympathisé. Elle descendait au même arrêt que moi et m'accompagna jusqu'à ma porte où je lui montrai fièrement la plaque de Raymond. Je lui proposai de la revoir et elle accepta. Elle ne vint pas au rendez-vous et quelque temps plus tard, la rencontrant par hasard dans la rue, je lui fis part de mon étonnement et de mon mécontentement de l'avoir attendue inutilement, ajoutant que si elle n'avait pas eu envie de me revoir, elle aurait pu me le dire. « Je n'ai pas osé, répondit-elle, car quand j'ai vu le nom de votre frère sur cette plaque, j'ai eu peur que vous pensiez que je ne voulais pas vous revoir parce que vous êtes juif. »

Cet été, comme tous les moments heureux, n'eut pas d'histoire. Il me permit certainement de mûrir.

Rentré à Paris, je redoublai ma première au lycée Rollin, qui me parut un paradis comparé à ma sombre caserne du quartier Saint-Paul. Devenu aujourd'hui lycée Jacques-Decour, il était situé sur l'avenue Trudaine, bourgeoise, bordée d'arbres, et prêt à accueillir autant de soleil que Paris était capable d'en donner. Les classes étaient humaines, les cours de récréation assez vastes. Il n'y manquait, de même qu'à Charlemagne, que les roulements de tambour de mes années claires. Au lycée d'Alger, un concierge courtaud, à la patte folle et à la moustache batailleuse d'adjudant médaillé de 1914-1918, accrochait toutes les heures son tambour à son baudrier et allait en battre de cour en cour, se déhanchant à chaque pas, pour marquer la fin d'une classe ou le commencement d'une autre.

C'était une vieille coutume en usage depuis Napoléon et que la France oublieuse avait abandonnée mais que nous, Français d'occasion, plus impérialistes que l'empereur, avions maintenue.

Cette année 1938 est difficile à oublier pour ceux de ma génération et leurs aînés.

Léon Blum, à contretemps de l'histoire, avait quitté le pouvoir en omettant d'accomplir le seul acte qui eût justifié son Front populaire : aider les Républicains espagnols.

L'*Anschluss* et l'annexion des Sudètes devaient conduire à Munich d'où Chamberlain et Daladier revinrent couverts de honte mais acclamés par des populations dont on avait momentanément préservé le confort, au prix d'une trahison.

L'étau se resserrait, mais l'Angleterre et la France ne voulaient pas le savoir et nous, les jeunes, vivions intensément une jeunesse dont nous pressentions qu'on allait nous la voler.

Raymond, sursitaire du fait de ses études, partit faire son service militaire au Maroc avec le grade d'aspirant. Sa photo de profil, coiffé d'un képi ceint de velours bleu, fit notre fierté.

Rue La Fayette, nous avions pris nos habitudes. L'appartement comportait un vrai salon, une vraie salle à manger, deux vraies chambres, une cuisine, une salle de douches, les w.c. et un cabinet de débarras : le paradis après l'année de confinement que nous venions de passer les uns et les autres. Papa avait installé son établi dans la cuisine, persuadé que ses créations allaient conquérir la France, et s'était remis au travail dans des conditions certes moins glorieuses que par le passé, mais nous étions au début de quelque chose et nous ne voulions en voir que le bon côté.

L'immeuble était déjà vétuste et nous étions au troisième étage sans ascenseur, mal chauffés par une mauvaise salamandre, mais près du marché Cadet où se retrouvaient toutes les senteurs méditerranéennes. Tous les matins, les marchands de quatre saisons venaient y installer leurs charrettes et rien ne manquait de ce qu'il fallait comme épices, herbes, aromates pour reconstituer tout notre passé culinaire ; jusqu'à la boucherie cachère qui, loin de fournir la meilleure viande, nous vendait celle dont le goût se rapprochait de ce à quoi nous étions habitués. Il y avait même une vieille dame juive qui préparait ces feuilles de pâte tellement fine qu'elle en est transparente et dont on enveloppe en savants triangles les *bistils,* pâtés de viande frits qui sont un des joyaux de notre gastronomie. Tout autour, dans les rues Lamartine, Saulnier, Trévise, les épiciers arméniens et leurs antres débordant de cumin, curry, cannelle, carvi, noix de muscade, anchois, olives, *loukoums, halvas* et autres turqueries semblaient avoir été mis là pour nos délices.

Nos habitudes étaient reprises. Paris nous devenait plus familier. Le métro n'avait plus de secrets pour nous. Ma mère gérait la situation ; elle avait tout organisé avec le peu d'argent qu'elle avait pu retirer de la liquidation hâtive du magasin. Le transport de nos meubles, la location de l'appartement, nos inscriptions scolaires, c'était elle. Elle avait pris la direction du navire mais d'une façon tellement feutrée que nous ne nous rendions même pas compte de l'absence de Tontine et Dado. L'affaire tournait comme par le passé mais beaucoup plus légèrement, et ma mère, enfin libérée de sa tutelle, devenait autonome.

En mars 1939, Hitler annexait la Slovaquie et papa dut partir avec Albert pour Alger où devait s'ouvrir le procès de l'affaire des faux poinçons. Depuis sa mise en liberté provisoire, nous n'avions jamais relâché nos contacts avec son avocat. Albert était en correspondance constante avec Dado qui, sur place, suivait tous les déroulements de l'instruction. Aucun fait nouveau, aucune preuve n'étaient apparus en ce qui concernait papa. Le parquet n'était saisi que de la dénonciation de D., dont la culpabilité était établie et qui était resté incarcéré, mais aucun bijou de la fabrication de mon père — et il en circulait beaucoup — n'avait été trouvé revêtu d'un faux poinçon. Papa n'était donc cité à comparaître que sur des présomptions. Le dossier était clair et facile à plaider, nous disait Maître B. On ne condamne pas sans preuves et nous vîmes partir papa avec un certain serrement de cœur mais sans appréhension profonde car nous étions convaincus de le voir revenir quelques jours plus tard lavé définitivement de cette tache.

La première dépêche qui nous parvint, signée d'Albert, disait : « Première journée, impression bonne... » Nous le savions, il ne pouvait pas en être autrement, mais la deuxième dépêche laissait entrevoir des difficultés. Que se passait-il ? Sans détails, nous sentions une angoisse s'installer en nous. Nous devions apprendre par la suite que la déposition du contrôleur de la Garantie avait fait apparaître mon père comme peu consciencieux, présentant trop souvent à son contrôle des bijoux non conformes que le Contrôle était obligé de lui rendre brisés parce que d'un titre trop bas. Le contrôleur avait même bien fait rire l'assistance, les juges et les jurés en relatant que mon père, dont je devine l'air pitoyable, lui demandait régulièrement si c'était « beaucoup bas ». Dans beaucoup bas, il y a « coup bas », je m'en rends compte en écrivant cette faute de langage que mon pauvre père commettait souvent. Est-il possible que son ignorance l'ait condamné ? Est-il possible qu'il ait dû payer le prix qu'il allait payer pour n'avoir pas été à l'école et être resté dans la vie quelqu'un de naïf et de désarmé ? Rien, non rien ne justifiait ce qui allait arriver et qui était le contraire d'une erreur judiciaire. Une erreur judiciaire peut être commise de bonne foi sur un faisceau de preuves apparentes, une base d'inculpation vraisemblable. Mais lorsqu'il n'y a pas l'ombre d'un élément auquel se raccrocher sinon une dénonciation qui est l'acte le plus subjectif et le plus suspect du monde, lorsqu'un tribunal tient compte de l'antipathie et de l'ironie d'un homme qui suggère qu'incapable de fabriquer des bijoux acceptables par le Contrôle, mon père aurait choisi de les contrôler lui-même, autre démarche partiale et haïssable, quand il n'y a rien dans un dossier que des présomptions et que l'on condamne quand même, alors il n'y a pas erreur, il y a acte délibéré. Tous les acteurs, tous les témoins de cette affaire sont morts aujourd'hui. Les temps dont je parle sont révolus. Les lieux artificiellement peuplés, propices à tous les préjugés, qui conduisirent un jour notre terre à l'irrationnel et au déchaînement sont rendus à leurs habitants naturels. Il n'est cependant pas trop tard pour dire que condamner un homme comme mon père était déshonorant. Que fut le réquisitoire de l'avocat général ? Quelle oreille lui prêtèrent les jurés ? C'est facile à imaginer car mon père, hurlant son innocence, fut condamné à cinq ans de détention et jamais plus ce ne fut le même homme. À l'énoncé du verdict, la salle hurla au scandale. Maître B., dont la plaidoirie avait été brillante, demeura accablé et c'est lui, homme de droite, qui ne put s'empêcher de crier à l'antisémitisme.

Albert revint d'Alger n'ayant plus qu'une seule pensée et un seul but : faire éclater au grand jour l'innocence de son frère, pour qui il nourrissait une très grande tendresse. Ma mère posa quelques questions sauf la principale : qu'allait-elle devenir ? À Rollin, où je redoublais ma première, j'avais rattrapé le niveau général et retrouvé mes très bonnes notes dans mes matières fortes. Nous étions à la veille des vacances de Pâques. Il restait un trimestre avant le bachot. Je décidai d'interrompre mes études. Le cœur n'y était plus. Il m'avait toujours manqué une raison d'étudier, quelqu'un pour qui le faire. Aujourd'hui, j'avais des raisons de ne pas continuer. J'en fis part à mon oncle qui comprit et me proposa de me prendre comme secrétaire chez lui pour un salaire de huit cents francs par mois. Je connaissais son affaire. Pendant les deux années que nous avions passées à Paris, j'allais souvent le voir à son bureau de la rue Turbigo, dans le prodigieux déballage de victuailles qu'était le quartier des Halles à cette époque. Je l'avais quelquefois aidé et je connaissais ses fichiers, modèles de classement, les entrepôts de la rue Perronet à Neuilly où se distillait l'anis Phenix, la marque dont il était l'agent général. Il m'avait même emmené avec lui visiter quelques-uns de ses clients les plus pittoresques, quelques rares Algérois disséminés dans le quartier Saint-Paul, la rue de Trévise près des *Folies-Bergère* ou la rue Mazagran près du *Concert Mayol*.

Je pris mes quartiers rue Turbigo et notre équipe fonctionna très bien du premier jour. Tous les systèmes de classement modernes, il les avait inventés lui-même, dessinant les fiches, construisant ses fichiers de bois tendus de tissu ou de papier, établissant un jeu de références telles entre livres et fichiers qu'une erreur n'était jamais possible. Il m'avait confié le contrôle des commandes et des livraisons mais l'essentiel de notre travail n'était pas cette routine dans laquelle je m'installai très vite. L'essentiel fut l'affaire de papa, à laquelle nous consacrâmes désormais le plus clair de notre temps.

Une lettre pathétique de l'oncle Henri nous parvint d'Alger, racontant qu'il avait vu passer en bas de chez lui, dans les tournants Rovigo, une procession de prisonniers enchaînés que l'on conduisait à pied à travers la ville, d'une prison à l'autre, et qu'il avait reconnu parmi eux mon père. Albert, qui lisait à haute voix, s'interrompit, retira ses lunettes, et nous restâmes un long moment face à face, essayant de nous regarder à travers nos larmes, poings serrés dans un silence révolté qui, peu à peu, se mua en une détermination farouche : celle de sortir papa de son enfer.

Nous consultâmes André Tabet, jeune et brillant avocat qui avait été l'assistant d'Henry Torrès, l'une des grandes vedettes du barreau. Nous nous mîmes au travail comme des fourmis et je crois que personne mieux que nous à l'époque ne fit le tour d'un mot qui contenait tout le sort de mon père, le mot *présomption :* « Conjecture, opinion fondée sur des indices et non sur des preuves », disait le dictionnaire. Papa avait été condamné sur des présomptions. Il était *présumé* coupable et c'est sur ce mot que nous nous battions.

Je vais faire un saut dans le temps et en terminer avec cette affaire que tous, dans la famille, nous avons fini par occulter. Ce furent des mois, des années de douleur dont le détail se perd aujourd'hui dans un brouillard total. Il a bien fallu cependant que nous ayons les idées claires pour que mon père soit libéré, au bout de deux ans, puis amnistié plus tard par le Président de la République et réhabilité. J'y avais contribué, c'est vrai, mais l'homme, l'âme à qui mon père dut de retrouver — à défaut de ses ressorts brisés — sa dignité de citoyen, fut Albert Youmtoub Bacri, son frère, enfant comme lui du quartier de la Marine à Alger, qui me donna ma première grande leçon de courage.

Le 1er septembre 1939, les troupes nazies envahissaient la Pologne. La guerre était déclarée et la crainte des bombardements fit que de nombreuses familles quittèrent Paris.

Albert tint à ce que maman, Georges et moi partions nous mettre à l'abri en attendant les événements, et Trouville fut choisi je ne sais comment. Nous y louâmes un petit appartement pour un mois et le fait mériterait à peine d'être signalé si nous n'avions noué là un certain nombre d'amitiés qui durent encore ou que la guerre a tragiquement interrompues.

Lico était une espèce d'ours au grand cœur, bourru par peur de montrer ses faiblesses, grec de nationalité et turc d'aspect. Il était d'une force herculéenne et se sentait le protecteur de tous. Billy, parfait zazou, veste et cheveux trop longs, gravure de mode, dansant le *swing* comme personne, vendu au *jazz* et à l'Amérique, toujours drôle, et sa sœur Vicky, petite et menue comme lui, son pendant féminin. S'ils n'avaient été frère et sœur, ils auraient pu être mariés. Un vrai couple. Enfin, Marc et Bernard, deux frères d'origine russe avec qui nous devions accomplir la longue route de l'amitié.

Nous rentrâmes à Paris au bout d'un mois et reprîmes nos habitudes en attendant les événements. J'allais être mobilisable ; tout était un peu suspendu à cela.

Suspendus, le temps et l'actualité l'étaient aussi. Il ne se passait rien. La drôle de guerre ! Nos soldats tenaient la ligne Maginot. On chantait « Nous irons pendre notre linge sur la ligne Sigfried », on dansait le *Lambeth Walk*. On lisait partout « Nous vaincrons parce que nous sommes les plus forts ». À l'approche du froid, on collecta pour « le vin chaud du soldat », qui ne fut distribué qu'aux beaux jours. On fit appel à la population pour constituer des *stocks* de fer : « Avec votre ferraille, nous forgerons l'acier victorieux ». Une année plus tard, l'ex-futur acier victorieux pourrissait toujours le long des voies ferrées contrôlées par l'armée nazie.

En mai, les Allemands déclenchèrent leur offensive. Les communiqués emphatiques avaient beau se vouloir rassurants, les jeux étaient faits.

Dans les jours qui précédèrent l'entrée des Allemands à Paris, il planait sur la ville comme une brume noire et âcre. On se demandait d'abord si c'étaient les retombées des bombardements proches et puis le bruit courut que c'étaient des nuages artificiels provoqués par les Allemands pour démoraliser les populations : la guerre psychologique. La cinquième colonne était partout. La ville était dans une torpeur totale, saisie comme un cerf avant l'hallali. C'est impressionnant une ville qui se tait. Paris se couchait comme une femme qui attend qu'on la prenne. Paris se vidait. Je ne sais pourquoi j'allais encore au bureau, où il ne se passait rien, sans doute pour me rapprocher d'Albert et faire le tri dans toutes les fausses nouvelles qui circulaient. De la rue La Fayette à la rue Turbigo, j'avais traversé un vaisseau fantôme. Les voitures ne circulaient plus, les trottoirs étaient vides. En arrivant aux Halles, je vis que tous les pavillons avaient été désertés. Les maraîchers étaient tous partis avec leurs charrettes en s'allégeant de toutes leurs victuailles. Il traînait sur le macadam des tonnes de fruits et de légumes. Il n'y aurait eu qu'à se baisser pour les ramasser, mais il n'y avait personne pour les ramasser. Au bas du bureau, un amoncellement de bananes jonchait la chaussée. Alléché, je faillis en cueillir une mais j'eus honte de mon geste, comme si j'allais profaner une dépouille.

Une radio inconsciente, téléguidée par des états-majors débiles, commandait à ceux de ma classe de rejoindre Étampes, où nous serions équipés et dirigés sur nos unités. C'est qu'il y avait un plan stratégique, nous disions-nous. Et nous nous voyions déjà du côté de Bordeaux attendant les Allemands de pied ferme et les raccompagnant chez eux à grands coups d'acier victorieux. Nous y croyions encore.

Il fallait donc que je parte, mais comment ? J'allai dans le grenier de Dési emprunter son vélo de course en aluminium super allégé. Je n'avais jamais fait de vélo. Une seule fois à Trouville j'étais parti en tandem avec Dési qui avait déjà rejoint l'armée. Sa mère me remit l'objet précieux en me recommandant de « bien en prendre soin ». Le vélo périt dans la débâcle.

Je m'inquiétais de maman et de Georges, que j'allais laisser seuls, mais Albert me dit de ne pas me soucier ; il allait les conduire loin de Paris dans la camionnette de l'anis Phenix conduite par Maurice.

Je partis avec Marc et l'un de ses jeunes cousins. Quelques chutes mémorables me tinrent lieu d'apprentissage. Le soir, nous n'avions parcouru que dix kilomètres, à pied pratiquement, en fendant la marée humaine qui déferlait poussant à bout de bras voitures d'enfants, chariots, valises, vers un sud problématique. Mêlée à des soldats abusés et amers qui refluaient de Belgique, toute une population sillonnait les routes comme une coulée de lave géante. Étampes brûlait quand nous y arrivâmes. On nous demanda de rejoindre quelque autre centre de regroupement. Orléans ? Nous ne savions plus. Nous vivions comme Hamlet « une époque où le temps est hors de ses gonds ». Déjà on nous parlait de Bordeaux. Mais comment nous y rendre ? Le feu était partout. Nous avions à peine franchi les ponts qu'ils sautaient derrière nous. Des avions italiens nous mitraillèrent.

On m'avait toujours soigneusement caché le spectacle de la mort. J'aurais dû en avoir la révélation brutale devant les hécatombes de ces jours sans foi, mais nous nous plaquions au sol et, l'alerte passée, nous ne prenions que le temps de fuir comme des bêtes, laissant derrière nous des formes étendues sans noms et sans visages. Je pensais simplement que d'autres mettaient plus de temps à se relever que moi et je m'arrangeai avec mon double pour ne pas voir la réalité.

À Meung-sur-Loire, les premières bombes tombèrent. Du plateau de marchandises sur lequel nous venions de faire clandestinement quelques kilomètres pour réparer nos forces, il ne restait qu'un pauvre triangle juste assez grand pour contenir nos vélos miraculeusement intacts : vision surréaliste que nous eûmes du fossé où nous avions sauté pour fuir la vague des bombardiers. Une gare, un train anéantis. Seuls survivants : quelques hommes et trois vélos.

Un matin, sur une route départementale où s'étiraient des milliers de fuyards, un silence étrange se fit. On parle volontiers d'un bruit qui se propage, mais c'est moins impressionnant qu'un long silence se déroulant comme une nappe de coton sur l'infinie marée de tous ces gens qui s'enfuyaient sans savoir où. Ce silence précédait une phrase dite à voix basse qui courut de bouche en bouche, ne rencontrant que détresse et incrédulité. Les bagages tombèrent, des gens s'assirent sur les talus. D'autres restaient debout, pleurant ou baissant les yeux. On n'osait plus se regarder. Le pire des accablements, celui de la défaite, s'emparait de nos cœurs et de nos esprits : l'armée française s'était rendue. Nous étions battus.

Rentré à Paris, j'appris que la fourgonnette emmenant ma famille avait rebroussé chemin après avoir parcouru deux ou trois kilomètres dans la journée et que tout le monde avait réintégré la capitale, qui fut finalement le meilleur des refuges.

Paris fut bien vite pavoisé de bannières, d'oriflammes et d'étendards à croix gammée. La ville fut fléchée de poteaux indicateurs rédigés en allemand. Les bruits de bottes et les odeurs de cuir graisseux qu'elles dégageaient furent notre lot permanent. Les parades militaires, les fifres et les tambours étaient censés soulever notre admiration et rallier la population française à ces vaillants héros qui allaient défaire « la perfide Albion ».

On voyait mal alors qui pouvait tenir tête à ces hommes jeunes aussi affûtés que leurs armes, et que nous vîmes quelques mois plus tard défiler *en slip* dans la neige du bois de Boulogne, fusil mitrailleur sur l'épaule, projetant d'une seule voix leurs chants de guerre barbares.

L'occupant était correct, c'est vrai. Pas de violences, pas d'exactions, simplement une pesanteur de plomb dans une ville qui n'était plus la nôtre et où les ministères, les édifices publics, les grands hôtels étaient réquisitionnés, où, faute d'essence, plus aucun véhicule ne circulait, que les voitures militaires allemandes.

Curieusement, ce temps fut celui des amitiés et des parties fracassantes. La jeunesse ne perdait pas ses droits. Elle les exerçait avec d'autant plus de frénésie qu'il n'y avait plus de certitude du lendemain. Dési, Lico, Billy, Marc, Bernard, Vicky, Simone, Gisèle, Suzy : nous flambions les uns pour les autres, brûlions les étapes. Le couvre-feu nous obligeait à nous replier chez l'un ou chez l'autre.

En octobre, ce fut Montoire et Pétain serrant la main d'Hitler.

Un peu partout apparurent à la façade des cafés, des restaurants, des cinémas, l'inscription « Interdit aux

Juifs ». Des vitrines se couvrirent d'affichettes jaunes mentionnant « *Judisches Geschaeft* ». Puis vint une ordonnance enjoignant aux Juifs de se rendre dans les commissariats pour y faire estampiller leur carte d'identité. Une file interminable se forma devant le commissariat du faubourg Montmartre et quand vint mon tour, la préposée, émue par mon air juvénile, me dit « Je vais tamponner votre carte à l'intérieur pour que ça ne se voie pas ». J'aurais dû la remercier, mais je me raidis, exigeant d'être traité comme tout le monde, et elle apposa à regret le mot *Juif* en majuscules rouges sur la couverture de ma carte. Aujourd'hui, à cinquante ans de distance, si elle vit encore et si elle se souvient de son geste, je voudrais qu'elle sache que je ne l'ai jamais oubliée et que chaque fois que l'on évoque ces trop nombreux Français qui allèrent au-delà des désirs allemands, je me rappelle que d'autres comme elle ont su reconnaître la barbarie.

Il s'était installé entre ma mère et moi un lien très fort mais qui ressemblait étrangement à un solide compagnonnage plutôt qu'à un rapport mère-fils, sans doute parce que nous avions à faire face ensemble — Georges était encore trop jeune — à une situation difficile. Nous étions comme deux marins dans la tempête. Nous avions l'un pour l'autre un attachement profond et je me sentais déjà son protecteur. Peut-être sa réserve naturelle, qui décourageait mes propres élans, nous avait-elle fait trouver ce moyen de nous resserrer et de nous aimer sans avoir à nous le dire. L'hiver fut exceptionnellement froid et nous faisions du feu dans la cheminée quand nous pouvions trouver un peu de bois. Il fallait faire la queue pour le pain, la viande, le lait, l'huile, le beurre ; les légumes avaient disparu et nous étions voués au rutabaga, racine infâme au goût pharmaceutique. Quand on annonçait un peu de charbon chez le bougnat, il fallait attendre des heures. Ma mère et moi nous partagions les *tickets* de rationnement et partions chacun de son côté pour essayer de ramener ce que nous pouvions à la maison.

J'allais toujours au bureau, mais bientôt il n'y aurait plus de bureau car une ordonnance de Vichy allait supprimer les apéritifs fortement alcoolisés et le nôtre faisait quarante degrés.

Si je parle peu de Georges, c'est que nous n'avions pas encore comblé l'écart de presque quatre ans qui nous séparait et que chacun de nous faisait sa vie de son côté. Il s'essayait alors au métier prometteur qu'était la sans-fil. Inscrit à l'école de T.S.F. de la rue de la Lune, il en sortait tous les jours en compagnie d'un de ses condisciples nommé Charles Aznavourian et tous deux déambulaient de la Porte Saint-Denis au *milk bar* qui faisait l'angle des boulevards et de la rue Montmartre. C'était leur quartier général, le lieu où chacun débitait son histoire.

Georges fit entendre au comptoir qu'il était originaire d'Algérie. Un Compagnon de France en uniforme et béret lui dit : « Si tu veux partir chez toi, va voir de ma part... », et il lui donna le nom et l'adresse d'une dame de la Croix-Rouge.

Un décret que nous ignorions prévoyait le rapatriement des Algériens de moins de dix-sept ans. Georges était à deux mois de les avoir. C'était inespéré que l'un de nous ait la faculté d'échapper au joug légalement. Nous acceptâmes sans hésiter et, au jour dit, sur un quai enfumé et frileux de la gare de Lyon, nous vîmes arriver Georges boudiné dans un pardessus gris trop petit pour lui, un vaste carton à son nom pendant sur sa poitrine. Il dominait de la tête et des épaules une procession de jeunes de dix à quatorze ans qu'on reconduisait vers la liberté. Il devait franchir la ligne de démarcation à Saint-Germain-les-Fossés, caché sous une banquette, et nous fûmes heureux, quelques semaines plus tard, de savoir qu'il avait rejoint la famille.

Restait maman et moi. Je n'avais pas une seconde pensé à quitter Paris ; j'y vivais ma jeunesse et les moments les plus intenses de ma vie. C'était plus urgent que les dangers que je ne voulais pas voir. Inconscients, nous narguions les soldats allemands dans le métro. D'un quai à l'autre, nous leur chantions l'Internationale. Il fallait être fou.

Il fallait aussi être très égoïste et ne pas voir que ma mère, seule à la maison la plupart du temps, avait froid et peur. En mai circulèrent des bruits alarmants. Albert nous dit qu'il était question que l'on ramasse un certain nombre de Juifs pour les envoyer en Allemagne. J'accueillis la nouvelle sans trop y croire, mais je dus ouvrir les yeux et me rendre compte que maman était malheureuse. Je la trouvai un soir dans sa chambre, recroquevillée, pressentant des dangers que je voulais ignorer, et je décidai de partir avec elle.

Albert nous y poussait depuis quelques jours. Sur la ligne de démarcation, à Montceau-les-Mines, il avait un contact qui serait prévenu de notre arrivée, payé par ses soins. Il nous suffisait de nous rendre dans une certaine auberge et d'y aborder un monsieur Paul dont le signe de reconnaissance serait un béret noir.

Au jour dit, nous fîmes nos adieux à Albert, Rachel et Sarah et prîmes le train pour Montceau-les-Mines, une seule valise à la main.

Dans l'auberge, une surprise nous attendait : plusieurs hommes portaient béret. Mais le premier moment de panique passé, je me rendis compte que l'un d'eux était entouré de quatre ou cinq personnes qui n'avaient pas l'air plus hardies ni plus rassurées que nous et je me décidai à l'aborder. Il n'attendait plus que nous deux et nous demanda de nous tenir prêts pour une certaine heure de la soirée, qui était celle de la relève des sentinelles allemandes, et de le retrouver dans la petite cour derrière l'auberge.

Tout se passa dans un silence que commandait la peur qui nous étreignait les uns et les autres. Nous ne nous regardâmes jamais, ne nous connûmes jamais, comme si nous voulions disparaître les uns et les autres dans un anonymat protecteur. Monsieur Paul nous demanda de le suivre sans faire le moindre bruit. Commença alors à travers champs une marche surréaliste en file indienne dont le parcours épousait les bosquets, les rideaux d'arbres, les murets, les cabanes en bois, en un mot tout ce qui pouvait nous dissimuler à la vue d'une sentinelle et de son chien berger postés à quelques centaines de mètres et dont les dos immobiles étaient notre point de mire constant. C'était eux qu'il fallait contourner, éviter d'alerter, et nous allions, tels des Sioux, pliés en avant, avec nos valises pendantes. Le moindre écart, le moindre bruit pouvaient nous trahir.

Le plus dur pour moi n'était pas la peur, c'était maman. Jamais de sa vie elle n'avait vraiment marché et jamais elle n'avait fait de sport. Elle avait une robe qui s'accrochait partout et des talons hauts. Le terrain était difficile, semé d'embûches. Je savais qu'en temps ordinaire un tel exploit eût été impossible pour elle.

Je souffrais de la voir serrer les dents et s'affoler devant les obstacles. Lâchant ma valise, l'aidant à franchir les barbelés des clôtures, reprenant ma valise, je l'aidais, la portais. Je n'oublierai jamais le mal que me fit pour elle ce moment de torture qu'elle traversait mais il y avait au bout la liberté. Soudain, après une heure qui nous avait paru un siècle, monsieur Paul nous dit : « Voilà, vous êtes en zone libre ».

Nous prîmes le premier autobus partant pour n'importe où vers le sud. L'étonnement de monter dans ce bus sans qu'on nous pose de questions ! Notre incrédulité de n'apercevoir aucun soldat allemand, aucun signe de changement dans le paysage ! Nous retrouvions la France douce, rassurante, qui nous parut plus belle que jamais. Nous étions engourdis comme si c'était trop beau, comme si nous rêvions et, de temps en temps, je détournais les yeux prudemment pour voir si on ne nous surveillait pas, si quelqu'un ne nous cueillerait pas à la descente. J'imagine ce que doit être aujourd'hui la réaction d'un citoyen de l'Est passant à l'Ouest. Il ne doit pas croire ce qu'il voit, il doit penser qu'on lui ment et qu'on lui prépare un mauvais tour. Il doit se pincer pour se prouver que c'est bien lui, qu'il respire vraiment et, dans un premier temps, la fragilité de la liberté doit lui être plus insupportable à vivre que la certitude définitive et tragique du goulag.

Quiconque a vécu l'occupation et s'écarte, de près ou de loin, d'un libéralisme politique doit être regardé comme un individu dangereux.

Le lendemain, nous étions à Marseille et toute angoisse était levée. La Méditerranée, radieuse, me rendait mon enfance. Nous étions là chez nous et ma mère se décrispait. Sans perdre une seconde, je fis un numéro que m'avait donné Albert, rencontrai quelqu'un qui, moyennant huit cents francs par personne, me promit deux laisser-passer pour Alger. Il ne lui fallait que des photos d'identité. Il les eut aussitôt.

Ma mère connaissait des Algérois qui vivaient là. Nous fûmes accueillis chaleureusement. Nous parcourions la Canebière, le vieux port, la rue Saint-Jean, le cours Meilhan, la rue Longue des Capucins, la rue de Paradis, la rue Saint-Ferréol, comme si nous étions chez nous. Le huitième jour, nous prîmes avec beaucoup d'émotion le bateau qui nous ramenait au bercail.

En entrant dans la baie d'Alger, dont on nous avait toujours dit — est-ce vrai ? — qu'elle était une des plus belles du monde, je fus brusquement empêché de me réjouir à la pensée qu'il faudrait passer par un contrôle d'identité. Sauf cas exceptionnel, on ne délivrait pas de laisser-passer pour l'Afrique du Nord. Notre cas était bien exceptionnel puisque j'avais soudoyé quelqu'un pour y arriver, mais ce n'était pas le genre de raisonnement à tenir à un officier de police. Il y avait à Alger une commission d'armistice allemande. Dans la panique qui me gagnait, j'essayai d'élaborer toutes sortes de réponses à des questions imaginaires, mais mon cerveau était vide et je regardai maman, très calme, à qui j'avais caché que nos papiers étaient douteux et qui se croyait dans la plus parfaite légalité. Au moment de débarquer, je m'arrangeai pour qu'elle passe la première devant l'officier attablé au bout de la passerelle et laissai plusieurs personnes s'interposer entre elle et moi après lui avoir tout de même glissé à l'oreille : « On ne se connaît pas ». Elle passa comme une lettre à la poste et je poussai un ouf de soulagement. Quand vint mon tour, l'officier qui jusque-là n'avait fait de difficultés à personne, s'attarda sur mon laisser-passer, leva les yeux et me regarda longuement. J'avais l'âge des prisonniers de guerre, l'âge du Service du travail obligatoire, l'âge des résistants et j'étais juif. Tout cela me traversait la tête tandis que je soutenais son regard le plus innocemment du monde. Il soupesa mon sauf-conduit un moment comme pour essayer de savoir ce qu'il valait, puis me le tendit en disant : « C'est bon. Passez ! » Je crus que mon cœur allait se rompre.

C'était le 30 mai 1941 à sept heures du matin.

La famille était là au complet, comme toujours, mais c'est vers papa — libéré depuis peu — que nous allâmes, la gorge serrée. Il était très en forme et rien ne paraissait de ces deux années qui l'avaient marqué au point que très longtemps, en y repensant, il disait : « Je ne peux pas tout dire... » Deux ans de ce qu'un homme peut connaître de pire : l'humiliation, le mépris, la brutalité, l'agression, la grossièreté, l'atteinte à sa pudeur, les compagnonnages contre nature, la soumission au plus fort... Je ne sais quel grand écrivain a affirmé qu'un seul jour en prison brise la vie d'un homme. Nous le prenions dans nos bras sans rien dire et rien ne fut jamais dit. Nous étions tous trois de cette race que les émotions terrassent parce qu'elles submergent les profondeurs. Et puis cette famille, cette société, ces tabous, cette pudeur, tout ce que j'ai essayé de montrer dans ce livre, conspiraient en faveur du silence. Il était clair que personne chez nous ne souhaitait que l'on évoque cet épisode douloureux. Il fallait tourner la page et les événements allaient se charger de jeter un écran de fumée sur ce qui resta et reste encore pour nous l'exécrable et l'ineffaçable.

Le petit déjeuner chez Tontine et Dado fut, pour maman et moi, un festin surprenant après l'année de privations que nous venions de connaître.

Le café était du vrai café. Le lait était entier. Le pain était du pain et non cet amalgame au goût de paille qu'à Paris on nous débitait au compte-gouttes. Le beurre était sur la table. C'était du beurre du Niger, rien à voir avec un beurre normand mais du beurre. Le sucrier était plein de sucre et non de saccharine. Il y avait même de la confiture. Nous eûmes du mal à croire que le temps des ersatz était révolu. Ici, nous aurions toujours des fruits, des légumes, du poisson. Quelle chance nous avions d'être enfin réunis sur cette terre où étaient nos racines !

Dado s'était installé au rez-de-chaussée d'un immeuble de la rue Michelet, à l'angle du square Laferrière, dans les beaux quartiers. Il y tenait un comptoir d'achat et de vente de bijoux anciens. Une petite vitrine grillagée placée sous sa fenêtre et contenant quelques bibelots signalait son négoce.

Les premiers jours, ne sachant trop quoi faire de mon temps, j'allai le voir l'après-midi pour lui tenir compagnie. Il y avait toujours là des familiers, des amis qui venaient faire un brin de conversation et à la manière dont Dado me présentait et leur parlait de moi, je pris conscience de tout ce qu'il avait investi de paternel dans nos relations. Il était fier de moi et avait dressé un portrait tellement élogieux du garçon que j'étais que l'un de ses visiteurs devait me dire un jour : « J'ai misé sur vous ».

Le 6 juin, après déjeuner, j'étais au premier étage de l'avenue de la Bouzaréah, dans l'espace quasi vide qui avait été autrefois ma chambre. Raymond, dont le cabinet avait pris la place de ce qui avait été notre salle à manger, soignait un patient.

On sonna à la porte. J'allai ouvrir et vis Tontine décomposée, blême et tremblante. D'une voix qu'elle ne contrôlait pas, elle me dit qu'il était arrivé quelque chose à son mari ; un coup de téléphone venait de l'en informer. Il fallait se rendre d'urgence au 6, rue de Mulhouse... Je glissai un mot sous la porte de Raymond et sautai dans un taxi avec Tontine. Tout au long du trajet, elle se labourait le visage et balançait son corps de gauche à droite, ne sachant que dire : « Mon Dieu... Mon Dieu... » Elle était sûre que Dado était mort. Bien que gagné moi-même par la crainte, j'essayai de la ramener à un peu de calme. Rue de Mulhouse, une dame assez forte nous ouvrit la porte. Plutôt gênée, elle nous raconta maladroitement que Dado était en train de traiter une affaire avec une de ses amies, une cliente à lui, lorsqu'il avait été soudainement pris d'un malaise... Par une porte entrebâillée, j'aperçus Dado étendu sur un divan, les yeux clos, la bouche envahie d'une neige blanche. On avait tant bien que mal remonté son pantalon sans parvenir à le refermer car il était très lourd à manier. Je demeurai pétrifié, ne pus suivre Tontine qui se précipita dans la pièce en hurlant de douleur. La suite, une fois de plus, se perd dans un brouillard. Mon imagination se taisait. Ma paralysie était telle que je ne voulus pas immédiatement comprendre ce qui sautait aux yeux : nous étions chez une entremetteuse et Dado était mort sur le ventre d'une femme, l'écume aux lèvres.

La chambre du deuxième étage avait été vidée de ses meubles et le corps de Dado reposait à même le sol de pierre, enveloppé dans un drap blanc.

Nous le veillâmes deux nuits.

C'était mon premier tête à tête avec la mort. L'odeur et les bruits de ce corps... Je n'arrivais pas à admettre que, dans ce drap, cette forme raidie c'était Dado. Il avait tenu tant de place.

Le cortège partit de la maison. Nous descendîmes jusqu'à Saint-Eugène par l'avenue Durando, suivant à pied le corbillard tiré par deux chevaux. Il nous fallut pas loin d'une heure pour atteindre un mur d'enceinte sur lequel il était écrit que, passé cette frontière, le riche et le pauvre devenaient égaux.

Je pénétrai avec appréhension dans le cimetière, lieu interdit à notre enfance. C'était la première fois et je n'y étais préparé que par l'épouvante grotesque de « La danse macabre » de Saint-Saëns.

Le cortège s'immobilisa devant un bâtiment sinistre où l'on introduisit le corps tandis que nous attendions dehors. On m'expliqua que c'était pour la cérémonie du lavage, à laquelle ne pouvaient assister que quelques « purs ».

Il faisait plein soleil et nous étions couverts de la poussière des allées que nous avions traversées. Il y avait grand monde : Dado avait joué un rôle important dans la communauté.

Du bâtiment nous parvenaient des chants répercutés par ce que j'imaginais être la pierre d'une table de lavage. Dans cet espace, les voix nasillardes et fausses prenaient des proportions inhumaines. Elles avaient commencé par n'être qu'un bourdonnement et s'étaient enflées en se séparant les unes des autres comme si chacun s'était mis à crier pour soi. C'était insupportable, cette espèce de jubilation macabre qui traversait les murs. Je n'aurais eu nulle envie d'assister à cette cérémonie, mais être là, sous le soleil, à deviner chaque geste et chaque attitude d'après le ton des officiants, était une torture presque plus grande qui dura plus d'une demi-heure.

Dado fut enseveli dans son drap, à même le sol.

Quelques jours plus tard, Tontine vint à moi pour me demander si j'accepterais de m'occuper du petit commerce de son mari. Elle restait sans ressources et j'étais inoccupé. Nous décidâmes avec papa de nous partager la tâche.

C'est dans ce même mois de juin qu'un dimanche, descendant l'avenue de la Marne avec papa, nous rencontrâmes un plombier de nos amis accompagné de son fils. Il tenait d'une main un carton de pâtisseries et de l'autre une bouteille de mousseux. Il était rayonnant. « Tu fêtes quelque chose ? » lui demanda mon père. « Oui, la radio vient d'annoncer que les Allemands sont entrés en U.R.S.S. ce matin. La guerre va bientôt se terminer. »

Bien petite mise en scène pour une si énorme nouvelle !

Il se passa près d'un an et demi où la famille n'eut d'autre histoire que celle de tout le monde, celle que nous suivions sur une carte géographique mise au mur et plantée d'épingles à têtes de couleurs différentes qui figuraient, au gré des communiqués, les positions exactes de chaque armée. Des fils tendus d'épingle en épingle illustraient d'un coup d'œil l'aspect du front des opérations : noir pour l'armée allemande, rouge pour l'armée soviétique, bleu pour l'armée anglaise.

En Égypte, nous suivions les difficultés de Montgomery face à l'Afrikakorps de Rommel. En U.R.S.S., Minsk, Donetsk, Dniepr, Smolensk, Karkhov, Voronej nous devinrent des consonances familières. La rigueur de l'hiver russe confortait égoïstement nos espoirs, malgré l'avance allemande que le souvenir de Napoléon nous aidait à minimiser.

En septembre commença la bataille de Stalingrad. Pour la première fois depuis un an, nos épingles et nos fils se bloquèrent sur un point de la carte et nous avions l'impression de sentir au bout de nos doigts le raidissement des Russes. Nous savions que les soldats allemands n'étaient plus tout à fait ces espèces d'armes affûtées à la romaine que nous avions vues entrer à Paris. Ceux-là, il en était déjà tombé beaucoup et désormais le nombre soviétique allait compter.

En Afrique, la formidable artillerie d'El-Alamein résonna dans nos cœurs comme un autre signe de renversement de la situation. C'était le 23 octobre 1942. Le 3 novembre, Montgomery triomphait.

Depuis quelque temps, Raymond s'absentait pour rencontrer des gens qui « savaient ». Toutes sortes de rumeurs circulaient au sujet de l'imminence d'un débarquement en Afrique du Nord. Des contacts avaient été pris entre les Américains et des groupes de civils prêts à les aider le moment venu.

Le 7 novembre au soir, Raymond arriva tout excité en nous disant : « C'est pour ce soir minuit. » Nous étions un peu sceptiques. La radio de Londres diffusait bien le fameux message « Franklin arrive » qui, nous disait Raymond, était le code convenu, mais cela relevait plus du théâtre que de la réalité de la guerre.

À minuit, il ne se produisit rien et nous rentrâmes nous coucher en laissant Raymond à ses rencontres nocturnes. Nous dormions profondément quand, à quatre heures du matin, le 8 novembre, des coups de canons éclatèrent.

En une minute, nous étions sur la terrasse de l'immeuble, d'où nous découvrîmes un spectacle grandiose, inoubliable, la plus grande armada de tous les temps : neuf cents navires ceinturant l'horizon venaient nous rendre la liberté.

J'ai déjà raconté cette aube d'exultation, mais pas les journées qui suivirent et qui mirent Alger en effervescence. Du ventre des navires, on débarquait des tonnes d'armements, de nourriture, de vêtements. *G.I.'s* et soldats anglais commençaient à se mêler à une foule venue les accueillir au port tandis que des avions de chasse allemands et anglais se mitraillaient encore au-dessus de nos têtes.

Là-haut, dans la ville, les réactions étaient plus mitigées. Nous, nous faisions partie de ceux qui avaient vu avec inquiétude s'instaurer les *numerus clausus* dans les facultés, qui sentaient se resserrer l'étau. L'Algérie n'était pas destinée à échapper beaucoup plus longtemps au sort du reste de la France. Les alliés, en gagnant Vichy et les Allemands de vitesse, nous avaient sauvé la vie. Mais une très forte partie de la population pétainiste, gavée de propagande anti-américaine et anti-anglaise, était choquée. Son attachement au vieillard de Verdun s'accommodait mal de l'irruption de ces barbares exubérants (ils étaient, certes, moins « corrects » que les Allemands) décrits par Vichy comme les suppôts de la judéo-franc-maçonnerie mondiale et les ennemis de l'Europe aryenne.

Je déambulais rue Michelet, observant avec intérêt les visages des gens des beaux quartiers. Ils reflétaient plus souvent des interrogations, de la désapprobation, que de l'allégresse.

Dans une rue transversale, un groupe se forma devant une vitrine qui avait été lapidée. C'était celle de la Légion des Volontaires français, dont certains combattaient en U.R.S.S. dans les rangs allemands. Il régnait dans ce groupe un silence offensé que quelqu'un brisa en disant : « Je me demande qui a pu faire ça ? » « Qui voulez-vous que ce soit ? Ce sont les Juifs ! » répondit un autre.

Décidément, les alliés avaient bien fait de débarquer.

L'hiver 1942 vit les Allemands s'enliser dans Stalingrad. Le 31 janvier 1943, la bataille était gagnée. C'était le tournant.

Entre janvier et février 1943, Georges comme volontaire, Raymond et moi mobilisés, avions rejoint l'armée française. Chacun de nous partit de son côté. Nous ne devions nous retrouver qu'à la fin de la guerre, à Paris.

À partir de ce moment, la respiration de mes parents, les pensées de mes parents, les inquiétudes de mes parents furent, à l'image de milliers et de milliers d'autres, tournées vers leurs enfants. Leurs lettres furent les mêmes que des milliers d'autres. Les colis qu'ils nous envoyaient étaient faits du peu qu'ils pouvaient trouver, du beaucoup d'eux-mêmes qu'ils y mettaient.

Je fus le seul à être stationné non loin d'Alger pendant quatre mois, ce qui me permit de revoir mes parents à deux ou trois reprises. Papa avait fait le vœu que si ses trois fils revenaient vivants de la guerre, il offrirait à la synagogue une paire de *remonim* de sa fabrication. Les *remonim* sont ces structures d'argent en forme de hautes tours que l'on fixe sur les bâtons autour desquels s'enroule la *Thora* (la Loi), parchemins habillés de velours brodé d'or que l'on sort de leur tabernacle à certains moments de la prière. Il devait non seulement respecter son vœu mais encore passer le reste de sa vie à réaliser toutes sortes d'objets de piété.

Quand je fus sur le point de rejoindre l'armée gaulliste en Tripolitaine, papa vint vers moi avec une plaque d'identité en argent massif qu'il avait fait graver au nom d'Ed. Barcy, « au cas où tu tomberais aux mains des Allemands, me dit-il. Barcy, ça fait français. »

En juillet 1943 eut lieu le débarquement allié en Italie. Les vents soufflaient dans la bonne direction.

Georges à Monte Cassino, Raymond à l'île d'Elbe, firent partie de l'expédition.

Détaché comme interprète, je revins de Tripolitaine sur Alger puis sur la Kabylie pour un stage d'élève officier et ne rejoignis la France, où les alliés avaient débarqué, qu'en novembre 1944.

En 1937, nous avions cru laisser l'Algérie derrière nous, mais ce n'était qu'un au revoir. Le temps d'une parenthèse parisienne et l'Algérie nous avait à nouveau repris. On ne décide pas aussi facilement. Ni mon père qui avait eu sa dette à payer, ni Georges, maman et moi — sans parler de Raymond qui avait fait son choix — n'en avions fini avec un certain cordon dont nous avions peut-être mal mesuré la force. Devant le danger, nous avions eu beaucoup de chance de pouvoir retrouver le ventre bienveillant d'où nous sortions. D'autres, qui étaient nés à Paris, Bruxelles, Varsovie ou Berlin, n'avaient pas eu cette ressource de demander à leur enfance de les protéger. Dieu nous avait aimés en nous faisant naître là où des mains de cuir noir ne pouvaient nous atteindre.

Ces années de noces recommencées avec nos éléments naturels, nos senteurs de tradition et même nos blagues débiles qui, comme tout ce qui ignore la finesse, requéraient beaucoup de santé furent aussi une recharge de bonne chaleur avant les tunnels de froid qui nous attendaient.

Sur le pont du chasseur de sous-marins qui m'emmenait vers Toulon, je m'attardai à regarder ma ville tout enneigée de chaux et j'avais un serrement au cœur, non pas de la quitter car la blessure de la France avait été la mienne et j'avais, deux années durant, souhaité ce retour avec impatience, mais parce que je savais que, de ce côté-ci de la vie, plus rien ne serait jamais pareil.

Je m'attardai une dernière fois à la lecture de l'inscription « Nos frères musulmans » peinte en lettres géantes par des mains pétainistes, en 1941, sur les murs de la darse. Un peu tard pour duper une population à qui, pendant cent dix ans, on avait refusé la nationalité française !

Je haïssais la veulerie mensongère de cette main tendue pour le partage de la honte et de l'humiliation nazies alors que, dans notre gloire de deuxième empire mondial, nous n'avions jamais songé à faire ce geste.

J'y avais vu la première lézarde dans la muraille précaire du colonialisme, d'autant qu'à l'obséquiosité de ce « frères mulsumans » un représentant de Vichy avait cru donner un renfort en laissant entendre à l'un des grands responsables de leur communauté qu'il lui donnait carte blanche en ce qui concernait le sort des Juifs.

Juifs et Arabes coexistaient plutôt bien. Ils avaient des affinités forgées dans la fusion d'un passé commun de plusieurs siècles. Les Juifs étaient même un lien naturel entre Arabes et Français. Mais les musulmans avaient eu du mal à comprendre que les Juifs aient été faits français et pas eux. Il leur restait au fond de ressentiment qu'il était aisé d'exploiter en donnant à leur chef le pouvoir d'accomplir impunément une besogne à laquelle le gouvernement de Vichy se livrait allégrement en France mais dont il n'eût pu se justifier en Algérie. La réponse musulmane fut instantanée : « Faites votre travail vous-mêmes. Nous ne sommes pas des tueurs à gages. »

Nous devions cette information à l'amitié que ce responsable musulman avait pour certains des nôtres.

J'avais vu aussi l'étonnement des *dockers* musulmans sollicités au moment du débarquement allié pour décharger les navires de marchandises, quand ils avaient reçu pour la première fois de leur vie la même paie que les *dockers* français. Cela avait fait détonateur. Les travailleurs musulmans avaient toujours travaillé à des salaires deux ou trois fois moindres que ceux de leurs homologues français et avaient fini par croire à la fatalité de cette disproportion, mais les Américains, ignorant les nuances de la colonisation, leur avaient ouvert les yeux.

Cela aussi — je me le disais en voyant s'éloigner l'inscription dégradante qui avait suscité ma réflexion —, cela aussi pèserait lourd sur l'avenir de l'Algérie et je pressentais déjà que nos oncles, tantes, cousins, cousines et leurs enfants auraient un jour à plier bagage.

En ce début novembre, la France était glaciale. Quand les hommes se font la guerre, les éléments se fâchent. Jamais les hivers ne sont plus durs que quand les ventres des populations sont affamés. De Toulon à Melisey, le convoi se traîna huit jours dans une froidure dont je lis dans un dictionnaire qu'elle est une forme atténuée de la gelure. Dans nos wagons à bestiaux d'un autre temps, nous ne pouvions espérer aucune bonté particulière des parois fissurées, perforées, qui laissaient siffler tous les vents.

Muté au quartier général de la 2e D.B. à Saint-Germain-en-Laye, je débarquai à Paris dans la nuit du 17 décembre et me précipitai au 191, faubourg Saint-Martin, dont j'avalai les six étages. Je sonnai à la porte qui mit un long temps à s'ouvrir, un temps que justifiait l'appréhension récente d'autres intrusions nocturnes. Quand j'aperçus mon oncle Albert, je crus que mes jambes allaient me lâcher. Du taureau que j'avais connu, il ne restait qu'une carcasse concentrationnaire. Sa joie de me voir se manifesta d'une voix assourdie venant d'un corps qui ne résonnait plus. Il était spectral et, de Rachel, qui survint quelques secondes après lui, il ne restait que deux grandes taches sous les yeux et une silhouette méconnaissable.

Ils ne savaient pas eux-mêmes comment ils avaient survécu à quatre ans de quasi claustration et de toutes les privations. Rachel n'avait pratiquement jamais quitté l'appartement. Albert ne descendait que le temps nécessaire pour ramener des miettes à la maison. Encore fallait-il faire la queue partout avec une étoile jaune cousue à son manteau. Il me la montra : c'était la première que je voyais. Il y avait eu la masse des Juifs arrêtés, déportés, le lot important de ceux qui s'étaient sauvés, cachés, mais aussi les quelques-uns, aussi incroyable que cela paraisse, qui étaient restés là, tout le temps sous le nez des Allemands, balisés de jaune, et qui étaient passés entre les gouttes. Sarah, étique elle aussi, avait aidé de ses prières et des ses allées et venues, mais Sarah était noire et elle aussi n'aurait pas dû être là en décembre 1944.

Mes parents n'allaient plus tarder à rentrer à Paris car l'histoire déferlait comme jamais peut-être, au cours des siècles, elle ne l'avait fait. La machine soviétique laminait, au prix de vingt millions de vies humaines, les Allemands, dont sept millions avaient disparu. Les alliés, sentant Berlin leur échapper, poussent leurs chars vers l'Elbe où, le 25 avril 1945, Russes et Américains font jonction. Le 26, Mussolini est arrêté ; le 27, il est pendu. L'Italie change de camp. Le 30, Hitler se suicide. Le 7 mai à Reims, le 8 à Berlin, l'Allemagne capitule. C'est ce que les alliés appellent *V.E. Day*. On ne se contrôle plus. Place de l'Opéra, où un délire s'empare de centaines de milliers d'hommes et de femmes de tous les pays, de toutes les armées, j'échappe à l'étouffement, au piétinement ; quelques-uns qui avaient survécu à la guerre succombent à l'armistice.

Le 6 août 1945, je suis en permission à Paris. Dans un wagon de métro étouffant, surpeuplé, la nouvelle circule soudainement : Hiroshima est anéantie !

C'est le contraire d'un scandale ; les voyageurs hurlent de joie, s'étreignent ou se serrent la main. Plus de deux cent mille Japonais rayés de la carte. Bravo ! Vive Truman ! Puis vint Nagasaki : quatre-vingt mille ennemis réduits en cendres. La paix, enfin ! Hiro Hito jeté en bas de sa statue de dieu vivant. Du pain, du beurre, du charbon bientôt. Fini de geler, d'avoir faim.

Finies les villes plongées dans l'obscurité. L'espoir renaît sur les cendres de la bonne conscience. La guerre a coûté cinquante-cinq millions de morts (neuf millions seulement en 1914-1918) ; alors, trois cent mille atomisés de plus ou de moins...

L'homme n'est ni fou, ni cruel, ni stupide. Quand la guerre est là, il n'est plus l'homme, c'est tout. Il est l'ennemi de son ennemi et l'un des deux doit disparaître. Les moralistes en disserteront plus tard, mais en ont-ils le droit ?

En quittant Paris, en juin 1941, nous avions laissé notre appartement à ma cousine Marcelle qui venait d'épouser un non-Juif. Cela nous avait valu d'échapper à la confiscation. À l'arrivée de mes parents, Marcelle et Lucien Lefèbvre nous remirent nos clefs et le 70, rue La Fayette redevint domicile Bacri.

Nous revîmes madame S., dont le fils Dési avait été ramassé au métro Madeleine. Contre l'avis de sa mère, il avait tenu à aller retrouver une femme qu'il aimait. Les Allemands l'avaient emmené. Madame S. était aussi entêtée que son fils et, cinq ans plus tard, elle persistait à penser que Dési reviendrait. « Quelque chose » lui disait qu'il était vivant, prisonnier des Russes, et elle ne cessa jamais d'écrire aux ministères, de s'enquérir auprès des différentes associations, de guetter le retour de quelques miraculés attardés ; jusqu'à son dernier souffle elle se persuada que Dési était vivant quelque part.

Dési, Lico, Billy... ils ne revinrent pas.

Ce fut, comme après une longue maladie, une convalescence difficile, avec son régime alimentaire rendu obligatoire par toutes les restrictions. De temps en temps, un colis nous parvenait d'Amérique grâce à des amitiés que j'avais nouées dans l'armée : des pâtes, du *corned beef*, des œufs en poudre, des vêtements. Pour le reste, nous nous débrouillions avec nos *tickets* de rationnement. Quand quelque resquilleur providentiel nous en procurait en supplément, nous ne cherchions pas à savoir s'ils étaient vrais ou faux.

Pour nous chauffer, faute de charbon, nous expérimentions toutes sortes de briquettes miraculeuses qui encrassaient la salamandre et noircissaient l'appartement. Nous nous laissâmes séduire par une publicité prônant la sciure de bois, matériau ultrachauffant qui ne risquait pas de connaître la pénurie. Il fallut acheter un réchaud spécial fait d'un métal épais comme du papier à cigarette. Il suffisait de remplir un cylindre intérieur de sciure et de craquer une allumette. En une minute, le salon devenait tropical. En cinq minutes, le réchaud rougissait au point qu'on s'attendait à le voir fondre et répandre sa lave sur le parquet. En un quart d'heure, il était éteint et nous le rechargions, conscients du danger mais tellement gelés.

Pour tout arranger, notre appartement était orienté au nord, comme tout le côté pair de la rue La Fayette, choisi par les diamantaires pour sa lumière froide, qui exclut les reflets trompeurs du soleil mais qui en rejette aussi la chaleur.

Un architecte peu doué avait fait courir la canalisation d'eau principale du haut en bas de l'arête de l'immeuble faisant angle avec la rue Saulnier, c'est-à-dire plein nord. Chaque hiver, l'eau gelait et les tuyaux éclataient.

Albert, privé de sa situation du fait de l'interdiction par Vichy des apéritifs anisés, attendait qu'un décret républicain en rétablisse la consommation. Il vivotait en louant pour le compte d'un de ses vieux amis des bâches et des toiles de tentes. Ce vieil ami s'appelait Trigano. Son fils Gilbert devait un jour avoir une brillante idée*...

* Le Club Méditerranée.

Papa, installé à son établi dans la cuisine, respectait son vœu. Ses trois fils étant revenus de la guerre, il dessinait et fabriquait des *remonim* pour la synagogue.

Raymond avait fini par rejoindre Alger après être resté un temps en occupation dans la Forêt Noire.

Georges essayait un peu de tout, sans grande conviction. Son aptitude au *farniente* nourrissait les angoisses des parents, qui mettaient de plus en plus de temps à trouver le sommeil.

De mon côté, je m'engageai dans l'aventure la plus totale. Après avoir tâté du journalisme et du cinéma, je passai l'examen de la Société des auteurs, compositeurs et éditeurs de musique et je fus très fier de me retrouver avec la carte d'une société de quarante mille membres dont deux cent cinquante seulement vivent de leur métier. Tous les calculs de probabilités me donnaient donc perdant. Autant dire que si ma mère avait compté sur Georges et moi pour apaiser les inquiétudes que lui avait infligées mon père, elle n'était pas près de la sérénité.

Ça allait très mal. Mon père avait bien quelques boutiquiers qui gardaient ses bijoux en dépôt mais il s'en vendait peu. Usant de son crédit au Club des diamantaires, il essayait de faire quelques affaires de brillants. Nous étions suspendus à une cliente qui voulait, puis ne voulait plus se faire faire un solitaire et la maison manquait d'argent. Certains jours, il fallait emprunter cinquante francs d'aujourd'hui ici ou là pour aller faire le marché.

Maman accommodait les nourritures les moins coûteuses sans se plaindre pourvu que l'on n'amenât personne à l'improviste. Plus d'une fois, je vis mon père pleurer d'impuissance devant des affaires dont il attendait beaucoup et qui s'écroulaient. Il se disait poursuivi par la poisse et j'avais mal. La nuit, dans mon lit, je me demandais si ma vocation était réelle et si je ne m'y cramponnais pas par paresse. Beaucoup de tricheurs se disent artistes pour échapper aux rigueurs d'un emploi, aux servitudes matinales. Hébergé par mes parents, n'étais-je pas de ceux-là ?

Curieusement — mais les choses ne sont-elles pas toujours à double face —, les années sans un sou furent les plus riches de ma vie. Saint-Germain-des-Prés nouait des amitiés, enflammait les imaginations. On se couchait à six heures du matin après avoir mariné dans des caves à poètes et à *jazzmen,* côtoyé aussi bien des clochards que des *stars* d'Hollywood, petit-déjeuné aux Assassins d'une soupe à l'oignon pour quelques francs et après être rentré à pied faute de pouvoir se payer le métro. C'est là que je fis la découverte de cette ville que j'avais commencé par haïr et qui m'avait tellement manqué pendant les années d'éloignement.

Dans le désert de Tripolitaine, pour passer le temps, j'avais commencé à recomposer de mémoire, rue par rue, le plan de Paris, un plan approximatif à l'échelle douteuse. N'arrivant pas tout seul à reconstituer la ville, j'invitais des compagnons parisiens à m'apporter leurs lumières et nous jouions à Paris comme au jeu de l'oie.

Je découvrais maintenant cette ville de la seule façon qui convient : à pied. Entrant dans chaque cour, dans chaque ruelle, explorant les vieilles cages d'escaliers, les cités d'artisans, les villes et les villages qui font une métropole, je me remplissais d'art, de beauté et d'histoire ; je devenais un Parisien.

Georges trouva un emploi inattendu. Il fut engagé comme guide dans une compagnie de tourisme. Ses qualités d'homme de contact l'avaient fait repérer par une cliente de mon père qui lui avait proposé de conduire des groupes organisés à travers l'Europe. C'était presque plus défrayé que payé, mais c'était la belle vie, les gondoles, les palaces. Il y fallait beaucoup d'astuce et d'énergie, mais Georges n'en manquait pas.

Ce fut la première lueur positive dans la maison. L'un de nous se mettait en route, commençait à gagner sa vie.

La famille d'Alger nous visitait régulièrement en allant à La Bourboule ou en revenant de Vichy. Henri, Germaine, Éliane, Charly, Tontine, Edmée, Fernande, Robert trouvaient la table mise ou un matelas par terre. C'étaient des retrouvailles chaleureuses, bienfaisantes, des accrochages sévères aussi dès qu'on parlait de l'Algérie. Je m'acharnais à leur conseiller de faire leur valise avant qu'il ne soit trop tard. Mais ils avaient là-bas leurs racines, un peu de biens et surtout rien à faire à Paris. Ils n'aimaient pas que je les inquiète et je me fis traiter un jour d'aigri et de communiste parce que j'avais essayé un instant de me mettre à la place d'un Arabe colonisé depuis cent vingt ans.

Quand ils étaient là, l'avenue de la Bouzaréah, la rue Rovigo, la rue de la Lyre et le marché Randon s'engouffraient dans la cage d'escalier et les odeurs ancestrales envahissaient l'immeuble.

Un jour, Tontine, qui habitait chez nous avec Edmée, veuve depuis peu, et son fils Pierre, avait pris possession de la cuisine, ce qui n'était pas du goût de maman, mais le vieil instinct de domination remontait et Tontine avait décidé de ce que nous mangerions.

L'idée lui vint d'aller vider une marmite en fonte dans la cuvette des cabinets, initiative d'autant plus malheureuse que la marmite lui glissa des mains et que la cuvette des cabinets se brisa en mille morceaux. Hormis la rareté du fait et notre manque d'expérience face à une telle situation, cela ne nous réjouissait pas d'avoir à racheter une cuvette et à faire venir un plombier. Devant la mauvaise foi d'Edmée, qui accusait presque notre cuvette d'avoir attiré la marmite de sa mère, je me mis en colère et elle partit en claquant la porte.

Une heure plus tard, j'étais devant l'immeuble, sur le trottoir de la rue La Fayette, devisant avec un ami violoniste. Je lui vantais les beautés de Gershwin et lui fredonnais à l'appui de ma démonstration les premières mesures de « *Embraceable you* » lorsque je vis arriver de loin une silhouette féminine à la démarche rageuse, coiffée d'une masse blanche, comme un énorme casque qui recouvrait entièrement son visage et la moitié de son buste, ne laissant apparaître qu'un sac à main et une jupe affolée. Lorsqu'elle fut à dix mètres, je reconnus Edmée casquée d'une cuvette de cabinets neuve. Je ne sus quoi dire, ni à elle ni à mon musicien.

J'en voulais à Edmée d'attirer sur moi tous les regards de la rue, d'autant qu'un vieil instinct de chevalerie me poussa à la débarrasser de sa cuvette pour m'en coiffer à mon tour et à prendre congé de mon musicien dans une chambre d'écho.

Madame S. venait souvent voir maman dans l'après-midi. Elle savait retrouver chez nous un peu de Dési, son sujet de conversation favori. Elle était toujours la bienvenue et rencontrait là mes amis, dont Bernard qui savait si bien l'écouter. Mais la vue de toute une jeunesse vivante ne pouvait pas manquer de jeter une huile de feu sur sa plaie et Bernard me rapporta qu'un jour, elle lui avait dit : « Dans le fond, Eddy vit en parasite aux crochets de ses parents. »

Ma mauvaise conscience n'avait pas besoin de ce point d'orgue. Je lui en voulus sur le moment. Mais plus tard, lorsque — ayant réussi — j'entendis des dizaines de gens me dire : « Vous écrivez ?... Ah bon... mais à part ça, que faites-vous pour gagner votre vie ? », je pensai à madame S. avec plus d'indulgence, d'autant plus que, partisane de l'éducation à la baguette, elle avait toujours exigé que Dési ramenât de l'argent à la maison.

Une autre mouche du coche, mon coiffeur turc, un garçon de ma génération, figaro mais pas poète, lui, n'y allait pas par quatre chemins et me demandait chaque fois que je lui parlais de mon travail combien je gagnais par mois. Devant le zéro fixe de mes revenus, il avait un haut-le-corps méprisant qui me faisait me sentir le dernier des proxénètes et m'enlisait dans mon malaise. Un jour, il décida pour moi que la plaisanterie avait assez duré et m'annonça qu'il m'avait trouvé une place de vendeur dans un magasin de chaussures. Je capitulai et rentrai chez moi en me disant que je n'avais plus le droit, à vingt-cinq ans, de vivre aux crochets de mes parents. En me privant de mes années d'apprentissage, la guerre avait, il est vrai, fait de moi un adolescent prolongé et j'avais une confiance inébranlable dans l'avenir. Je savais que je ne me mentais pas, mais les agressions du dehors me devenaient intolérables et, de but en blanc, je déclarai à mon père que j'en avais assez, qu'on m'offrait une place de vendeur et que j'allais l'accepter.

Nous étions tous les deux debout devant la cheminée, lui dans sa blouse de travail grise, mâchonnant quelque chose. Il était toujours en train de grignoter un morceau de pain ou un biscuit. Il ne prit pas le temps de la réflexion. Il ne se précipita pas non plus. Très calmement, il me répondit : « Tant que je serai là, tu ne feras pas autre chose que ce que tu as choisi. »

Venant de cet homme qui jamais n'avait fait montre d'autorité ni d'esprit de décision, la sanction me fit l'effet d'un électrochoc et ridiculisa d'un coup tous mes faux scrupules. Je le regardai, rempli de chaleur et de reconnaissance. Je balayai tout ce que j'avais pu penser de ses faiblesses, de ses absences, et je le regardai comme on regarde un père. L'homme qui était devant moi n'avait plus rien du feu follet qu'il avait pu être dans sa jeunesse ; il ne restait rien du *dandy* au sourire à dix-huit carats qui conduisait son chauffeur dans les rues d'Alger. C'était un homme éprouvé, vaincu, mais qui n'acceptait pour ses enfants ni la défaite ni le renoncement. Je savais déjà que, pourvu que Dieu lui prête vie, je veillerais à ce qu'il ne manque de rien dans sa vieillesse.

Il ne manqua qu'une seule chose à la grâce de ce moment : un mot d'amour qui ne fut pas dit, un geste que j'ai appris à faire depuis mais qui n'était pas de mise entre nous. Ce geste, je le fais aujourd'hui, ici même. Je prends mon père dans mes bras et je lui dis merci.

Mais il serait injuste d'oublier celle qui avait rendu ce moment possible en tenant haut la poutre maîtresse, celle qui avait lutté contre tous les naufrages, tous les effondrements. Elle vivait mon cheminement avec terreur. Artiste, je prenais le chemin de mon père, c'est-à-dire de tout ce qui avait nourri ses angoisses, et elle rêvait pour moi de quelque fonctionnariat comme celui qui lui avait procuré les seuls moments de paix de sa vie lorsqu'elle était demoiselle des postes à Saint-Arnaud. Je m'irritais de la limite de cette ambition, mais quelle plus grande preuve d'amour pouvait-elle me donner, elle aussi, que de vouloir pour moi ce qu'elle avait connu de mieux ?

La piste d'envol qui s'offrait à moi ce jour-là était faite du rêve de mon père, mais le ciment venait de ma mère.

J'acceptai quand même la proposition que Georges me fit de devenir comme lui *tour conductor* dans une compagnie de tourisme : quatre mois de travail par an, un argent de poche assuré, une vie privilégiée en plus d'une conscience apaisée.

Quatre ans durant, je découvris au temps des vacances une Europe en morceaux : Francfort, Nurenberg, York, Le Havre. Une autre qui avait ignoré les ruines : Lisbonne, Genève, Zürich, Madrid. Et Venise, Rome, Florence, Sienne, Vezelay, Nice. Il fallait payer ces découvertes du stress permanent que représentent les déplacements, les repas, les loisirs, les humeurs, les caprices de vingt, trente, quarante personnes angoissées, méfiantes ou tête-en-l'air qui pouvaient ravager l'ambiance d'un hôtel ou vous faire rater un train. Mais c'était un prix qui valait d'être payé. Georges et moi pouvons nous targuer de cet exploit rare d'avoir fait croire à des Anglais, des Américains, des Canadiens et même des Français que nous savions très bien de quoi nous parlions quand nous leur faisions visiter des villes où nous n'avions jamais mis les pieds.

La brume se levait.

Georges se vit confier, grâce à une relation de voyage, l'implantation à Paris d'une grosse affaire de textiles de province. Je commençais à être présent sur les antennes nationales ou périphériques. L'argent était encore un mythe. Il apparaissait cependant à l'horizon, tel un mirage auquel nous commencions à croire.

Avant de prendre ses nouvelles fonctions, Georges fit son tour d'honneur en Italie, aux frais de tous les hôteliers qu'il avait connus et enrichis de tous les suppléments inespérés dont il les avait comblés : champagne, liqueurs, cigares, luxes non compris dans le programme mais qu'un bon animateur — c'était son cas — pousse son groupe à consommer le plus naturellement du monde en créant entre des gens, qui hier encore ne se connaissaient pas, un courant de convivialité.

Ce tour aux frais de la princesse, Georges l'offrit à mes parents, qu'il emmena avec lui.

Il en reste une très belle photo sur la place Saint-Marc à Venise, devant le palais des Doges : mon père, ma mère et lui sous une averse de pigeons. Georges est transformé en perchoir. Mes parents paraissent heureux.

C'était une belle idée.

De son enfance pauvre dans le quartier de la Marine, mon père avait gardé quelques phantasmes tenaces. Ainsi, quand il voulait mimer un homme important, il prenait l'attitude de quelqu'un qui enfile une paire de gants et porte un parapluie. Ces deux accessoires étaient pour lui la marque de la réussite.

Aussi ne fallait-il pas lui demander ce qu'il voulait pour son anniversaire. La réponse était toujours la même : un parapluie.

Ce 13 janvier, après déjeuner, je me trouve dans la cuisine, où papa travaille à son établi pendant que maman fait la vaisselle. Je demande à mon père ce qui pourrait lui faire plaisir, car le soir nous nous réunissions pour fêter son année de plus. Il me répond : un parapluie.

Je vais trouver Georges dans la salle à manger et lui fais part de cette demande décourageante. Georges se refuse à un cadeau aussi routinier et propose, puisque nous commençons à gagner notre vie, de leur offrir la télévision. Nous allons dans la cuisine et annonçons à nos parents le cadeau que nous allons leur faire : « Bien sûr, vous ne l'aurez pas ce soir. Il faut le temps de la commander... » On en était aux tout premiers appareils et ils étaient rares.

Mon père et ma mère quittent l'établi, l'évier, viennent vers nous, nous embrassent, nous remercient. Puis Georges et moi partons vers nos occupations.

Le soir, en retournant à la maison pour le dîner de célébration, j'éprouve tout à coup comme une gêne d'arriver les mains vides et je me dis qu'après tout, puisque mon père a demandé un parapluie... cela lui fera un parapluie et une télévision. Je lui achète le cinquantième ou le centième parapluie de sa vie et quand je sonne rue La Fayette, je cache soigneusement l'objet dans mon dos.

C'est maman qui m'ouvre la porte et je dis : « Tiens, mets ça de côté. On le lui offrira au dessert. »

Elle me répond avec reconnaissance : « Tu ne peux pas savoir la bonne idée que tu as eue. Après que vous soyez partis, ton père m'a dit : 'Tu vois, maintenant qu'ils nous offrent la télévision, je n'aurai pas mon parapluie. »

Il accueillit son cadeau avec une joie intacte, rouge de plaisir. Après toute une vie de parapluies, il n'avait pas épuisé cette soif d'être quelqu'un d'important grâce à un ustensile qu'il avait paré de je ne sais quel pouvoir princier que la télévision ne supplantait pas à ses yeux.

Papa et maman partirent passer l'hiver à Alger chez l'oncle Henri et la tante Germaine. Ce fut leur première grande trêve après les années grises de Paris et nous nous réjouissions de les savoir au soleil, dans la famille Lelouche dont les fenêtres embrassaient superbement la ville et le port. C'était à peu près la plus belle vue que l'on pût avoir d'Alger et si mon père et tonton Henri pouvaient parfois former un tandem peu assorti, ma mère par contre retrouvait en Germaine sa grande amie de toujours.

Le jour de Noël, ils étaient allés faire une visite aux beaux-parents de Raymond et ma mère, gourmande comme une chatte, avait abusé de chocolats. En redescendant, elle fut prise d'un étourdissement, tomba, et sa tête vint heurter l'arête d'un escalier de marbre. Elle resta plusieurs jours dans le coma.

À Paris, Georges et moi guettions les nouvelles. Pour la première fois, une peur me prenait qui est peut-être la plus grande de celles qu'un homme puisse éprouver, si différente de toute autre qu'elle ne peut trouver sa source que dans les profondeurs de la vie prénatale, quand l'existence de l'un dépend de la moindre respiration de l'autre, quand un rien, un essoufflement, un affolement de cellules, peut se répercuter jusqu'aux abysses en lames mortelles et créer le désarroi de l'asphyxie ou de la noyade.

C'était la première craquelure dans la santé de ma mère. Elle s'en sortit comme on sort d'un rhume, avec une aisance déconcertante qui ne porta pas atteinte à son sourire, mais en moi des remous confus subsistaient encore lorsque j'allai chercher mes parents à leur retour d'Alger. Pour comble, je ne vis pas arriver leur avion à l'heure voulue, m'étonnai, m'informai. Mal. Deux heures passèrent. Je m'affolai, téléphonai dans tous les sens et finis par découvrir que je m'étais trompé d'aéroport.

Mes parents m'attendaient rue La Fayette, épanouis, heureux des quelques mois qu'ils venaient de passer au soleil.

Il advint que Georges se maria. Mieux qu'un bon mariage, ce fut un bienfait. Il manquait à ma mère une fille ; Georges la lui donna. Mais ce fut plus que cela : ma mère avait toujours été mal à l'aise dans l'univers d'hommes auquel les mystères de la naissance l'avaient vouée. Plus qu'un simple regret, l'absence d'une fille aggravait en elle une carence fondamentale, quelque chose qui relevait de la génétique. S'il est vrai que chacun de nous porte en lui du féminin et du masculin et ne vit bien que dans le mariage réussi des deux principes, ma mère n'avait en elle que du féminin, infirmité quasi mortelle qui lui conférait une extrême vulnérabilité, une énorme difficulté à communiquer avec l'autre sexe. Dans sa quête d'un enfant femelle, il y avait plus qu'un simple caprice chauviniste, il y avait la nécessité vitale d'une bouée à laquelle se raccrocher.

C'est, je pense, ce qui explique la déception avec laquelle elle accueillit la naissance de Georges et le fait qu'elle l'ait laissé pousser comme une plante sauvage parmi les autres garçons de la rue, liberté qui n'avait été accordée ni à Raymond, ni à moi. En mettant au monde un troisième garçon, elle perdait définitivement l'espoir d'être ressentie dans son drame profond. Cela, elle ne pouvait pas l'analyser, de même que nous ne pouvions pas le comprendre. Nous étions tous des êtres complexes en panne de psychologie. C'est le genre d'avarie que l'on met du temps à réparer et le premier médecin vint de l'extérieur, paradoxalement conduit dans la maison par celui de nous trois qui avait le moins de raisons de combler les vœux de ma mère.

Ce fut Geneviève, l'image idéale de ce qu'attendait ma mère. « Blond aux yeux bleus », dans son code nord-africain, avait toujours été synonyme de « parfait ». Geneviève était blonde aux yeux bleus, belle de surcroît, douce, attentionnée et ouverte au dialogue. Je crois qu'aucun de nous ne réalisa le bonheur qui entrait dans la vie de cette femme. Il s'y ajoutait une fierté presque enfantine de ce que Geneviève soulevât l'approbation de tous ceux qui la rencontraient.

Venant d'un horizon totalement différent du nôtre, Geneviève et sa famille introduisirent chez nous une dimension qui nous était étrangère et dont nous avions sérieusement besoin : la dimension terrienne, une forme de rassurance pour les migrants que nous étions.

Avec Geneviève entra rue La Fayette le langage des fleurs et des saisons. D'une famille dont certains roulaient les « r » du terroir, elle savait appeler par leur nom ces choses vertes aux formes multiples que nous avions toujours négligemment englobées dans des appellations génériques telles que « les herbes », « les arbres ». Aucun de nous n'avait jamais passé plus de deux jours consécutifs à la campagne et les toutes premières rencontres entre les familles Lesmarie et Bacri se firent sous le signe d'un certain dépaysement respectif. Nos cuisines différaient et l'oncle Albert tiquait sur la croix que Geneviève portait sur la poitrine, mais quand les milieux sont typés, il arrive qu'ils échangent leurs différences.

Avec Geneviève commençait pour ma mère le temps des confidences possibles. Le reste de sa vie s'en trouverait transformé. Elle n'était plus tout à fait isolée ni incomprise.

De Georges et Geneviève devaient naître Laurent et Hervé, et ce fut alors l'exode saisonnier des vacances familiales. Ils emmenaient souvent les parents avec eux. Bientôt, ils achetèrent une chaumière normande, ou du moins ce qu'il en restait, aux Taisnières près de Lyons-la-forêt. Il fallut s'y mettre à trois, Georges, Geneviève et épisodiquement moi, pour qu'elle finisse par sortir des décombres. Leur apport valait par l'efficacité et le sens du bricolage qu'ils avaient toujours eu, le mien valait surtout par le spectacle que je donnais : il y avait autant de plâtre sur mon uniforme et ma casquette de peintre professionnel, autant de chaux sur mon visage et mes mains que sur les murs ou les plafonds, au point qu'un jour où nous étions allés faire une pause dans un bistrot voisin, un peintre qui se trouvait là — je pourrais dire « un confrère » — me demanda depuis combien de temps j'étais dans le bâtiment.

Cette maison était adossée à la magnifique forêt de Lyons, la plus belle hêtraie d'Europe, et bien qu'elle disposât de peu de terrain, elle avait presque l'air de commander un domaine. Ce fut pour mes parents — ou plutôt pour ma mère car mon père s'ennuyait partout en dehors de son établi — comme une manne. La rue La Fayette s'était dépeuplée depuis que j'avais moi-même pris mes quartiers hors de la bulle familiale et le tête-à-tête permanent avec un homme de plus en plus replié sur lui-même pesait souvent à ma mère.

Et puis Georges et Geneviève avaient la manière avec elle. Ils la taquinaient et elle adorait ça. On la choquait facilement par une brusquerie ou un écart de vocabulaire mais au lieu de se draper, comme on eût pu l'attendre de quelqu'un d'aussi réservé, elle surenchérissait à sa manière, en litote, et laissait ses agresseurs tout ébaubis. Comme il n'y avait rien en elle de vulgaire, la moindre trivialité de sa part suffisait à nous couper le souffle.

Elle avait des naïvetés touchantes. Georges et Geneviève recevaient un jour un groupe d'amis pour un *barbecue*. Ce mot, impossible à manier pour quiconque n'est pas bilingue, revenait sans cesse dans la conversation déformé, francisé, rendu anal dans sa dernière syllabe par tous les convives. Ma mère, qui n'avait rien dit jusque-là, sembla prendre son élan pour dire quelque chose qui se terminait par le mot en question mais, arrivée devant les trois syllabes redoutables, elle buta comme un sauteur qui cale devant l'obstacle et nous entendîmes, prononcé en deux temps d'une voix à peine audible : « barbe... couille ». Ce fut naturellement un éclat de rire général. Elle en resta penaude et comme nous lui demandions pourquoi elle avait prononcé ce mot d'une façon aussi spéciale, elle répondit : « Je n'ai pas osé le prononcer de l'autre façon. »

Papa, lui, n'en revenait pas de la vaillance de Geneviève qui, dans son élément naturel, faisait prospérer son potager, son verger, charriait du bois. « Cette femme, c'est un homme ! » ne cessait-il de dire avec admiration.

Elle lui faisait peur aussi lorsqu'elle partait pour de longues randonnées avec les enfants dans la forêt, massif labyrinthique dans lequel il était aisé de se perdre. Inquiet pour eux et pour lui-même dans l'isolement tout relatif de cette campagne qu'il vivait comme hostile, il allait et venait, longeant la muraille des premiers arbres, un poinçon acéré à la main, guettant le retour de Geneviève et des enfants.

Il avait, toute sa vie, acheté des billets de loterie, cru aux miracles avec une ténacité indestructible, à moins que ce ne fût parce qu'il avait accepté comme une fatalité de ne pouvoir s'enrichir autrement. J'avais beau lui dire que s'il additionnait tout ce qu'il avait investi dans cette escroquerie légale, cela lui ferait au total un pécule appréciable, rien n'y faisait. Il disait : « Vous verrez, Geneviève, je vais gagner... » et il énumérait déjà ce qu'il achèterait pour l'un ou l'autre d'entre nous.

Il était obsédé par l'idée de nous laisser quelque chose. C'était comme une rage de n'avoir pu devenir riche, comme si, dans sa vision de ce que devait être un bon père, entrait l'obligation d'enrichir ses enfants. Au lieu de cela, c'était moi qui depuis un certain nombre d'années veillais à ce qu'ils ne manquent de rien. Je le leur devais bien et je croyais qu'entre nous cela allait de soi. Mais un samedi, en arrivant aux Taisnières, je devais avoir la révélation douloureuse de ce que mon soutien, en même temps qu'il témoignait d'une réussite pour lui flatteuse, l'enfonçait dans un sentiment d'échec et d'humiliation.

Ce matin-là, descendant de ma voiture pour aller l'embrasser, je l'entendis marmonner entre ses dents : « Voilà le patron ! »

Je fus terrassé par une tristesse immense. Il n'y avait en moi que du plaisir à faire ce que je faisais, le sentiment de ne jamais faire assez. Je pensais à ce qu'ils avaient été, à ce qu'ils avaient souffert, au jour où mon père m'avait si royalement interdit de dévier de ma voie. Je ne faisais rien que la moitié, le quart, le centième de ce qu'ils avaient fait. C'était de ma part comme un hommage sacré à la bonté de cet homme, à la foi qu'il avait mise en moi, et je n'étais parvenu qu'à le blesser.

Je feignis d'ignorer ce que je venais d'entendre. Mon séjour aux Taisnières en fut tout assombri. Je regardais mes parents en sachant maintenant que, à cause de l'argent, quelque chose dans nos rapports était faussé. Comment leur expliquer que ce n'était pas de l'argent que je leur donnais ? C'était autre chose, c'était moi. Et d'abord cet argent ne m'appartenait pas. Il venait d'une Providence qui l'avait fait passer par mes mains comme un moyen de faire certaines choses et rien d'autre. C'était comme si j'avais entrouvert une fenêtre pour leur donner un peu d'air ou fait couler une fontaine pour leur verser de l'eau. De cela, ils n'auraient pu en aucune façon se sentir diminués. L'argent n'est que ce en quoi il se transforme. L'amour peut le changer en air, en eau, en partage, comme la pierre philosophale transmute en or le plus vil des métaux.

J'aurais pu leur dire aussi qu'ils ne m'avaient jamais rien demandé et que donc je ne donnais rien. Il y a un monde de différence entre un don et une offrande. L'un vient de ce que l'on possède et peut se donner en spectacle, prendre la forme haïssable d'une charité ou d'un dû, voire exiger un accusé de réception ; l'autre se fait comme on marche ou comme on respire, c'est un acte naturel à qui l'accomplit.

Je ne dis rien à mon père sur le moment, mais après ce jour, je m'efforçai de faire passer dans mes gestes et dans mes propos tout ce que ma réflexion avait pu m'apporter de sérénité face à la blessure d'amour-propre qu'il n'avait pas su me cacher.

Je crois que cette sérénité gagna peu à peu mes parents, mais il leur fallut plus de temps qu'à moi-même car le jour n'était pas si loin où ma mère était venue vers moi un matin, la mine défaite, pour me dire qu'une difficulté était survenue et qu'il lui fallait trouver soixante-quinze mille francs d'alors, mais qu'elle ne les accepterait de moi qu'à une condition : que je lui achète son bracelet, un très beau bijou serti de brillants, la seule vraie valeur qu'elle possédât. Comme je m'insurgeais, je la sentis devenir inflexible et je la connaissais assez pour savoir qu'elle n'aurait rien accepté d'autre que ce qu'elle proposait.

Je finis par lui dire que j'étais d'accord mais que comme je ne souhaitais pas voir ce bijou au bras de quelqu'un d'autre, je désirais qu'elle conserve la garde de mon bracelet.

Nous avions l'habitude de les emmener le dimanche dans un très modeste restaurant de la butte Montmartre que j'appellerai *La petite table.* Ils s'y sentaient à l'aise. C'était pour ma mère une occasion de s'habiller, de satisfaire sa grande coquetterie, et pour nous la surprise et le plaisir de la voir littéralement dévorer. Chez elle, elle touchait à peine à la nourriture. La contrainte du quotidien et des fourneaux la décourageait et lui donnait la nausée. Elle se mettait à table sans appétit. Elle n'était gourmande qu'au restaurant ou à l'hôtel.

Pour leurs noces d'or, je cherchai un lieu aussi mémorable que possible. Raymond se trouvait à Paris. Toute la lignée réunie, ce n'était pas si fréquent. Une association d'idées approximative me fit choisir *La Tour d'Argent.* Je voulais que ce jour soit pour eux et pour nous tous inoubliable. Je voulais les éblouir.

Ce qu'on ne peut pas prévoir chez les gens d'une simplicité fondamentale, c'est qu'ils se laissent généralement moins épater que les bourgeois par les maîtres d'hôtel et les candélabres, peut-être parce que la télévision en a fait pour eux une banalité. Mes parents s'assirent calmement, sans émoi particulier, consultèrent la carte, déroutés de n'y point trouver leur céleri rémoulade ou leur pâté de campagne coutumiers, finirent par choisir leur menu parmi les deux ou trois suggestions que nous essayions de leur faire et déjeunèrent sans extase. La vue plongeante sur l'abside et la flèche de Notre-Dame ne déchaîna pas leur enthousiasme et nous partîmes sans avoir échangé autre chose que des propos d'une grande banalité.

Le dimanche suivant, nous déjeunions à *La petite table* de nos carottes râpées et bavettes grillées habituelles lorsque, dans un silence de fin de repas, s'éleva une réflexion que j'attendais, que j'aurais pu déposer sous enveloppe cachetée chez huissier avec ordre d'ouvrir le lendemain pour vérification de mes dons prophétiques. Ce fut la voix de mon père disant : « C'est mieux que *La Tour d'Argent* ».

Le parc des buttes Chaumont, en ce jour tiède de septembre, scintillait dans un poudroiement de soleil. On avait des arbres et des fleurs une vision mouvante, étrange combinaison d'un air immobile et de mille détails qui tremblaient, se déformaient dans les couches successives d'une poussière de lumière montant des pelouses et des bassins.

D'une terrasse en surplomb, Raymond et moi avions le regard baissé vers les parterres magnifiques et presque déserts. Les buttes étaient peu fréquentées. Ce devait être un matin de semaine. Pas d'enfants. De temps en temps une personne, un couple dérivant d'un point à un autre dans le courant poudreux. Nous parlions tout en observant ces ombres flottantes surgies de quelque mirage. À un certain moment, nos regards se fixèrent sur une forme indécise qui semblait, plus que les autres, lutter contre la nappe en contre-jour et une légère angoisse nous rassembla à la vue de cette silhouette désarticulée qui paraissait se débattre comme un insecte pris dans les éléments. Il y avait dans sa démarche quelque chose de poignant et de tellement vulnérable qui était le pathétique de l'âge, quelque chose qui se montre quand le corps n'a plus tout à fait les moyens de faire ce que le cerveau lui commande, quelque chose de friable. Un plissement familier de jupe à fleurs sur des jambes fluettes nous avertit que nous ne nous trompions pas et Raymond me demanda avec une pointe d'angoisse : « C'est maman ? » Je l'avais deviné un peu avant lui et hochai la tête affirmativement. Nous avions rendez-vous avec elle. Pourquoi aux buttes Chaumont ? Pourquoi ce jour-là ?

Il vient un jour où l'enfant mesure inévitablement que sa mère, elle aussi, est de passage dans son jardin, qu'il ne l'aura pas toujours près de lui. La révélation peut lui en venir n'importe où et de n'importe quelle banale façon. Pour nous, le metteur en scène avait bien fait les choses. Pour nous suggérer l'éphémère, il avait brossé un décor d'éternité, comme s'il avait tenu à ce que cet instant se grave à jamais dans nos cœurs serrés. L'Horloger a réussi car cette seconde de ma vie s'est détachée du cadran et n'a jamais cessé de voyager avec moi.

À quelque temps de là, je traversais au feu vert dans les clous de la rue La Fayette, en levant les yeux par un réflexe coutumier vers nos fenêtres du troisième étage. Mon père était accoudé à l'une d'elles. Comme ma mère, il avait toujours paru plus jeune que son âge et, autour de sa calvitie, ses tempes semblaient devoir rester noires jusqu'à sa mort. Peut-être avait-il grisonné sans que je m'en aperçoive ? Souvent, la cécité s'installe dans le côtoiement quotidien, à moins que ce soit le refus de voir. Quelque chose en tout cas s'était fait à mon insu car ce jour-là, en regardant du côté de chez moi, j'aperçus, accoudé à une fenêtre, un monsieur tout blanc qui me fit un signe et m'invita à monter le rejoindre.

Plus que des dates précises, plus que le décompte rationnel des années, les clins d'œil du destin sont des bornes inexorables. Le moment où l'on perd une dent, le moment où quelqu'un vous dit..., le moment où votre mère..., le moment où votre père...

Malraux disait : « Dans l'ordre des mémoires, je crois que la chronologie n'est pas la vérité. » Le récit d'une vie est fait d'impressions qui affluent dans l'ordre où elles veulent et c'est cet ordre qui est juste, même s'il est désordre apparent, tant il est vrai que c'est l'affectivité qui prime sur la raison et que nous sommes le produit beaucoup moins de ce que nous avons appris que des chocs que nous avons reçus. Qui se prétend témoin objectif est de mauvaise foi. L'œil ne se peut isoler du cœur, des tripes, du plexus. Ce sont eux qui distribuent les cartes. Le cerveau peut bien essayer de mettre de l'ordre, il ne fait que contenir entre deux rives le flot de ce qui coule en nous de moins contrôlé, de moins dominé, de moins raisonné et qui nous fait ce que nous sommes.

En mai 1959, pour des raisons professionnelles, je retournai à Alger. Quinze années avaient passé depuis que, soldat, j'avais quitté ma ville sur un chasseur de sous-marins.

La situation politique n'était guère brillante. Elle avait déjà causé la chute de la IVe République, menaçait la Ve. Ma famille admettait maintenant que j'avais été clairvoyant là où je n'avais fait qu'additionner les facteurs d'une colère inévitable. On ne pouvait pas vouloir garder l'Algérie et refuser en même temps aux musulmans l'égalité des droits qu'ils réclamaient. J'étais en situation difficile. Je savais que l'Algérie française était un leurre contraire au sens de l'histoire. J'aurais pu faire mienne cette phrase que je ne devais connaître que bien plus tard : « L'Algérie, c'est le péché de la France ! » J'étais, non seulement par sentiment mais aussi pragmatiquement, partisan de l'indépendance parce que verser plus de sang était devenu inutile. Mais j'avais à faire face aux miens, à des gens que j'aimais et qui ne pouvaient se résigner à l'arrachement, à quitter leur terre, leurs biens, leurs morts et dont certains, dans le secret de leur cœur, souhaitaient le succès de l'O.A.S. D'autres, comme mon ami Charles Bessis, avaient vu leur maison plastiquée pour s'être montrés compréhensifs envers la cause du F.L.N. Pourtant, lorsque j'arrivai, les uns et les autres croyaient encore à un miracle. Aucun n'avait pris la décision de partir et mes appels renouvelés n'y firent rien. Ils voulaient tous croire que la situation pouvait encore s'arranger. Ils ne pouvaient renoncer à la terre mère tant il était vrai qu'une grande partie des Juifs était là depuis des temps immémoriaux. On retrouvait souvent chez eux les mêmes noms de famille que chez les musulmans, ce qui indiquait qu'à un certain moment la même souche berbère avait pu se scinder en deux.

La première des choses qui me frappèrent fut le changement total d'attitude de la population chrétienne vis-à-vis des Juifs. Non pas qu'il ait été difficile à comprendre. Il était au contraire d'une banalité humaine absolue. Mais par rapport à ce que nous avions connu, c'était un virage à cent quatre-vingt degrés, au point qu'il frisait le comique. J'entendais tout à coup dire : « Mon ami Bentolila... Mon ami Toledano... Mon ami Kamoun... » et je ne pus réprimer un fou rire nerveux. Décidément, le virus était increvable. On ne pouvait aborder un nom juif sans masquer son racisme d'une périphrase infantile. Naguère, c'était « Votre coreligionnaire Lévy », maintenant c'était « Mon ami Cohen ». Et pourquoi ? Parce que face à la menace F.L.N., il fallait faire front commun. Alors, on faisait ami avec les Juifs, mais leurs noms tout crus demeuraient inconsommables. Pour les faire passer, on y avait mis autrefois une sauce aigre-douce, aujourd'hui on y ajoutait du miel.

Je crois qu'aujourd'hui la cruelle leçon de l'histoire, qui rangea les uns et les autres au même niveau, a aboli les discriminations et qu'un baume de concorde a recouvert les anciennes déchirures. Mais il y aura fallu Dieu sait quelle épreuve du feu pour tous ceux-là que, malgré l'usage et le temps, je me résous mal à appeler les pieds-noirs.

En débarquant à l'aérodrome de Maison-Blanche et tout le long de la route qui me ramenait à mon enfance, je rassemblais mes souvenirs et je savais que la voie d'accès naturelle à la ville était une grande artère, la rue Mazagran, qui débouchait sur une voie royale, la rue Michelet. La grande artère était un boyau et la voie royale me parut un couloir. Quinze ans de Paris m'avaient rendu myope à mon berceau. J'étais saisi d'incrédulité. Mon cœur portait en lui une cité ouverte et généreuse et la ville que je voyais était petite, les façades rapprochées. La rue d'Isly, la rue Bab Azoun, la rue Bab-el-Oued respiraient mal.

Une autre surprise m'attendait. Sous les arcades minuscules, assis sur leurs chaises devant leurs boutiques, les mêmes commerçants étaient tous là, des centaines que je reconnaissais au passage car je les avais tous connus, ne fût-ce que de vue. Un détail cependant faisait une différence vertigineuse : ils avaient tous quinze ans de plus. D'un ami qu'on rencontre à quinze ans de distance, on peut penser qu'il a changé, mais quand votre ville entière a blanchi ou a perdu ses cheveux, quand elle s'est voûtée, rabougrie ou qu'elle a pris des bajoues, alors le doute n'est plus possible, vos souvenirs ne sont plus ce qu'ils étaient et vous n'êtes plus vous-même le jeune homme qui les a construits.

Je voulus aller au bout de l'épreuve et sonnai au premier étage de l'avenue de la Bouzaréah. C'est un docteur Bacri, étrange coïncidence, qui vint m'ouvrir et il comprit très bien que je n'aie pu résister à faire intrusion chez lui, ou chez moi. Il me laissa me promener seul dans l'appartement, qui n'avait guère changé. Le stuc tourmenté des murs jaunissait. Au-dessus de chaque porte, je retrouvai un détail oublié : des rectangles vitrés que mon père avait fait recouvrir de contre-plaqués ajourés représentant des coupes de fruits ou autres natures mortes. Des micas multicolores donnaient à chaque fruit une tonalité différente et quelque chose dans la pauvreté de cette inspiration me serra le cœur. Tout était étriqué, sombre, et ma chambre était littéralement dans la menuiserie Rodolfo. J'étais incrédule, me demandant si tout ce que je m'étais raconté au sujet de mon enfance était vrai. Tout était bien vrai, mais un autre moi-même l'avait vécu. Je n'étais plus celui-là. Je voyageais cependant avec lui. Je lui serais éternellement attaché. Je serais même totalement dépendant de lui, mais j'avais pris l'air d'un autre et j'étais aussi devenu cet autre.

J'étais triste mais heureux en même temps que mes parents ne soient pas là. J'avais vécu cette vie, mais eux l'avaient construite de leurs mains et de voir leur fierté délabrée leur aurait sûrement fait plus de mal qu'à moi-même.

L'Algérie nous avait tout donné, nous avait faits ce que nous étions, mais pour lui rester fidèles sans en souffrir, il fallait couper le cordon ombilical. C'est ce que j'étais en train de faire, pour eux comme pour moi, et j'opérais à ventre ouvert, sans anesthésie.

Il faut savoir dire adieu sans fermer ses fenêtres. D'où je suis aujourd'hui, j'aurai toujours un regard sur la rue de Bône où je suis né, sur la Bassetta de mon enfance, sur ce Noir qu'on appelait Blanchette et qui nous faisait de si bons beignets, sur mon lycée et le vieux port et l'amirauté. Et le « môle cassé ». Pourquoi l'appelait-on ainsi ? Parce que rien là-bas ne s'appelait comme ici, parce que c'était ailleurs, naguère, dans un autre monde, avec des usages perdus, des superstitions étranges, un humour bruyant.

Ce n'est pas d'hier que je parle, mais de ce que nous avons fait. Ce n'est pas vers demain que je tourne les yeux mais vers ce qui reste à faire. En cela, je suis un vieil Hébreu pour qui n'existent ni passé, ni présent, ni avenir, mais seulement l'accompli et l'inaccompli.

Le mot *adieu* n'a de sens que si on le rend à qui de droit, c'est-à-dire à Dieu. Il n'est majuscule qu'à demi :

à Dieu ce qui fut, ce qui nous fit, ce que j'ai raconté ; à Dieu ce qui est, ce qui sera et que lui seul peut dire car il connaît un temps, des heures et des lieux que nous ne pouvons pas prévoir, il a donné à nos cellules, à nos nerfs, à nos yeux, à nos mains un temps d'être et de servir.

En disant à Dieu l'Algérie, je ne quitte pas mon pays, je lui ouvre les fenêtres de ma nouvelle maison, où il est déjà entré, où il est chez lui avec son accent, avec ses accents.

Pendant le mois du *ramadan,* les musulmans, pour tromper leur faim, se promenaient sur le front de mer, une tige de jasmin à l'oreille, tenant à la main une orange cloutée de girofle. Ils se nourrissaient de senteurs. C'est un rite que je leur ai emprunté. Je parcours aujourd'hui des marronniers, des cathédrales, des érables et des aéroports. J'américanise, je germanise, j'italianise, mais ceux pour qui j'ai fait ce livre sont avec moi dans mes bagages et j'ai toujours mon orange à la main.

De petits colis commencèrent à me parvenir d'Alger. Par paquets d'un kilo ou deux, pour ne pas éveiller l'attention des douaniers, ceux de ma famille expatriaient des fragments de leur histoire, objets de tous les jours devenus précieux puisqu'ils leur permettraient bientôt de ne pas repartir de rien. Des mois durant, j'empilai dans un placard cette avant-garde de trésors enveloppés, ficelés, qui vécurent là, comme des fantômes, jusqu'au jour où je remis à leurs propriétaires ces pensionnaires anonymes et secrets.

Là-bas, la haine atteignait un paroxysme, l'horreur passait d'un camp à l'autre. L'espoir n'était plus permis après le « Je vous ai compris » mal compris de De Gaulle. De terreur en terreur, les Français d'Algérie en étaient parvenus au dilemme : « La valise ou le cercueil ». Je recevais des morceaux de valises, des morceaux d'appartements, des morceaux de passé, des morceaux d'avenir.

Puis, ce fut l'arrivée massive et désenchantée des « rapatriés ». Ainsi appelait-on, par une ironie de passeport, des gens chassés de la seule patrie qu'ils se fussent jamais reconnue. Il n'y a pas de mots pour décrire l'accablement, la détresse, l'appréhension et l'hostilité de ceux à qui l'histoire avait choisi de faire payer une injustice commise cent trente-deux ans plus tôt. On avait vu pire, on verrait pire : tous les disparus en fumée, ceux qui avaient dû changer de langue, les *boat people,* les citoyens marxistes, mais le cancer de l'un n'empêche pas la fracture de l'autre et, pour l'heure, ce lieu du monde — la France — servait d'hôpital pour grands blessés à un million de ceux qui avaient été nos voisins, nos amis, nos condisciples.

L'oncle Henri, Germaine, Charly, Jacqueline, tous les Lelouche, ma branche maternelle, vinrent s'installer avenue de Clichy, à quelques centaines de mètres de chez moi.

Deux étages de Lelouche, quelques autres pieds-noirs logés dans cet immeuble dont la construction venait de se terminer... cela sentait un peu la tribu et je me dis que mes parents ne dépareraient pas le tableau.

J'en avais assez de les voir grimper leurs cent et quelques marches souffreteuses, de leur chauffage qui n'avait de chauffage que le nom, de leurs canalisations éclatées et des fuites de gaz sournoises de leur chauffe-bain.

Sans même les consulter, j'allai trouver le constructeur et versai un acompte sur un appartement au cinquième. Cette nuit-là, je ne dormis pas. A-t-on le droit de bousculer ainsi la vie de ceux qu'on aime ? Mes raisons raisonnables de les déplacer, que valaient-elles face à l'attachement qu'ils avaient pour leur vieux quartier oriental ?

Je dis tout de suite qu'une fois installés avenue de Clichy, ils n'auraient pour rien au monde voulu réintégrer l'inconfort du presque quart de siècle qu'ils avaient connu métro Cadet, mais il fallut d'abord vaincre leur terreur du changement, puis convaincre ma mère de se défaire d'une vie entière d'inutilités amoncelées aussi bien dans ses placards que dans le cabinet de débarras. Ce qu'il y avait là faisait peur : des monceaux de journaux, de rideaux moisissants, de chaussures convulsées, de valises éventrées ; un vieux moulin à café, les lessiveuses que j'avais vu fumer dans mon enfance, tout le rebut des années vingt, trente, quarante et cinquante. On aurait pu murer cette pièce, la rayer du cadastre, ma mère ne s'en fût pas aperçue tant ce bric-à-brac n'avait d'autre origine qu'une incapacité à jeter qu'il ne serait pas difficile d'expliquer.

À contrecœur, nous décidâmes, Georges et moi, que la contrarier était finalement œuvrer pour son bien et il nous fallut plusieurs jours pour venir à bout de ce fatras démoralisant.

Avenue de Clichy, ils eurent chaud dès le premier jour. Mon père avait enfin sa pièce de travail, ma mère un séjour agréable et une vraie cuisine. Et puis la famille les entourait.

Je ne savais pas que philodendron, en grec, voulait dire « ami de l'arbre ». J'ignorais aussi que cette plante fut une liane. Je l'appris avenue de Clichy.

On vit mon père se transformer en émule de Geneviève et faire de cette banale aracée qu'on leur avait offerte quelque chose d'homérique.

D'abord, il en fit son affaire personnelle. Ma mère n'avait pas la main avec les plantes, ni avec les fleurs qu'elle aimait beaucoup mais qu'elle avait peur de voir mourir.

Le philodendron devint au fil du temps la plante, le jardin, la savane et la jungle de mon père. Il poussa comme jamais de mémoire de Bacri et se mit très vite à atteindre le plafond sans pour autant cesser de grandir. Il commença à pendre au-dessus de nos têtes et mon père, armé d'une échelle, accourut avec du fil à coudre et des punaises pour le fixer le long de la corniche. Il restait souvent là de longs moments à contempler son œuvre du même œil satisfait dont il disséquait ses bijoux. Le philo, admiré, caressé d'un regard amoureux, ne se sentit plus de joie et, telle la divinité hindoue, se mit à agiter ses bras dans tous les sens. L'un partait vers les fenêtres, l'autre vers le buffet, un troisième vers la porte. Mon père, avec son échelle, son fil à coudre et ses punaises qui n'étaient pas toujours de la même couleur, intervenait pour agencer, mettre en ordre. Deux, trois fois par jour il se ravisait, revenait, rajustait, réparait. Bientôt, le plafond fut une véritable toile d'araignée qui faisait la fierté de son aiguilleur et l'angoisse de tous les visiteurs.

Peu à peu, la maison respira ma mère, un mélange imprécis mais reconnaissable entre tous de bon savon de toilette, de tilleul, de sachets de plantes et de vanille. La vanille, elle en mettait entre ses torchons dans l'armoire à linge et à épices de la cuisine, et l'on avait envie d'ouvrir l'armoire uniquement pour les bouffées de Méditerranée, d'Inde ou d'Antilles qui s'en échappaient.

À la fin, il lui arrivait de se tromper et de glisser des sachets de vanille entre ses pulls et même ses serviettes amidonnées car c'était chez elle et dans la famille une marotte de toujours : on amidonnait les serviettes de table. Il est vrai qu'à l'œil, sur une assiette, cela donnait un carré parfait, le contraire du laisser-aller, mais à l'usage ça nous glissait sur le menton quand ça ne l'écorchait pas. Depuis notre plus jeune âge, nous avions toujours protesté contre la barbarie d'un tel raffinement mais, imperturbable, elle maintenait le cap et ne le lâcha jamais.

C'était payer d'un faible prix les délices de sa table. Elle avait appris à se débrouiller avec peu, mais ce peu embaumait la maison et comblait le palais. Sa cuisine ressemblait à sa personne ; elle était le contraire du débordement, une économie constante. Jamais de crème, de beurre ni même de poivre, mais çà et là des traces de laurier, de persil, de fenouil ou de thym, des saveurs qu'il fallait aller chercher et qui étaient uniques. Je ne parle pas ici en fils dévot. Je mêle ma voix à celles de ma tante Germaine et de sa sœur Fernande, elles-mêmes grandes cuisinières qui n'ont jamais pu me parler d'elle sans mentionner sa grande dignité et l'art inégalable qu'elle avait de mêler les saveurs. Elle savait pousser à la quintessence une pointe de vinaigre et une touche de persil quand elle nous préparait des foies de volaille. Elle ignorait le filet, l'aloyau, les viandes chères, mais de morceaux de macreuse, elle faisait de petits miracles. La viande ne cuisait jamais seule : oignons, légumes l'enveloppaient, l'imprégnaient. Elle avait l'art de faire réduire jusqu'aux plus parfaites épousailles. Elle ne faisait pas de la cuisine. Elle ne faisait, n'a fait toute sa vie, que des confitures. Un bœuf aux carottes, un poulet aux coings, un poulet aux olives se changeaient avec elle en un miel d'avant dessert. Quand elle préparait un *berbouche,* ce couscous roulé à la main sur un tapis de brins de menthe, nous en dévorions les odeurs bien avant de déclencher les craquements de nos serviettes amidonnées. Avec cette femme qui s'ouvrait peu, ne haussait jamais le ton, la cuisine devenait un langage. Elle était tout entière contenue dans la subtilité et la persuasion de ces régals auxquels elle mettait la main.

Mais si je voulais l'affoler, fatigué certains jours de trop d'agapes, je n'avais qu'à lui téléphoner pour lui demander de me préparer un *steak.* Sa matinée en était gâchée. Elle appréhendait ce simple mariage d'un carré de viande et d'une poêle comme la chose la plus compliquée du monde, un peu comme un virtuose à qui on demanderait de jouer « Au clair de la lune », et finissait toujours par me demander comme une grande faveur et un grand soulagement de me faire cuire mon *steak* moi-même.

Assise sur son lit, sur le fauteuil à bascule qui ne nous avait pas quittés depuis les jours d'enfance ou dans le jardin des Taisnières, inlassablement elle brodait. Elle avait commencé timidement par des nappes et des serviettes à fleurs, puis s'était enhardie, avait osé manipuler des canevas plus subtils, bordés de dentelles. Puis un jour elle fit une merveille d'ajours bordés de bleu et de motifs au fil d'or, nuages de nappe et de serviettes d'une telle finesse que je n'ai jamais osé m'en servir. Chacun de nous à tour de rôle recueillait pour sa maison ces trésors de patience et de minutie.

Quand elle en eut épuisé la veine, elle se tourna avec une appréhension nouvelle, tant elle craignait de ne pas réussir, vers la tapisserie. J'allais avec elle près de la Bastille acheter des canevas qu'elle voulut d'abord très simples « pour essayer ». Ce furent de petits tapis de laine, des descentes de lit comme on en voit beaucoup, mais quand elle se fut prouvé sa compétence, elle me demanda d'aller choisir avec elle des canevas plus nobles. Cela commença par la réplique d'un tapis romantique du XVIIIe siècle dont chaque bouquet était différent. Carré par carré, on vit pendant un an se construire les douze bouquets que nous portâmes un jour à assembler. Cette première tapisserie, elle me la donna et entreprit immédiatement d'en faire une autre pour Georges et Geneviève.

Sa boîte à ouvrage et ses écheveaux près d'elle, elle régnait sur ses fils, ses aiguilles, ses toiles sur lesquelles elle laissait courir ses doigts devenus très experts, et se balançait doucement dans son fauteuil en murmurant des chansons d'un autre temps. Il y avait sinon du bonheur, du moins une grande paix dans le contrepoint de ses gestes et de sa voix, pas une faute, jamais, pas un point raté. Tandis qu'elle brodait, mon père, dans une autre pièce, ciselait ou découpait et tous deux se rejoignaient dans la perfection de leurs artisanats plus complètement qu'ils avaient jamais pu le faire dans leur vie de couple.

Elle fit encore un tapis à fond gris-bleu, d'un seul tenant celui-là, magnifique inflorescence aux nuances infinies, aux dégradés imperceptibles, ouvrage d'une maîtrise totale, d'un goût sans faille. Puis ses mains s'arrêtèrent, sa boîte à ouvrage se ferma et elle prit sa retraite. Elle avait donné dix ans de sa vie, dix ans de ses yeux à cette œuvre de fée de l'ombre qui, dans un sursaut de son instinct, avait voulu qu'il restât de son passage quelque chose de tangible pour parler d'elle à ses enfants.

LAVE-TOI LES MAINS, MON FILS,

Aussi généreux que l'on puisse être, on ne donne jamais qu'une faible partie de soi-même. En quittant la tribu, l'homme a perdu le sens du don total. Trop d'artifices l'inclinent à penser en bien de lui-même. L'argent, par exemple. Quand il en a donné beaucoup à ceux qu'il aime, il croit avoir été bon. Mais que ceux-là disparaissent et il se rend compte qu'il n'a pas forcément su répondre à leurs besoins fondamentaux.

J'avais été un bon fils. Les vingt-cinq dernières années de la vie de mes parents, je les avais prises à mon compte. J'avais permis à mon père de prolonger sa vie d'artisan.

Le voir coiffé de sa visière de celluloïd teintée de vert, son éternelle loupe d'horloger rivée à l'œil droit comme pour traquer l'imperfection d'une soudure ou la pureté d'un serti, ramenait les anachronismes aux enfances de la création.

On ne travaillait plus ainsi dans les années cinquante. La machine à emboutir le métal blanc emplissait les vitrines de bijoux de série faits d'un seul tenant, qui n'avaient plus de l'art oriental qu'une apparence flatteuse à portée de toutes les tentations.

Il œuvrait en clair-obscur. La coulée diffuse de sa lampe de travail ne gardait dans son halo que le collier, le bracelet ou la bague en cours sur le triangle de l'établi logé en encoignure dans le fond de son atelier, abandonnant à la pénombre son dos arrondi recouvert d'une blouse grise, son chalumeau, son pédalier, la perceuse qui pendait du plafond, la balance ancienne, voilier aux plateaux de cuivre où traînait toujours quelque pierre oubliée.

Papa fondait, laminait, tréfilait, ciselait, filigranait des modèles uniques faits de pierres et de métaux précieux soumis à des taxes, à un contrôle, aux contraintes de l'administration. Face à l'impitoyable chaîne de bimbeloterie qui le broyait, il ne voulait pas voir que la bataille devenait impossible. Son temps et son art avaient un prix qui n'était plus d'époque.

Seuls quelques connaisseurs étaient à même d'apprécier le temps passé, l'alchimie des mains et la finesse du regard, adeptes platoniques qui ne faisaient pas souvent tinter la caisse paternelle. Le jouet coûtait cher. Mais voir mon père, à quatre-vingts ans, retrouver ses yeux d'enfant pour contempler, en l'élevant vers la lumière de son établi — qu'il n'avait jamais quitté depuis l'âge de onze ans —, sa dernière création défiait tous les paradoxes.

Fallait-il le priver de l'illusion d'être ce qu'il avait toujours été, le Meilleur Ouvrier de France depuis 1933, au risque de le voir mourir à son œuvre, mourir à lui-même prématurément ?

Comment aurait-il vécu s'il avait dû renoncer vingt-cinq ans plus tôt à sa fierté d'artisan et laisser au repos ses mains qui étaient à la fois son intelligence, son âme et peut-être son seul moyen de communication réel avec les autres ? Envahi d'un sentiment d'inutilité, blessé dans sa conviction qu'il avait du talent mais que personne ne le reconnaissait, il aurait peu à peu tourné le dos à la vie car, dans la grande difficulté d'être qui était la sienne, il avait fini par ne plus s'identifier qu'à son travail et à ne plus exister en dehors de ce dialogue qu'il entretenait huit heures par jour avec ses matériaux, avec ses outils. Soustrait du monde extérieur, fuyant les réalités, il avait trouvé dans l'infinité de problèmes que lui posait le montage de ses bijoux une façon d'occulter ses angoisses fondamentales, peut-être aussi une façon de se refaire, par les voies d'une recherche ludique, obsessionnelle, une autre enfance sinon meilleure du moins plus acceptable que celle qui avait été la sienne.

Je n'avais pas voulu cet enfermement et nous en souffrions tous mais c'était sa sauvegarde, au point que chaque fois qu'il devait s'absenter pour quelques semaines de son établi, c'était comme si on l'arrachait à sa fontaine de vie. Il devenait une âme errante.

C'était le cas lorsque je les envoyais loin des hivers parisiens trouver un peu de tiédeur sur la Côte d'Azur.

Je ne suis pas sûr que ma mère y trouvait son compte car elle avait alors en lui un compagnon taciturne, maussade, triturant sans cesse la plaie de son inactivité, ajustant sans cesse les motifs d'argent qu'il emportait dans une lourde valise, promenant son carnet à dessins et combinant — c'était son mot — de nouveaux modèles, s'abstrayant de tout.

Je ne suis pas sûr que la douceur du climat, les amitiés nouées avec d'autres couples retraités et les liens épistolaires qui s'ensuivaient compensaient pour elle l'absence des confidents qu'à Paris elle pouvait trouver en mon frère Georges, ma belle-sœur Geneviève ou moi-même.

Mais c'est ainsi que les choses se passèrent. C'est ainsi que je crus toujours faire pour le mieux, même si je savais qu'on ne règle jamais rien matériellement et que, en améliorant les conditions de vie d'êtres souffrants comme l'étaient mon père et ma mère, je ne pouvais pas guérir leur misère mais simplement la transporter dans un cadre supportable.

Ils n'avaient pas été plus heureux dans le palace de la Croisette, où je les avais installés une année, que dans le meublé austère de la rue Hoche où ils avaient fini par prendre leurs quartiers d'hiver.

C'était Cannes sans le soleil ni la mer. Ce n'était pas ce dont je rêvais.

J'avais longtemps combattu leur prédilection pour l'ombre, mais je crois que l'ombre les rassurait. Ils préféraient les lumières basses, comme si vivre au grand jour était impudique.

Comme tous ceux qui ne tirent pas un bonheur de leur enfance, ils redoutaient d'éclairer la part d'eux-mêmes qui était restée meurtrie, la voulaient invisible de peur de n'être point acceptés dans leur détresse primitive.

Trop de lumière aurait empêché les autres de les aimer. On n'aime pas les pauvres parce qu'on ne peut rien pour eux. L'amitié se nourrit de la capacité de comprendre l'autre et de l'aider, mais quand la détresse de l'autre est inaccessible, alors on se décourage et on déserte.

Ils avaient le sentiment d'être insecourables donc infréquentables si les gens avaient pu soupçonner l'étendue de leurs besoins. Alors ils se cachaient et, sans le savoir, ils avaient fait l'ombre dans leur maison comme en eux-mêmes.

Vers la fin des années soixante, la santé de maman avait commencé de fléchir.

Elle n'avait jamais été robuste. Frêle comme un moineau, aussi discrète au physique qu'elle l'était dans ses manières, elle avait toujours eu l'extraordinaire résistance des gens fragiles. « Sujette à des maux de tête », c'est tout ce qu'aurait pu dire, jusqu'à ce qu'elle atteigne l'âge de soixante-quinze ans, un rapport médical.

Les maux de tête ne sont pas une maladie. Ils sont toujours le S.O.S. d'un organe en difficulté, d'une vertèbre en porte-à-faux ou d'un nerf qui ne retrouve plus son circuit. Mais depuis que l'acide acétylsalicylique a pris pour pseudonyme l'aspirine, on a appris à les faire taire sans les interroger.

Pour moi, les migraines de maman relevaient essentiellement d'un torticolis chronique. Sa vie durant, elle avait anxieusement suivi du regard un homme qui titubait sur le fil des affaires comme un funambule qui n'aurait jamais été à l'école du cirque, le regardant faire avec le vertige de quelqu'un qui a une maison à tenir, trois garçons à élever, passant son temps à tendre des filets, à le rattraper par la manche.

Il jonglait en désordre et elle arrêtait les assiettes avant qu'elles ne s'écrasent sur le sol.

Il était le prince des artisans mais n'avait su rester à son établi où il était inégalable. Elle avait passé sa vie à gérer son erreur d'aiguillage, à coups de nerfs et de tubes d'aspirine.

Et puis la polyarthrite lui était tombée dessus, comme une chape sur le pauvre monde, qui vous fait un pantin de plomb de l'être le plus agile. Elle qui était restée étonnamment mobile pour ses soixante-quinze ans se mouvait maintenant comme un vieil automate et mettait des secondes interminables à venir m'ouvrir la porte.

Georges, Geneviève, Nelly-la-fidèle, qui depuis des années avait suivi maman de la rue La Fayette à l'avenue de Clichy et qui, en plus de ses services trois fois par semaine, lui avait donné son affection, comme le faisaient tous ceux qui avaient su franchir le seuil de sa réserve... nous faisions ses courses, sa cuisine.

Sur le même palier habitait un médecin, rapatrié lui aussi. Sa présence avenue de Clichy était un symbole rassurant.

Et puis, la famille l'entourait.

Ce n'était pas seulement ma famille qui avait débarqué dans cet immeuble, c'étaient les racines, les effluves de mon enfance. Aujourd'hui que tous l'ont déserté, les aînés parce qu'ils ont disparu, les plus jeunes parce qu'ils ont émigré vers d'autres quartiers, l'immeuble est là comme un pan refroidi de moi-même. J'y avais connu, vingt ans après avoir quitté l'Algérie de ma jeunesse, comme une remontée de mes souvenirs à travers les personnages, bien sûr, à travers les liens qui s'étaient renoués, les habitudes retrouvées. Les cousins, les amis, tous les visiteurs y déposaient leurs litanies d'exilés involontaires, leur rancœurs contre De Gaulle, mais aussi leurs rires aussi prompts à jaillir que leurs colères, leur accent qui souvent les faisait comiques malgré eux... tel ce cousin Akoun, que le « u » de son patronyme sauvait d'une identité malsonnante. Fraîchement débarqué d'Alger, il venait d'essuyer, pour son baptême de la place de l'Étoile en voiture, une bordée d'injures monosyllabiques et feignait de s'émerveiller de la bonhomie et de la sagacité de ces automobilistes parisiens qui, sans le connaître, l'interpellaient déjà par son nom.

Aujourd'hui, alors que les images et les paroles s'estompent et s'assourdissent, des bouffées de parfums restées vivaces me parlent de cet angle de la rue Le Chapelais où Henry Miller venait jadis brûler sa jeunesse.

Il traînait toujours dans l'ascenseur des senteurs de cumin, de crouïa ou d'eau de fleur d'oranger. Lorsque, au dixième, ma tante faisait frire ses pâtisseries ou ses feuilletés à la viande, le deuxième et le cinquième en recevaient leur part. Lorsque, au cinquième, ma mère faisait du couscous ou du berbouche, les deux autres étages étaient prévus dans la distribution. L'ascenseur se faisait monte-plats et j'éprouvais quelque chose de très profond à respirer ces odeurs. C'était plus qu'un plaisir des sens, plus qu'une simple nostalgie : une rassurance, un bien-être lié à cet acte sans pareil, rempli de tous les trésors du cœur, qu'est l'offrande de la nourriture. Rien au monde n'est plus chargé de sens que ce geste de partager l'essentiel, le vital. On peut mentir avec l'argent, on ne ment pas avec la nourriture. Il y a quelque chose d'archaïque en nous qui fait qu'on ne partage pas le pain, le lait ou le miel avec qui on n'aime pas. Une ancienne terreur, la vieille peur de manquer, fait que se défaire de sa nourriture, c'est donner de soi-même et non pas de ce qu'on a. C'est un acte plein de chaleur et j'aime ces gens qui préparent pour eux et pour les autres ; ils ont ce quelque chose qui vient de la Méditerranée et que l'homme moderne a perdu.

C'est à peu près au moment où maman fit sa polyarthrite que mon père commença à avoir un comportement inquiétant. Il avait toujours été plus que distrait, absent, se plaignant toujours de trous de mémoire qui le mettaient hors de lui, en proie à une panique qui n'était qu'angoisse de vieillir. Il en était de sa mémoire comme de tout le reste : il l'avait déléguée à ma mère et avait perdu l'habitude de s'en servir. C'était elle qui, depuis toujours, réglait les comptes, gérait le budget, faisait face aux difficultés, parait, réparait, prévoyait. Il savait qu'elle n'oubliait rien et lui laissait assumer cette fonction pour lui, de même que l'habiller et le nourrir. Il n'avait jamais su faire un café ni un *toast* et vivait en état de dépendance totale.

Dans les premiers temps, il ne voulut pas voir le mal qui la frappait. Ignorant sa démarche chancelante et sa difficulté à respirer, il continuait d'attendre qu'elle ait pour lui les mêmes gestes et les mêmes prévenances que toujours. Puis, voyant qu'elle n'y parvenait plus, il se mit à dériver. C'est là je crois que pour la première fois il sentit que sans elle il était perdu. Quand elle fut forcée de s'aliter, la terreur s'empara de lui.

Il y a toujours, en quelque recoin de l'adulte, des exigences nourricières, « besoin absurde, disait Proust, que les lois du temps rendent difficile à satisfaire et impossible à guérir ». L'homme se fait une apparence de force et finit par croire qu'il est ce que les autres voient, mais son identité profonde est ailleurs car son enfance ne le quitte jamais, ni la source de ses jours. Parfaite ou imparfaite, celle qui lui a donné la vie reste son seul ferment de vérité parce qu'elle est la clef de cette part de lui-même qui n'a jamais grandi et qui le dénoncera toujours. C'est étrangement le jour où elle faiblit que l'on mesure son poids, le jour où elle nous a quitté que se révèle l'étendue de sa présence.

Nous prenions la mesure de notre mère. Toute la vie, elle avait été une plume, un souffle, et soudain nous nous rendions compte que c'était ce souffle qui nous avait portés.

L'avenue de Clichy, qui avait été le lieu de nos parents, de « mes enfants », devint le lieu de ma mère. Tout gravitait autour d'elle. Nous dormions là à tour de rôle, assurant l'intendance, faisant manger mon père. Leurs voisins — frère, belle-sœur, cousins et leurs enfants — ne passaient pas devant la porte du cinquième sans s'arrêter quelques minutes, qui pour apporter un potage ou un gâteau, qui pour faire une piqûre. Les médecins se succédaient et la vie, qui jusque-là s'était tenue dans le salon-salle à manger, autour du couple, la vie maintenant convergeait vers la chambre où ma mère était couchée. Mon père n'était plus à son établi ou très peu. Nous le voyions rôder dans le couloir, dans la cuisine, contemplant ses doigts qu'il passait son temps à peler obsessionnellement. Vieux tic d'un artisan qui avait fait sa vie avec ses mains et avait l'air de ne plus trouver qu'elles dans le délaissement où il se voyait plongé. Il se sentait abandonné et dans son œil de vieillard-enfant, cet œil si désarmant de naïveté qu'on y lisait comme à livre ouvert, on percevait toute la gamme des sentiments primitifs qui l'agitaient : l'incrédulité, la détresse, la peur, les reproches, tous les reproches et parmi eux le pire de tous : celui de la trahison.

C'était très dur à vivre, ce désarroi d'un être totalement satellisé qui ne trouvait plus son soleil. Sans ma mère, il était condamné à mourir de froid. Ses ressources, il ne les connaissait pas puisqu'il avait laissé l'autre gérer chaque seconde de son existence. L'autre lui avait donné des enfants qui, eux aussi, s'étaient mis à penser pour lui et voilà que, pour la première fois, ses enfants le croisaient dans un couloir sans s'arrêter parce que la toile se tissait autour de l'autre. Aussi attentifs que nous fussions à ses besoins, il ne voyait que la part de nous-mêmes qui s'était provisoirement détachée de lui et ce lui était une privation intolérable. Nous le savions, nous le voyions, mais il y avait dans la maison un ordre d'urgence et, au dehors, nos affaires qui n'attendaient pas.

Alors, au passage, il quêtait des miettes d'attention. Quand le médecin passait, il avait un point ou une douleur à lui signaler, sa tension à faire prendre. Tout le monde comprenait, tout le monde jouait le jeu. Il avait même lui aussi ses piqûres que Charly ou Jacqueline, mes cousins, venaient lui faire. Maigre rassurance pour quelqu'un à qui la discrétion légendaire de ma mère avait toujours laissé le devant de la scène et qui subitement se trouvait rejeté en coulisses.

Il ne souffrait pas qu'elle ait le premier rôle et lorsque nous téléphonions du dehors pour avoir de ses nouvelles, il répondait, contre toute vraisemblance, qu'elle allait très bien. Pas une fois il n'admit le contraire.

C'est l'essoufflement inquiétant de ma mère qui nous conduisit un matin à la consultation de l'hôpital Bichat.

À peine le professeur l'eût-il auscultée qu'il conclut à la nécessité de l'hospitaliser. Elle ne l'avait pas entendu. En aparté, je demandai si, en la gardant à la maison, sous garde médicale... Il m'interrompit : « Elle a un souffle au cœur et une fièvre qui laisse supposer la présence d'un virus. Je dois faire faire des analyses et la placer sous perfusion. Si cette malade rentre chez elle, je ne réponds de rien. »

Nous nous regardâmes, mon frère Georges et moi, avec consternation. Jamais personne, dans l'histoire de notre famille, n'avait couché dans un lit d'hôpital, sauf mon père blessé pendant la Grande Guerre, mais cela était pris dans une imagerie héroïque faisant de l'hôpital un sacrifice glorieux.

L'hôpital, dans notre code judaïque, c'était l'infamie. On tolérait, devant l'inévitable — une opération par exemple — l'idée de la clinique, mais l'hôpital, c'était pire que la mort : une malédiction, la honte s'abattant sur le pauvre monde ! Je ne sais quelle vieille superstition, venue du Moyen Âge, de l'Inquisition ou des grandes épidémies, ce simple mot éveillait en nous, mais le fait est que, tout au long de mon enfance, il suffisait qu'on le prononce pour que les visages frémissent ou que les plus âgés marmonnent instantanément une prière, une phrase de conjuration du style « Dieu nous en préserve ! » et baissent la tête comme pour éviter la vue d'un démon.

Personne ne savait même comment un hôpital était fait. Personne n'y avait jamais mis les pieds. L'hôpital d'El Kettar, étincelant de blancheur sur sa colline, notre jeunesse ne pouvait l'ignorer mais il avait toujours été pour nous un monument, une abstraction, rien d'autre qu'une architecture dominant Bab-el-Oued.

L'hôpital, c'était la fin de la dignité, la misère suprême, le lot des mendiants et des chiens.

Comment expliquer l'effroi, le rejet et la condamnation d'une institution devenue, de nos jours, si tristement banale ?

C'était pourtant bien simple. Chacun des nôtres, aussi loin que notre arbre généalogique nous permettait d'aller y voir, était né, avait traversé ses maladies — les plus graves, les plus contagieuses —, était mort dans sa maison, dans son lit, entouré des siens, nourri, lavé, soigné par les siens, y compris nos médecins qui passaient deux, trois, quatre fois par jour si c'était nécessaire pour prodiguer leurs soins car même l'idée d'une infirmière, l'idée d'une étrangère s'immisçant dans l'intimité de la naissance, de la maladie, de la mort — dont la famille seule était dépositaire — eut été insupportable.

Ce n'était ni un usage, ni un rite, encore moins un principe. C'était comme une mission sacrée, comme un pacte avec Dieu que l'on eût rompu de la façon la plus sacrilège si l'on avait confié les siens à l'hôpital. C'était la calamité suprême car au bout du compte et s'il avait fallu résumer d'une phrase tout ce qui pouvait terrifier nos esprits et nos cœurs orientaux, l'hôpital, c'était l'abomination des sans-famille.

Il fallut pourtant le dire à maman. Je faisais face au médecin, le dos tourné à ma mère, et je restai quelques secondes engourdi, dépassé par ce que je savais devoir affronter.

Lorsque je lui annonçai la nouvelle, elle ignora mes paroles et dit, d'un ton sans appel : « Je vais rentrer à la maison », comme si elle avait voulu oublier que j'aie pu proférer pareille incongruité. Mais mon regard ne parvenait pas à lui dissimuler mon désarroi et, tout à coup, comme si les démons s'abattaient sur elle, ses yeux s'affolèrent ; elle voulut m'opposer une énergie qu'elle n'avait pas. Georges essayait de m'aider, mais nous avions presque honte d'user de notre autorité contre la violence intérieure de ce rejet que la faiblesse de la voix et le manque de respiration rendaient pitoyable.

Ce fut une bataille douloureuse. Il nous fallait la convaincre de quelque chose que tous les fantômes de notre passé, de notre culture commune, réprouvaient. Bataille injuste parce que nous étions plus forts qu'elle. Elle avait du mal à comprendre, sachant que je savais comme elle ce que représentait l'hôpital. Et quand elle vit que nous ne pouvions pas céder, alors elle nous infligea l'intolérable. Son menton se baissa et tout son visage, toute sa silhouette n'exprimèrent plus que ce qu'une mère peut montrer de pire à ses enfants : l'humiliation.

Ce que furent les deux semaines de son hospitalisation n'est probablement pas grand-chose au regard des grandes misères humaines. J'avais tout le temps conscience de ce que, autour d'elle, dans ce lieu, d'autres drames se jouaient, autrement vastes. Mais il y avait tant de pudeur blessée dans l'attitude de ma mère que sa souffrance et la mienne étaient sans commune mesure avec la réalité des faits, même si ses pauvres bras décharnés offraient peu de prise aux aiguilles, même si ses veines martyrisées les rejetaient constamment et finissaient par lui causer des inflammations insupportables. Je me faisais quelquefois passager clandestin et passais la nuit auprès d'elle pour la réconforter, essayant de lui faire un peu de lecture, mais la brûlure de ses bras l'empêchait de me prêter attention. Chaque minute, elle aurait voulu qu'on retirât ces aiguilles persécutrices. Elle me suppliait de le demander aux infirmières ; les infirmières insistaient : il fallait les garder. Je n'étais d'aucun secours et n'avais finalement que ma présence à lui offrir.

Pas question de laisser mon père seul pendant tout ce temps. Il fallait se relayer, Georges, Geneviève et moi, pour dormir là et assurer sa subsistance. À partir du petit déjeuner, il était perdu et faisait peine à voir. Il n'avait d'abord jamais vécu seul, puis n'avait jamais vécu sans ma mère. Et il avait quatre-vingt-quatre ans. Nous prenions soin de lui mais malmenions ses habitudes et ce qui venait de notre main n'avait pas le même goût, n'avait pas le même sens. Et puis, la tyrannie avait changé de camp. Ma mère avait été suspendue à ses désirs ; maintenant, il était suspendu à nos allées et venues et changeait sans cesse de compagnie, de langage, de ton, de style. Difficile, au milieu de ce va-et-vient, de satisfaire la seule exigence qu'il ait jamais eue : celle d'être totalement pris en charge.

On n'isola jamais le virus de ma mère. Existait-il seulement ? La fièvre ? Elle en avait toujours eu un peu. Toute sa vie, un thermomètre avait côtoyé les tubes d'aspirine sur sa table de nuit. Au fond de moi, je regrettai d'avoir cédé à la dramatisation et de n'avoir pas pris le pari de la laisser tranquillement chez elle. Tout le temps de son hospitalisation, une faible courbe de température avait oscillé entre un peu plus et un peu moins de fièvre, rien que de coutumier. J'ai toujours eu le sentiment qu'on aurait dû éviter cette hospitalisation blessante. D'autres, plus tard, allaient suivre, qui — celles-là — furent indispensables.

Peu après son retour chez elle, une autre misère devait l'agresser : un zona, cette espèce d'incendie qui vous enflamme un trajet nerveux et rend les nuits intenables.

Maman défaillante une deuxième fois, papa ne s'en remit pas. Son désarroi le menait maintenant à l'intolérance. Primaire, il avait toujours eu des difficultés à se raconter. Il s'exprimait par phrases brèves qui marquaient l'étonnement, la révolte, le sarcasme, rarement l'affirmation ; doutant de lui-même, toujours prêt à reculer dans la conversation, il était, peut-être à cause de cette incertitude, prompt à s'emporter. Son visage tournait au grenat, il mordait sa lèvre et crispait ses poings, mais les mots ne sortaient pas. Pourpre, écarlate, agité devant le spectacle du *catch* à la télévision, il laissait apparaître alors une violence cachée le reste du temps sous beaucoup de bonhomie. Après quelle injustice du sort en avait-il ou contre quelle vieille peur luttait-il ? Enfant, je l'avais vu, dans des moments d'extrême contrariété, enjamber un balcon — vision terrifiante devant laquelle on ne pouvait que céder — ou menacer de briser quelque objet précieux parce que la volonté de ma mère s'était opposée à la sienne.

Tous ces écarts expliquaient plutôt qu'ils ne contredisaient l'agneau craintif qu'il était à chaque heure de chaque jour. La peur de sa propre violence en faisait un être sans agressivité.

Avec le temps, ses absences s'étaient aggravées mais dans l'état d'insécurité où l'avait plongé la défaillance de ma mère, elles avaient pris des proportions de plus en plus inquiétantes. Il commençait à ne plus retrouver son chemin ; il avait fallu épingler à la doublure de ses vestons des étiquettes portant son nom, son adresse et son numéro de téléphone car il rentrait de plus en plus tard, affolé d'avoir erré dans Paris sans plus savoir où il habitait.

La vieille peur avec laquelle il avait toujours vécu et qui — bien avant toutes les psychoses du monde actuel — lui avait fait blinder, barricader, chaîner ses portes quand personne ne le faisait encore, collectionner les armes à feu, tenir un casse-tête à portée de main, cette vieille peur maintenant ne le quittait plus et il n'allait jamais ouvrir la porte à un visiteur sans emporter, dissimulé dans sa manche, un poinçon effilé comme un croc de hyène, protection d'autant plus dérisoire que nous le savions incapable, devant le pire, d'accomplir ce geste qu'il avait prémédité toute sa vie.

Nous ne pouvions plus le laisser seul à la maison et quand il fallut conduire maman à ses soins, je l'emmenai régulièrement avec nous. Dans la salle d'attente, puis dans le cabinet de la dermatologue, il laissait voir une grande confusion. Il ne savait plus où on était, croyait qu'on venait consulter pour lui, était déçu, dérouté. Nous n'avions pas mesuré l'étendue du trouble qui l'habitait. Cette femme attentive et bonne me poussa à me tourner un peu plus vers lui. Il devenait tout à coup le premier des deux à sauver. Malheureusement, le mal allait empirer. Il était de ceux contre lesquels on ne peut rien.

Le neuropsychiatre chez qui je le conduisis était un homme honnête ; il ne promit rien. Lorsqu'il se prépara à faire un électro-encéphalogramme, mon père se prêta à tous les préparatifs avec un sourire béat. On tamponnait ses tempes, son crâne, on posait les électrodes. Il était ravi : on s'occupait de lui. Et sur le trottoir en sortant, il me dit que ce que lui avait fait le médecin lui avait fait beaucoup de bien et qu'il était sûr qu'il allait le guérir.

Mais un jour que nous étions tous les trois à table, je le vis manger sa soupe du bout des lèvres. Désignant ma mère qui venait de se lever pour aller à la cuisine, il me dit sourdement :

— La femme... là... elle me met du poison dans ma soupe.

Je restai interdit, croyant à une mauvaise plaisanterie, puis risquai, dans un demi-sourire :

— Mais... tu plaisantes. Tu ne peux pas penser une chose pareille ?

— Je sais ce que je dis ! fit-il sur un ton sans appel, les yeux plongés dans son assiette comme s'il y voyait quelque chose que je ne voyais pas.

Ma mère vint se rasseoir, loin de se douter de ce qui venait de se passer, et je restai pétrifié, incapable de penser ni de reprendre le cours d'une conversation.

Les jours suivants, la scène se répéta et je cherchai à le raisonner, lui rappelai que cette femme était sa femme, qu'il n'était pas empoisonné sinon nous le serions tous. Il concédait un « peut-être » hésitant, pour réaffirmer aussitôt qu'il y avait bien du poison, qu'il le sentait dans sa tête. Son regard flottait et j'essayais d'éclairer sa confusion, mais il n'était plus en mesure de suivre un raisonnement et déjà sa phobie s'étendait à Georges, mon frère, qu'il désignait comme « cet homme là-bas »... « Cet homme » lui voulait du mal... et je croyais pouvoir aussi défendre Georges contre un délire qui me désaxait de plus en plus.

Comment pouvait-il me tenir hors de sa suspicion, dans la nuit qui l'envahissait, garder pour moi une parcelle de clarté ?

Je perdais pied, tentais de lui faire valoir que maman, Georges, moi, c'était pareil, que s'il avait confiance en moi...

— Oui... oui... peut-être, faisait-il et, devant mon insistance :

— Ah bon, alors ça change tout.

Mais il était trop tard ; il était trop loin, rien ne changerait. Je m'enfonçais avec lui au lieu de le tirer à la surface.

Dans un sursaut d'espoir insensé, j'essayais de lui écrire plutôt que de lui parler, laissais sur son établi des notes généalogiques. Je pensais naïvement que lui rappeler ses liens familiaux raviverait sa confiance. Il me promettait de les lire en mon absence, ne le faisait pas.

Comment pouvais-je croire en de si pauvres stratagèmes ? Et quelle morbide prétention que de vouloir réparer l'irréparable ! Je m'étais fait bossu pour épouser sa bosse, avais failli me laisser engloutir dans sa spirale infernale. J'avais ouvert les yeux à temps pour me dire que je ne pouvais pas porter le fardeau de sa déraison, mais je le vivais comme un échec.

Nul ne sait jamais comment il se comportera face à l'insupportable.

Nous arrivions au printemps de 1973 et l'état de mon père s'était légèrement amélioré. Sous l'effet des drogues prescrites par le neuropsychiatre, il avait tout au moins cessé de vivre dans la persécution. Ma mère sortie de son état inflammatoire, un calme illusoire suivait la tempête.

Il leur fallait du repos. Notre amie Solange suggéra, à Grasse, une maison du troisième âge sous surveillance médicale qui acceptait de les accueillir pour deux ou trois mois. Elle connaissait l'une des pensionnaires, madame Hubert, avec qui maman s'entendrait très bien.

Ils s'installèrent dans cette demeure seigneuriale au salon imposant, avec sa cheminée d'époque à hauteur d'homme, qui avait autrefois abrité des princes. Les chambres avaient perdu de leur lustre et l'inévitable papier à fleurs avait remplacé les lambris et les soies du passé.

La salle à manger blanchie à la chaux, garnie de tables et de chaises des plus ordinaires, faisait restaurant de quartier malgré les boiseries anciennes conservées ici et là. Mais le lieu lui-même, admirablement implanté dans un parc d'une grande beauté, avait gardé toute sa noblesse.

Le premier contact avec madame André, la directrice, fut plus que sympathique, chaleureux, rassurant. Elle respirait l'autorité, la compétence, la joie de vivre, et se prit d'une immédiate affection pour papa dont elle perçut toute la détresse et le besoin d'être protégé. Je la revois, lui tapotant la main, lui parlant comme si elle l'avait toujours connu, et mon père, émerveillé de tant de bonté, parvenant à plaisanter, à la faire rire. On aurait dit qu'elle connaissait son histoire. En fait, elle la connaissait mieux que nous et plutôt que d'essayer de le ramener au rivage, comme j'avais cru possible de le faire, elle l'accompagnait dans sa trajectoire imprécise et le laissait dériver comme on baigne un enfant en lui laissant croire qu'il nage tout seul.

Je me sentais malheureux de n'avoir pas su être simple et de n'avoir pas pris tranquillement moi aussi la main de mon père.

J'assistais, plein d'humilité, à ce savant ballet du papillon et de l'ange et je mesurais le poids du désintéressement, cette aptitude à s'ouvrir à l'autre, à l'accueillir tel qu'il est sans y mettre rien de soi-même qu'une totale disponibilité. Me revenait alors cette phrase, une des plus belles que je connaisse parce qu'elle a la musique de ce qu'elle veut exprimer : « Ceux que le don d'amour a dénoués d'eux-mêmes ». Cette femme en était l'illustration. Elle n'avait rien d'une sainte, elle était coléreuse, réelle, mais elle avait la dimension de ce qu'elle faisait.

Je revois les premiers temps de leur séjour à *La Bastide* comme une pause bénie après la tourmente que nous venions de traverser. La saison était belle, la lumière généreuse, et le parc resplendissait d'une végétation multicolore organisée à la française par les soins d'un vrai jardinier amoureux de ses pelouses et de ses haies. Le mari de madame André veillait aussi sur chaque plante et chaque fleur. J'aurais dû beaucoup apprendre de lui car il me parlait de chaque pousse, de chaque brin d'herbe avec une science étonnante, celle qui vient de soi et pas des livres. Mais j'étais trop vieux citadin pour capter les messages ; je me contentais de rechercher sa compagnie pour le plaisir d'entendre un homme parler de ce qu'il aimait et aussi parce que cela me réchauffait le cœur de savoir mes parents aux mains de gens de cette qualité.

Il y avait là une fontaine, un bassin, des arbres centenaires et un espace pavé à l'ancienne où quelques pensionnaires venaient planter leur chaise à l'heure où le soleil commençait à décliner. Ces moments, je ne les oublierai jamais, car s'il y eut un peu de bonheur dans les dernières années de mes parents, c'est là qu'ils le trouvèrent.

Ils se joignirent au demi-cercle des gens âgés, nouvellement arrivés pour la plupart et que les autres observaient de loin, indifférents ou renfrognés, mais nous n'en étions pas encore à analyser ces nuances. Une gaieté s'installait, qui n'était pas de commande. D'où venaient-ils ? De quelles épreuves sortaient-ils ? On en parlait peu. L'heure était au sourire, à la séduction. Les messieurs avaient toujours un mot agréable pour les dames. Entre eux, ils se livraient à des assauts d'esprit, à des joutes d'étudiants.

Il y avait là l'Avocat, homme d'une très grande distinction, fin lettré, aristocrate comme on peut l'être sans le savoir, qui avait noué une forme d'amitié, de complicité plutôt, avec l'Ingénieur. L'Avocat approchait de ses quatre-vingts ans. Il traitait en jeune homme l'Ingénieur, qui gravitait autour de ses soixante-dix. L'Ingénieur, il est vrai, se comportait comme un gamin farceur, toujours à l'affût d'une bonne blague, cultivé lui aussi, plein d'anecdotes intéressantes mais avec quelque chose — je le dis avec la plus grande tendresse — d'un peu voyou qui contrastait avec la noblesse de l'Avocat. Toute la drôlerie de la situation naissait de cette opposition entre la condescendance souriante de l'un et la force populaire de l'autre.

Jamais, dans des conditions de vie normales, ces deux-là ne se seraient fréquentés ni même rencontrés, mais dans ce microcosme qui abolissait les distances, ils avaient trouvé un mode de relation dont le pittoresque venait précisément de leurs différences. Et c'était très émouvant de surprendre par moments une mimique de recognition sur le visage du grand seigneur lorsque le gamin des rues lui donnait une marque d'érudition inattendue. Ce genre de provocation de l'élève envers le maître et de bienveillance du maître envers l'élève amusait tout le monde. Ma mère était enchantée de cette émulation pour laquelle, lorsqu'on la connaissait bien, elle était faite. Quant à mon père, à notre grande surprise, il se montrait aussi présent qu'il pouvait l'être. Pris dans le cocon de la convivialité, il était souriant, enfantin comme il l'avait été toute sa vie dès que s'offrait à lui un spectacle, quel qu'il fût.

Nous jouissions de ces moments, d'abord parce qu'ils étaient savoureux en eux-mêmes, mais surtout parce que cela nous mettait du baume au cœur de savoir nos parents en si bonne compagnie.

C'était pour nous tous, frères, belles-sœurs, enfants, une découverte que cet univers inconnu d'une pension du troisième âge où nous débarquions sans préjugés, sans références, et nous bénissions l'amie Solange d'avoir orienté nos recherches vers cette belle et bonne maison.

Mes neveux eux-mêmes, qui avaient treize et dix ans, et qui auraient pu s'ennuyer mortellement dans ces réunions d'un autre âge, y prenaient un plaisir inattendu. Laurent, l'aîné, était particulièrement fasciné par le style vestimentaire de l'Avocat.

Vêtu de pied-de-poule, de prince-de-Galles, parements au pantalon, chaussures bicolores, il avait une garde-robe pléthorique, vestige d'un passé de notable de province habitué des casinos et des champs de courses de Deauville, de Biarritz et de Monte-Carlo. Il était directement issu des années trente et de Scott Fitzgerald, moyennant quoi Laurent et Hervé, sanglés dans leurs *jeans* à pattes d'éléphant le trouvaient « vachement dans le coup ».

Au fil de nos visites, nous de devions pas tarder à constater que nous étions les seuls non-résidents à nous mêler régulièrement à la vie de La Bastide.

À l'exception de l'Avocat, que sa fille venait chercher une fois de temps en temps pour l'emmener prendre le thé à Grasse, d'une vieille dame qui recevait quelquefois, elle aussi, la visite de sa fille, tous ces gens étaient seuls.

L'Ingénieur et madame Hubert — l'amie de Solange — étaient les jeunes de la communauté. Elle, soixante ans à peine, avait choisi de vivre là plutôt qu'en appartement, par commodité. Lui, resta toujours un mystère. Il parlait beaucoup d'un fils dont il était très fier et d'une famille merveilleuse qu'on ne vit jamais. Ils étaient les seuls à aller et venir en ville, à apporter dans la bulle quelques bouffées de l'extérieur.

Mais les autres... il ne fallut que quelques jours pour que leurs cœurs s'ouvrent et que, sous les masques souriants, apparaissent les premiers signes de mélancolie. Ils étaient tristes de nous voir et de ne pas voir les leurs, ce qui n'était pas loin de ressembler à de la jalousie envers mes parents. Oh, bien sûr, cela prenait le ton de la flatterie. Nous étions une vraie famille, des enfants comme on n'en faisait plus. Sans aucun doute, ils le pensaient, ils s'en émerveillaient même, mais comme des enfants qui convoiteraient les jouets d'autres enfants. Leurs propos me faisaient mal car ils émanaient du fin fond de leur solitude et je me sentais presque coupable de cette conscience douloureuse que nous avions éveillée sans le prévoir, sans le vouloir, simplement parce que nous avions un comportement normal dans un monde qui ne l'était plus.

Je me pris à observer leurs très rares visiteurs et je fus frappé de leur trouver un comportement commun. Ils arrivaient presque sur leurs gardes, sortant de leur voiture les clefs à la main ; ces clefs qu'ils ne lâchaient jamais une seconde le temps que durait leur entretien avec père ou mère, ces clefs que les vieux fixaient pauvrement comme des sabliers inexorables, ces clefs étaient la façon la plus lâche de dire : « Je suis venu en passant. Ma voiture m'attend. J'ai à faire ailleurs... »

Je les observais, les vieux. Ils n'écoutaient plus ce qu'on leur disait ; ils suivaient le balancement du métal et répondaient par des hochements de tête à des propos embarrassés et impersonnels. Je les voyais se lever comme des automates une seconde avant leur interlocuteur dès qu'ils devinaient que l'entretien était terminé, comme pour devancer la sentence et décider eux-mêmes de leur propre condamnation plutôt que de subir la loi de l'autre. Pauvre sursaut d'un orgueil qui n'était que résignation.

Et le soulagement, et l'indifférence de celui ou de celle qui remettait ses clefs au contact de la fuite ! Quels enfants allaient-ils retrouver ? Ceux qui, à leur tour, les abandonneraient plus tard ?

Pour la première fois, j'approchais le pire. Jusque-là, je pensais que seuls quelques monstres ici et là étaient capables de confier à d'autres la mort lente de leurs parents, mais je découvrais que l'artisanat tournait à l'industrie et mes allées et venues à *La Bastide* n'avaient plus l'euphorie des premiers temps.

Chacun des miens étant retourné à ses occupations, je restai seul, dans la semaine, à pouvoir pour quelques jours encore assurer une continuité. Mais alors je me rendis compte que tout ce que ce petit groupe avait puisé en nous, il l'attendait maintenant de moi seul. Dès que j'allais embrasser mes parents, ma mère me disait que madame Unetelle voulait me voir, que monsieur Untel avait quelque chose à me dire, qu'il ne fallait pas que j'oublie d'aller saluer l'un, embrasser l'autre. Ma venue était annoncée, commentée, attendue, et comme il n'était pas question d'aller voir chacun sans lui consacrer au moins quelques minutes, je voyais se réduire le temps que j'avais à passer avec mes parents, car il y avait leurs impératifs, les heures des repas que je prenais quelquefois avec eux, et madame André, toujours aussi vigilante, avec qui j'allais régulièrement m'entretenir, de mes parents, bien sûr, mais aussi d'elle-même et du monde. Elle m'apprenait qu'il y avait des êtres — elle parmi d'autres — que non seulement les souffrances humaines n'éloignaient pas, mais qui savaient les aimer, les approcher, les envelopper de beaucoup de bienveillance. Elle aimait tous ces vieux qui se jalousaient, se haïssaient quelquefois, la taxaient de favoritisme et d'injustice comme à l'école maternelle. Elle souriait des intrigues et des révoltes puériles. Cet ex-capitaine de vaisseau, par exemple, âgé de quatre-vingts ans, s'était trouvé dans la maison une fiancée qui en avait soixante-quinze et qui passait son temps à l'attendre au lit, insatisfaite. On disait même que c'était d'elle qu'il était mort.

À travers son discours, je comprenais l'attitude de ceux des pensionnaires que je n'avais pas abordés dès le premier jour. Ils étaient restés à l'écart et me montraient désormais froideur et réprobation quels qu'aient pu être mes efforts pour sourire à chacun d'eux.

Mes parents, ma mère surtout, ne voyaient de leur séjour que les avantages. Cette femme réputée silencieuse et discrète adorait bavarder, écouter les autres. Les histoires des gens, même les plus banales, l'intéressaient toujours. Leurs petits drames de famille, leurs satisfactions, leurs déboires, la façon dont ils se nourrissaient, s'habillaient : elle pouvait écouter à l'infini, sans lassitude. Elle avait l'intérêt des gens simples pour les histoires simples, à plus forte raison pour les aventures hors du commun des *stars* du cinéma ou de la chanson telles qu'une certaine presse aime à les ornementer ou à les dénigrer, quand ce n'est à les fabriquer de toutes pièces. Combien de fois, à mon grand regret, répondant à ses questions empressées, avais-je dû mettre un frein à ses enthousiasmes, atténuer ses émotions face à des articles mensongers ou pervers du style : « Clara et Vincent : c'est la séparation ! » Sachant que je connaissais les héros en question, elle était toute bouleversée et m'attendait, le journal à la main. J'en voulais beaucoup à ceux qui jouent ainsi avec la naïveté des vieux, car ce sont essentiellement eux qui ont le temps de prêter attention à ce genre de racontars. En connaissance de cause, je démentais et la rassurais. En cherchant bien dans un recoin de l'article qui occupait toute la première page, je trouvais, noyée honteusement dans un flot de sensationnel, une phrase du genre :

« Elle part huit jours pour Figeac où habitent ses parents. Retenu par ses occupations, il ne peut l'accompagner. C'est la première fois qu'ils se quittent depuis leur mariage. Les retrouvailles n'en seront que plus passionnées. »

Pauvre maman, si prompte à vivre les émotions des autres, peut-être parce qu'elle avait tellement eu à refréner les siennes.

Dans ce microcosme de Grasse où chacun n'avait rien de moins qu'une vie de chroniques à délivrer aux autres, elle trouvait une pâture inespérée et, venant après les épreuves de Paris, les douceurs méditerranéennes étaient les bienvenues.

Elle s'était fait une amie de madame Hubert. Jacqueline et Raymond montaient à La Bastide toutes les fins de semaine. Solange, qui habitait Vence, avait aussi son jour de visite. Quant à moi, rentré à Paris, je téléphonais tous les jours et multipliais les aller-retour. Air Inter allait apprendre à me compter parmi ses fidèles.

De jour en jour, leur retour à Paris fut reporté. Ils purent rester à *La Bastide* en changeant de chambre car de nouveaux pensionnaires, définitifs ceux-là, étaient attendus. Leur nouvelle chambre était moins agréable, moins bien située que la première, mais ma mère s'en accommodait très bien. Mon père avait toujours quelque récrimination à faire et c'est elle qui devait s'en charger. Sans aller jusqu'aux excès de ses pires moments, il avait quand même des accès d'agressivité, de suspicion ; elle les calmait comme elle pouvait, mais elle avait malheureusement appris à avoir peur de lui. Seule l'omniprésence de madame André, qui savait si bien le manier, était de nature à la rassurer car celle-ci savait quand rire, quand gronder, quand céder ou non.

Septembre vint et nous reçumes une lettre de ma mère nous demandant de faire un colis de quelques lainages et de le leur envoyer.

Elle n'avait jamais su s'éloigner longtemps de sa maison et cela me procura un certain plaisir de la voir exprimer l'envie de quelque chose d'autre. Mais n'y avait-il pas aussi l'appréhension de se retrouver en tête-à-tête avec mon père avenue de Clichy ? Nous avions partagé avec elle les tristes heures de suspicion, mais pas leur prolongement nocturne, pas sa solitude de couple dans un silence chargé de menaces. Le cocon de *La Bastide* n'était-il pas une protection contre la terreur qu'elle avait dû vivre sans jamais nous en parler ? Car on ne parlait pas de ces choses-là quand on était née en Algérie en 1891 et qu'on était une femme élevée dans tous les tabous d'un monde judéo-arabe. C'eût été comme rompre un contrat, rabaisser le compagnon, aussi imparfait fût-il.

Elle avait toujours eu peur. Dans son enfance parce qu'une sorcière était entrée dans sa maison, plus tard parce qu'un pierrot lunaire et gentil l'avait conduite dans la sienne. Peur aussi parce que deux guerres avaient successivement éloigné d'elle son mari, ses trois frères et ses trois fils. Et au soir de leur vie parce que sa lampe, à lui, n'éclairait plus très bien sa route et que, dans ses moments d'errance, il pouvait devenir un danger.

En octobre, ce fut une autre lettre, de cette écriture fine, régulière, ouvragée, d'un autre âge, dans un style toujours simple mais sans fautes de syntaxe ou d'orthographe malgré la modestie de son bagage scolaire. Cette fois, elle demandait qu'on lui envoie des meubles : la commode de bateau et la *stepping commode* anglaises dont j'avais meublé sa chambre avenue de Clichy, des lampes, quelques bibelots et le reste de leur garde-robe.

Ainsi, la Côte devenait leur séjour permanent. Je n'y trouvais pas d'avantage personnel, au contraire, car en les installant avenue de Clichy, je les avais placés à quelques centaines de mètres de chez moi et j'avais besoin de cette proximité, besoin de cet attachement, besoin même des soucis qu'ils me créaient parfois car ils étaient mes origines que je ne voulais pas oublier, mes amarres que je ne voulais pas rompre, ma chair, mon sang, comme ils le sont encore et le seront toujours. Aujourd'hui encore, ils habitent en moi et je leur dois, bon ou mauvais, d'être tout ce que je suis.

Je n'ai pas peur de cet aveu obsolète. Je n'ai pas peur de dire que plus d'une fois le téléphone sonnant au milieu de la nuit, erreur ou mauvaise plaisanterie, me faisait sursauter car instantanément c'est à mes parents que je pensais, avec la crainte qu'il leur soit arrivé quelque chose. En pareil cas aujourd'hui, je ne m'affole plus.

La décision de ma mère me procura tout de même une forme de soulagement, d'abord parce que dans le climat de Grasse ses douleurs avaient disparu comme par enchantement au point que quelques années plus tard, quand nous évoquions devant elle les moments pénibles de sa polyarthrite, elle croyait presque que nous fabulions. Elle, qui avait une mémoire d'éléphant, avait purement et simplement oublié et c'en était presque comique. Je savais aussi qu'elle en avait assez du ménage, de la cuisine et du marché et que le fait d'être servie lui était un énorme apaisement.

Alors je pris un abonnement à Air Inter et pris l'habitude de considérer Grasse comme la banlieue de Paris.

Je me revois en cette fin d'automne, plantant des clous aux murs de leur chambre pour y accrocher des gravures, moi qui, un marteau à la main, ai toujours été un danger pour mes propres doigts. Ils prenaient possession de leur nouvelle vie sans que cela changeât en profondeur la nature des choses. Ma mère y trouvait un peu plus de légèreté, un peu plus de santé, un peu plus d'échanges, en particulier avec madame Hubert qui l'emmenait chaque jour avec elle faire le tour du parc, rite que mon père ne voyait pas d'un très bon œil. Il avait l'exclusivité de ma mère et ne souffrait pas la moindre échappée. Et puis, madame Hubert avait à ses yeux une tare rédhibitoire : elle portait des pantalons. Les Orientaux de sa génération n'avaient pas encore digéré George Sand et Marlene Dietrich. On sentait qu'il vivait cette amitié nouvelle comme une rivalité irritante et il était devenu impossible de faire appel à son raisonnement. Mais après les très durs moments de Paris, ce simple accès de jalousie nous parut, à tort, quelque chose de relativement bénin.

Plus que jamais il manquait d'une activité. Les journées étaient longues malgré mes allées et venues, malgré la régularité des visites de Solange, de Jacqueline et Raymond chez qui je les conduisais quelquefois le dimanche, malgré quelques sorties que nous organisions aussi souvent que possible.

Avec l'automne, le petit cercle tint ses réunions dans la grande salle majestueuse et triste peu propice aux rires et aux facéties, car il fallait bien se mêler au gros des pensionnaires, vieillards délaissés, quelquefois aigris ou d'un commerce très limité dont la seule présence suffisait à freiner la spontanéité et les éclats des premiers jours, ne serait-ce que parce que certains regardaient la télévision, que d'autres essayaient de lire tandis qu'un quarteron d'acharnés faisaient leur partie de cartes tous les jours.

Nous étions prévenus depuis l'arrivée de mes parents à *La Bastide* : madame André n'était là que pour un temps limité. Elle avait toujours eu le projet d'ouvrir à Valbonne sa propre maison de repos spécialisée dans les soins aux grands malades. Vocation bénie dans une humanité abandonnée, mais qui n'arrangeait pas nos affaires. Les vieux, comme les enfants — leur complément naturel dont on ne devrait jamais les séparer —, détestent le changement et son départ allait en créer beaucoup.

Dès la passation de pouvoirs, des travaux d'agrandissement commencèrent. On entreprit d'ajouter au bâtiment une aile comportant une enfilade de chambres supplémentaires en rez-de-chaussée. La demeure seigneuriale se trouva ainsi flanquée d'une espèce de motel peu en harmonie avec elle et l'on désherba, déboisa, mutila une partie du parc magnifique pour y implanter deux petits pavillons privés de l'autre côté de la cour pavée.

Le départ de madame André avait été triste et joyeux. Nous lui avions fait un cadeau, l'avions remerciée, avions promis d'aller la voir dans sa nouvelle maison, ce que, pour ma part, je ne fis jamais car mes visites sur la Côte étaient toujours limitées dans le temps et chaque minute consacrée à quelqu'un d'autre que mes parents, j'avais le sentiment de la leur voler.

La nouvelle directrice fut charmante, amicale, compréhensive et finalement le passage se fit sans réelle difficulté.

Au printemps, les travaux prirent tournure. Le chantier boueux se mua en chantier poussiéreux. Une jolie fontaine avait été sacrifiée au passage et les beaux jours nous conduisaient lentement vers le premier des drames que nous aurions à connaître.

Il est presque sans surprise — sauf pour nous qui croyions le temps suspendu — de dire qu'assez vite les rangs des pensionnaires commencèrent à se clairsemer. Des visages disparaissaient, d'autres apparaissaient et je trouve terrible d'avoir à dire que cela changeait très peu la face des choses tant la grisaille est le lot commun de tous ces lieux — fussent-ils les plus riches, les mieux exposés — que l'on appelle hypocritement maisons du troisième âge.

Seuls les visages des premiers jours me sont restés présents par ce miracle de mémoire qui ne nous fait don que des meilleurs souvenirs. L'Avocat nous quitta très vite. L'Ingénieur retourna — dit-il — dans sa famille mythique. D'autres rejoignirent les rangs célestes et peu à peu j'eus du mal à m'y retrouver au milieu d'un anonymat que seule rompait de temps à autre une dame avec laquelle ma mère avait échangé quelques mots, qui désirait me connaître et me complimenter elle aussi d'être un bon fils et de ne pas déserter mes parents, leitmotiv lancinant de tous les vieux abandonnés.

Les promenades dans le parc finirent par raviver le délire de papa. À notre grande consternation, il se mit à voir en madame Hubert une ennemie. Pire encore, le fait qu'elle portait toujours des pantalons le fit la voir comme un homme qui lui prenait sa femme. Un jour d'été, le drame éclata. Un coup de téléphone nous informa que mon père s'était emparé d'une paire de ciseaux et avait voulu en frapper ma mère.

Je crois que si j'avais trouvé mon père hors de lui et ma mère en pleine panique, la situation m'eût paru relativement simple. L'ironie fut que mon père, sa crise passée, était redevenu la douceur même et ne se souvenait de rien.

Quant à ma mère, fidèle à son contrat, elle affichait, à défaut de calme, une dignité secrète et de contempler, pareil à lui-même, ce couple humble et inoffensif qui avait maintenant soixante-trois ans d'une existence commune, les larmes me vinrent aux yeux. Car cette image qu'ils me donnaient, ce ciment de toute une vie, il allait falloir les briser. Autant pour lui-même que pour ma mère, madame Hubert et le reste des pensionnaires, il fallut prendre la décision d'éloigner mon père de *La Bastide*, de séparer ces deux êtres noués l'un à l'autre par plus d'un demi-siècle d'habitudes sans même pouvoir se raconter que c'était pour peu de temps ou que mon père guérirait. Nous savions que quelque chose se cassait qui ne se recollerait plus jamais et la décision qu'il nous fallut prendre fut la plus déchirante que des enfants puissent avoir à assumer vis-à-vis de celui qui, avec ses défauts, ses faiblesses et ses absences, avait toujours été un vrai père, fier de ses fils, généreux dans sa pauvreté, courageux par-dessus les peurs qui l'avaient toujours habité et dont il payait à présent le coût inhumain.

J'aurais préféré de très loin qu'il ait eu une santé physique moins robuste et que ce soit le cœur ou les reins qui lâchent car, dans cet affreux désordre où ils sont plongés, les êtres comme lui vous quittent deux fois. La première, c'est lorsque, pareils à des astres fous, ils échappent brusquement à la gravitation et vont se perdre dans des espaces où ils voyagent sans vous. La deuxième, c'est lorsque vous les arrachez à leur errance pour les livrer à un monde définitivement clos et que vous refermez sur eux les portes de la vie.

J'avais connu sur la Côte un neuropsychiatre de grande réputation à qui j'allai raconter ce qui s'était passé, connaissant d'avance la solution qu'il préconiserait. Je n'attendais de lui qu'une faveur, c'était qu'il fasse admettre mon père dans la meilleure de ses cliniques et qu'il veille à ce qu'on ménage au maximum la sensibilité d'un homme déjà réinstallé dans son calme. Coupé de toute base affective, il se montrerait sans doute un pensionnaire docile et — les drogues aidant — de peu de complications.

Je crus m'être fait comprendre et obtins la promesse que sur sa recommandation on userait de méthodes douces et feutrées. Mais quand j'arrivai à la clinique quelques minutes après l'ambulance, je trouvai mon père sanglé sur un lit, ligoté comme un malfaiteur, son pauvre regard éperdu, scrutateur, posé sur moi :

— Pourquoi m'ont-ils fait ça ?

— Ça ne peut être qu'une erreur. Je vais voir...

J'affectai le calme le plus parfait, pour ne pas ajouter à son affolement ni dresser les infirmiers contre lui.

Mais je sus qu'il n'avait opposé aucune résistance et comme je protestai, il me fut répondu qu'on n'avait eu aucune instruction particulière et que c'était la règle de l'établissement.

Nous avions longuement préparé mon père en lui mentant, en lui disant que l'un de nos amis médecins allait s'occuper de lui, essayer de lui rendre la mémoire, que le traitement durerait quelques jours et qu'ensuite nous le ramènerions à *La Bastide*, démarche d'autant plus haïssable qu'il l'accueillait avec une docilité enfantine et que nous avions l'impression de le manipuler. Dans cette clinique où j'avais à affronter son regard et ses questions, je me faisais l'impression de l'avoir trahi.

Le mal était fait. Envenimer mes relations avec l'entourage de mon père eût risqué de le conduire plus loin dans son enfer. J'obtins qu'on le défît de ses courroies avec l'espoir qu'il n'avait déjà plus tout à fait les moyens de se souvenir de cet épisode et qu'il irait paisiblement vers sa destinée.

Quelques jours plus tard, son calme se confirmant, nous le transportâmes aux *Fleurs de France*, une maison de repos sous surveillance médicale constante où nous eûmes la chance que les infirmières, émerveillées de sa gentillesse, accompagnent d'une affection particulière le dernier tournant de sa vie.

Nous allions le voir tous les jours. Il était paisible, ailleurs. Un coton entoure le souvenir de ces visites impuissantes, amorties comme le sont les adieux à travers la vitre d'un train qui part. Papa s'éloignait lentement. La buée de ses yeux, la fumée de ses propos, nous le rendaient de moins en moins saisissable. Il gémit quelques phrases sans lien et sombra bientôt dans le silence et la léthargie. Nous fîmes descendre ma mère auprès de lui et je ne peux pas dire s'il la reconnut ou pas.

Un matin de juin 1974, nous le conduisîmes au cimetière de Magagnosc.

Si un endroit peut s'appeler lieu de repos, c'est bien cette enclave ignorée en contrebas d'une esplanade d'une autre époque. Construit en gradins, il surplombe un de ces paysages immobiles et intemporels qu'offre souvent la Provence. À deux niveaux de l'esplanade on peut y lire, gravé sur une plaque : « Salomon Bacri 1888-1974 ».

En remontant sur la place, je laisse à droite la petite chapelle des Pénitents blancs et me dirige vers la vieille église rose qui lui fait face.

Aux heures de la matinée qui sont les miennes, l'église est toujours vide. Quelques flammes y brûlent discrètement.

J'y ajoute aujourd'hui celles de deux cierges.

Maman ne voulut pas entendre parler de revenir à Paris. La fatigue de l'âge ? Des scrupules aussi, vis-à-vis de nous ? Maman ne disait pas ces choses. Elle était secrète et têtue. Aucun discours ne parvint à la convaincre.

Je n'avais pas voulu que mes parents rejoignent un jour dans les oubliettes du troisième âge la cohorte des rejetés. Mais, à sa façon subtile, elle nous avait mis par étapes devant le fait accompli.

Il fallait faire pour le mieux. La construction des *bungalows* s'achevait et elle gagna l'un d'eux, non sans réticences car elle n'aimait pas me voir dépenser trop d'argent pour elle.

Ma banque virait à la sienne des mensualités auxquelles elle ne touchait presque pas. Je m'en irritais. En réponse, elle m'attendait chaque mois avec un chèque en blanc revêtu de sa signature, sur lequel elle me demandait d'inscrire mon nom et le montant du solde. C'était son plaisir et cela flattait son amour-propre de me donner de l'argent.

Je la taquinais sur cette manie qu'elle avait de vouloir m'entretenir comme pour me pousser à l'oisiveté. Elle en riait, délivrée de ce petit caillou dans la chaussure que les Romains appelaient *scrupulum*. Puis je payais pour ses robes et ses gants de dentelle et l'argent faisait navette. Jamais je ne la vis soustraire de son compte beaucoup plus que le prix de son coiffeur, de son pédicure ou de quelques cadeaux d'anniversaires qu'elle n'oubliait jamais.

Le *bungalow*, j'y tenais pour son intimité dont elle avait toujours été jalouse, contre la mort avant la mort de tous ces vieux ensemble qui finissaient par ne plus parler que de leurs misères et de leurs maux. En ce sens, ma mère n'était pas vieille et aimait parler d'autre chose. Elle quêtait des nouvelles de l'extérieur.

Nous faisions mieux ; nous la sortions souvent pour déjeuner, pour entretenir sa coquetterie qui n'avait pas besoin d'encouragements. Elle avait toujours besoin d'une douillette, d'un chemisier, de chaussures — pas faciles à trouver car, à l'image de son enfance, ses pieds étaient meurtris et contournés.

Sa vue baissait, son audition avait faibli. Il fallut installer des écouteurs à son poste de télévision pour mieux suivre d'oreille des images qui lui devenaient imprécises. Dévoreuse de livres, elle ne lisait presque plus.

Elle put encore descendre à Nice en août 1975, quand je me mariai. Puis j'eus une enfant avec qui nous séjournions souvent au Vieux Moulin de Magagnosc pour la rapprocher de sa grand-mère.

Elle déjeunait avec nous, passait une partie de l'après-midi sous la tonnelle, dans le jardin, mais sa sieste lui manquait. Elle marchait trop peu, ses jambes la portaient mal.

Le temps où elle pourrait encore se déplacer, déjeuner à Nice chez Raymond et Jacqueline, nous était compté et nous sentions, plus encore que le déclin de ses forces, son désir de ne plus quitter son *bungalow*.

Elle eut son premier accès d'œdème pulmonaire. Le temps d'arriver de Paris, je la retrouvai à l'hôpital de Grasse où elle était sous oxygène. Elle n'était pas mal comme j'aurais pu le redouter, plutôt détendue. Mais la frontière entre la vie et la mort avait toujours été chez elle un fil impalpable, comme si elle avait pu décider à chaque instant de rester ou de disparaître. Impression primitive que sa présence était forte, mais qu'elle pouvait nous la retirer sur un claquement de doigts.

Sa silhouette déjà frêle s'était encore rétrécie avec le temps. Ses épaules s'étaient rapprochées l'une de l'autre au point d'avoir atrophié son cœur et ses poumons. Ainsi expliquait-on, en dehors des infiltrations liquides, ses essoufflements et son état cardiaque, mais moi j'avais toujours senti cette extrême fragilité et, depuis l'enfance, mon attachement pour elle était exacerbé de la peur de la perdre.

Dans cet hôpital de Grasse ouvert sur le paysage comme l'était *La Bastide*, nous nous retrouvions tous faisant les cent pas le long du préau, nous relayant auprès d'elle pour ne pas la fatiguer, pesant de tout le poids de notre anxiété sur le personnel que nous exaspérions parfois de toutes nos demandes.

Ici comme à Bichat, qui avait marqué l'annonce des moments que nous vivions, nous étions la plus envahissante, la plus perturbante de toutes les familles. Je sentais que nous poussions à la limite la patience des infirmières, mais qu'en même temps nous forcions leur sympathie. Je m'en rendais compte dans ces très rares moments de trêve que connaissent les hôpitaux, en particulier à la fin de l'après-midi, quand les malades dînent et que les infirmières prennent le temps d'une cigarette, d'une conversation. Nous avions alors des échanges dans lesquels perçait toujours un hommage à notre ténacité, comme un joueur peut reconnaître les mérites d'un autre entre deux affrontements.

Elles savaient aussi qu'elles forçaient mon respect et ma gratitude. J'aimais la santé de leurs corps et de leur éternel sourire, le calme total avec lequel elles répondaient aux geignements de tous ces souffrants, diminués, qui se suspendaient à elles. Je me disais que chacun de nous, les bien portants, devrait savoir qu'il doit beaucoup de son assurance à ces sauveurs de l'ombre.

Ma mère partageait cette fois sa chambre avec une autre malade. Elle avait dépassé le stade de l'hôpital tabou car il n'y avait plus de choix, mais pas celui de la pudeur blessée et de la crainte de déranger le personnel. Sa coquetterie naturelle ne perdait pas ses droits. Il fallait acheter du linge de corps, aller chercher sa douillette à *La Bastide,* son eau de toilette du Mont-Saint-Michel. Elle avait une respiration rauque qui m'oppressait. Lorsque, au moment des soins ou de sa sieste, je devais la laisser seule, j'allais fumer une cigarette dans le préau. Assis sur la balustrade, je reprenais le visage de ma peur. Je me disais injustement que ceux qui perdent leurs parents très jeunes ont peut-être moins de mal. D'abord parce qu'ils n'ont pas encore eu le temps de penser à la mort et que cette longue anticipation que nous vivions depuis des années était pire qu'un arrachement brutal. Ensuite parce qu'il leur reste à vivre une vie entière et que le temps a un pouvoir d'effacement et de compensation qui me faisait presque les envier.

Je n'étais pas très fier d'avoir de telles pensées. J'essayais de fixer mes yeux sur le bleu de l'horizon, de me laisser gagner par l'éternité qui s'en dégageait, mais je n'y parvenais pas. Le mieux que je pouvais faire était de me dire que finalement la nature avait bien fait les choses en nous ménageant des chocs successifs, comme autant de répétitions générales, et que chacun de ces chocs me préparait peu à peu à accepter l'inéluctable. Mais là aussi je me trompais.

En avalanche, les crises succédèrent aux crises. De nuit, de jour, l'hôpital envoyait son équipe. Elle était mise sous oxygène dans l'ambulance même, mais l'hôpital la gardait de moins en moins car, passé les premiers soins et l'électrocardiogramme de contrôle, il n'y avait rien d'autre à faire que de suivre la médication et d'observer un régime sans sel qui n'arrangeait rien. Elle avait un maigre appétit, mais d'avoir à avaler sans sel une cuisine déjà peu engageante la menait au bord de l'anorexie. Plus rien ne l'alléchait, pas même les pâtisseries de régime que nous lui apportions. Il fallait se battre pour qu'elle sorte de ses sirops de fraise et d'une orange à peler de temps en temps.

En raison de son état cardiaque, on avait longtemps hésité à l'opérer de sa double cataracte mais, privée de lecture et de télévision, les journées lui devenaient interminables. Entre la certitude qu'elle terminerait ses jours dans l'ombre et une chance très problématique de lui redonner un peu de clarté, il fallut choisir.

En salle d'opération, elle eut une déficience mais s'en sortit, avec des verres si épais que c'était nous qui ne la voyions plus. On les lui changerait à mesure que la vision reviendrait.

Je ne sais ce qu'elle avait pu percevoir des traits de ma fille au cours des quatre années que dura mon mariage. Je me demande si elle n'avait pas plus de réalité pour Célia que Célia n'en avait pour elle. Privée de la vue et de son audition, elle ne pouvait avoir de vrai contact avec un enfant.

Je l'épargnais plus que jamais.

Raymond fut brusquement transporté à l'hôpital. Je le lui cachais. Elle s'étonnait de son absence. Je lui inventais des tas de fausses bonnes raisons. Elle les récusait. Je la sermonnais d'être aussi possessive avec un fils qui avait toujours si bien pris soin d'elle. Je gagnais ainsi quelques semaines et quand Raymond alla bien, je la conduisis auprès de lui pour la rassurer.

Je lui taisais aussi ma séparation d'avec ma femme, laissant passer un peu de temps, puis m'arrangeant pour lui présenter ce qui était un échec et une déchirure comme le triomphe de la raison et du bon sens. La petite ? Nous avions tout prévu. Elle n'en souffrirait pas.

De mensonge pieux en mensonge pieux, j'amortissais tous les chocs. Elle avait assez de ses propres misères, car il était certain maintenant qu'elle n'y reverrait pas et nous ne savions comment endiguer son découragement. Elle se savait désormais vouée à la pénombre et au silence. C'était beaucoup à la fois et je ne trouvais plus les mots pour l'apaiser. J'étais trop dominé par son désespoir pour lui être d'un autre secours que celui de ma présence et de mes pensées. Je ne lâchais plus ses mains. À défaut de bien me voir ou de bien m'entendre, je voulais qu'elle reçoive un peu de ma vie. Je débordais pour elle d'un sentiment d'autant plus fort qu'il ne s'était jamais vraiment exprimé et j'essayais, en caressant sans cesse ses mains froides, de rattraper une vie de mots imprononcés, de gestes retenus. Je ne sais si elle percevait ce pauvre message, s'il suffisait à réchauffer sa détresse et sa solitude. Effondré, je me disais par moments qu'il était peut-être trop tard pour ranimer notre intimité perdue et qu'elle avait peut-être déjà renoncé à tout.

Alors, de partout où j'étais dans le monde, je lui envoyais des lettres d'amour. Je savais que mes voyages en Allemagne, aux États-Unis, en Italie, elle les vivait comme le signe de ma réussite. Je savais aussi par

Solange que, à travers l'image mondaine qu'elle se faisait de mon mode de vie, elle exprimait ses propres phantasmes de femme vouée à la grisaille qui avait dû aspirer à des luxes inaccessibles. Je savais qu'elle lui racontait l'euphorie de mes premiers succès et la fierté de mon père lorsqu'il sortait de sa poche des articles de journaux mentionnant mon nom.

Je lui écrivais que tant de bienfaits me venaient de la confiance qu'ils avaient mise en moi, des moyens qu'ils m'avaient donnés. Je lui disais que je l'aimais et pourtant, lorsque nous nous retrouvions, elle ne commentait pas mes lettres. À peine m'avait-elle dit qu'elle les avait reçues qu'un flot de pudeur la submergeait. J'aimais à en pleurer ce faible visage qui se levait vers moi comme vers la lumière, tout près de s'éclairer d'une infinie tendresse, et ces yeux qui soudain se baissaient, comme vaincus par l'inexprimable. Ce que mon enfance avait perçu comme de la froideur, mon âge mûr l'accueillait comme l'élan désespéré d'une offrande impossible.

Solange était une amie, mais seuls les caprices de la naissance en avaient décidé ainsi. Par les raisons du cœur, elle était de notre cellule qui n'avait pas de hiérarchie. Comme d'autres sont doués pour la peinture ou la musique, elle avait une aptitude au bonheur et ma mère avait beau avoir été vaccinée contre dès son jeune âge, elle fondait quelquefois devant sa faculté d'émerveillement.

Ma mère était une enfant à qui on avait volé son enfance. Dépassée trop tôt par les difficultés de la vie, elle les avait amplifiées et avait fini par ne plus voir que l'aspect menaçant des choses. Il en va ainsi des existences contrariées, tombées dans l'embuscade des responsabilités prématurées. Submergée par les vagues, elle ne savait pas apercevoir la beauté de la mer et c'est ce que Solange ne cessait de lui montrer. Nous, ses proches, avions trop été pris dans les filets de sa contrariété pour faire autre chose que d'essayer de nous en démailler en criant injustement ou en la raisonnant avec maladresse. Solange, avec l'innocence et le calme de ceux qui viennent de l'extérieur, n'avait fait qu'éclairer d'une lumière plus douce ses vieilles écorchures et s'il était trop tard pour y changer quoi que ce soit, elle avait su établir entre elles confiance et confidence.

Elle avait su percevoir, derrière le paravent de pudeur qu'elle déployait sans cesse entre elle et les autres, une sensibilité qui avait du mal à se frayer un chemin et des complexes qui la paralysaient et la poussaient à une coquetterie de tous les instants.

Elle avait éprouvé ses tabous, ses superstitions, mais aussi ses éclats de rire qu'elle aimait provoquer. Ils étaient rares, ses éclats de rires, mais d'une jeunesse émouvante, comme si, les ayant abandonnés trop tôt, ils lui revenaient intacts et la prenaient par surprise aux détours de sa deuxième enfance.

Elle portait sa main à sa bouche comme pour cacher ses petites dents d'écureuil. Peut-être n'aimait-elle pas ses dents. Peut-être pensait-elle être prise en flagrant délit car on a vu que dans son enfance rire était une faute. Elle en avait gardé le sentiment que c'était une chose précieuse à ne partager qu'avec ceux qu'on aime.

Solange avait su comprendre, accepter, aider et avait fini par découvrir quelques trésors à peine enfouis : la politesse du cœur qui n'est pas celle des gens polis, le savoir-vivre de ceux qui le possèdent sans l'avoir appris, le respect qui rend le monde plus vivable. Comme le souci de ne pas intervenir dans la vie privée des autres et de ne pas poser de questions tout en restant ouverte aux confidences.

À Solange, qui l'a aimée, estimée, cherchée sans toujours la trouver, je voudrais offrir cette phrase de

Gustave Flaubert, qui vécut très jeune une passion désespérée et en devint à jamais incapable d'aimer pleinement une autre femme, une phrase que ma mère aurait pu faire sienne si elle avait su se deviner et se faire entendre : « Chacun de nous a dans le cœur une chambre royale ; je l'ai murée, mais elle n'est pas détruite. »

À *La Bastide*, la situation commençait à se détériorer. Ma mère, que sa double infirmité angoissait de plus en plus, avait pris en grippe la nourriture de la maison. De plus en plus accaparée, Marianne déléguait ses filles pour la servir, ce qui la privait d'une autre nourriture essentielle : le dialogue. Et puis, aussi tragique que cela puisse paraître, il y avait envers ma mère un phénomène de saturation. Son séjour durait au-delà des normes. Même madame Hubert, de vingt ans plus jeune, avait eu le bon goût de disparaître.

Un an plus tôt, dans le désir de la rapprocher de Raymond et Jacqueline, j'avais parcouru la Côte de Nice à Menton, visitant des dizaines de maisons d'accueil, les meilleures et les plus recommandées, sans rien en retirer qu'un accablement profond. *La Bastide* était un paradis, comparée à tous ces mouroirs même pas déguisés dont je n'étais ressorti qu'avec le regret de m'être infligé une pareille torture.

À Cimiez, nous retrouvâmes finalement les *Fleurs de France*, villa de quelques chambres à peine donnant sur l'arbre unique et protecteur d'un jardinet provincial. Jacqueline et Raymond habitaient à dix minutes de là et les infirmières avaient déjà fait leurs preuves avec papa.

Elle ne devait plus sortir de cette maison où, par bonheur, elle sembla se sentir un peu chez elle. Elle y recevait des visites plus fréquentes et le personnel était plus disponible qu'à *La Bastide*. Et elle était à quelques minutes de l'aéroport, dans un environnement chaleureux et calme.

Je revois ce lit étroit accolé au mur, cette petite chambre toute en longueur donnant sur le jardin, le fauteuil près de la fenêtre où elle passait le plus clair de son temps, revivant probablement les moments de son enfance car, en voyant arriver sa fin, c'est cette période de sa vie qu'elle évoquait avec le plus d'émotion.

Elle approchait de ses quatre-vingt-dix ans et je savais que, à travers sa vitre, dans le silence de son incessant dialogue avec l'arbre qu'elle discernait à peine, c'est après un visage que sa vieille mémoire courait encore, le visage de celle dont elle m'avait dit, quelques mois auparavant : « Je suis sûre qu'elle aurait fait une très bonne mère. »

Me voici parvenu au soir de mon récit. Il va bientôt me falloir éteindre une autre lumière.

Je cherche le temps au carillon de Westminster, mais le carillon n'est plus là.

La main qui le faisait vivre, cette main au doigt blessé, l'a déserté.

La boîte à compter les quarts d'heure et son balancier huit reflets ont rejoint au grand reliquaire invisible tous les faux trésors, tous les éphémères de bois, de soie, de velours, de métal, de verre ou de porcelaine qui donnent aux maisons leur éternité provisoire.

Au grand livre des adresses, rue de Bône, avenue de la Bouzaréah, rue La Fayette, avenue de Clichy, Le Mas de Grasse, sont des lignes feutrées de rouge.

Il reste encore, dans un détour de Nice, cette chambre sur des feuillages où ma mère attend Raymond, Jacqueline, Georges, Geneviève, Solange, moi. Autre chose peut-être. Autre chose sûrement.

Sept années ont passé depuis que mon père est parti l'attendre là-haut à Magagnosc, près de la vieille église paroissiale et de la chapelle des Pénitents blancs.

Elle est près de sa fenêtre, repliée dans son fauteuil. Sa chevelure est affaiblie. Elle parvient encore à nous entendre, mais je crois que ses yeux nous devinent plus qu'ils ne nous voient. Un peu de jaune, un peu de gris semblent parfois teinter la cire de son visage lisse.

Et pourtant, ce n'est pas l'image que je garde d'elle. Ma mémoire agit comme ces dictionnaires qui montrent, d'un poète mort à soixante-dix-neuf ans, le portrait d'un presque adolescent romantique.

Je ne connais qu'un âge de ma mère, celui qu'elle a eu toute sa vie, qu'un visage, celui sur lequel mes yeux se sont posés un jour de reconnaissance, dans un de ces moments où, toute guerre effacée, tout reproche aboli, dénoué de soi-même, on accroche à son cœur un médaillon qui plus jamais ne vous quittera.

Elle porte son petit tailleur de soie bleu marine à fleurs blanches, ses chaussures nattées de bleu et de blanc. Ses gants immaculés sont ourlés de dentelle et son sac bleu marine est pendu à son bras. Un sourire veut poindre à ses lèvres, mais en même temps on dirait qu'il a envie de se cacher. Il y a là comme un mauvais tour d'enfant taquin qu'elle aurait voulu jouer mais qu'on ne lui a pas permis. Si elle l'avait joué ce tour, et d'autres tours, et d'autres encore, si elle avait rompu son carcan, elle aurait peut-être, sevrée de malice, l'air d'une femme comme les autres femmes. Mais elle a trente, quarante, soixante et même quatre-vingts ans et ressemble toujours à une jeune fille. Ses jambes sont menues, ses mains timides, et même si ses yeux portent une tristesse qu'elle ne veut pas montrer, sa bouche retenue par un petit pincement est prête à pouffer de rire.

Elle a la fragilité du verre, d'un verre dont on sait pourtant qu'il ne se brisera pas parce qu'on y trouve en filigrane la vaillance d'un métal noble. C'est le métal qui domine quand elle ne veut pas, quand elle refuse, quand elle se cabre avec la violence d'un jeune animal. Au contraire, quand elle veut convaincre, elle est patiente, tisse tous les fils de la nuance. Cent fois elle revient à la charge, insinue, persiste et finit par persuader.

Elle peut être ombrageuse, partisane, le contraire de la raison, qu'elle a toujours incarnée. Sa réserve n'est pas grande, elle est pleine comme un silo rempli de grains, elle est riche comme un coffre rempli d'or. Elle aime se raconter et elle aime écouter les autres se raconter. Geneviève le sait, et Solange aussi, qui me dit : « C'est une dame ».

En face d'elle, on se sent toujours un peu grossier. Non pas qu'elle rejette la familiarité — elle l'attendrait plutôt de l'autre par incapacité à la créer elle-même —, mais sa pudeur invite à une dose que seul le fou rire permet de transgresser.

Alors, elle fait semblant de s'offusquer et sa mine faussement scandalisée est une approbation déguisée.

Le centième du respect qu'elle porte aux choses et aux gens, si on pouvait l'inoculer, transformerait en êtres humains ceux et celles qui agitent leurs klaxons, font hurler leurs transistors, martèlent bruyamment de leurs talons les dallages de la ville ou laissent complaisamment leurs chiens s'oublier sur les trottoirs.

Mais quelle blessure aussi le jour où, sans autre ressource dans son lit d'hôpital que de se laisser vêtir ou dévêtir par nous, il lui faudra renoncer au secret de son corps !

L'enfant assoiffé de tendresse que j'étais a pu nourrir longtemps un sourd désaveu de celle qui aurait dû savoir caresser du geste et des mots, sourire et rassurer. Cet enfant a pu croire que sa mère était froide. Mais l'adulte savait qu'il était face à un océan de sentiments butant contre toutes les falaises d'une misère qu'elle n'avait jamais surmontée.

Elle est belle. Il ne lui a manqué, pour être jolie, que d'être heureuse.

Il s'en serait fallu de peu qu'elle atteignît au bonheur car elle demandait peu, mais mon père était de ceux qui sont à la dérive d'eux-mêmes et ne parviennent pas à s'atteindre.

Bien sûr, ceci n'est qu'un des livres possibles sur celui et celle dont j'ai donné ma vision, mon éclairage. Il est forcément partial, forcément incomplet, et ne leur rend peut-être pas justice. Il y faudrait aussi le livre de Raymond et celui de Georges, mes frères à qui je le dédie comme un chant inachevé.

Des années durant, la Côte était devenue mon seul pas naturel en dehors de Paris. À part mes déplacements professionnels, je prenais la caravelle de Nice chaque fois qu'un jour, une fin de semaine, des vacances s'offraient à moi. Je savais combien cela comptait pour elle, donc pour moi, et je n'avais jamais laissé beaucoup de temps s'écouler entre deux visites.

En ce début d'année 1981, je pris une respiration. Des difficultés personnelles m'avaient éprouvé. Je m'étais accordé un temps d'égoïsme et je la vis moins souvent. Ma conscience en souffrait beaucoup, mais avant de la revoir, il fallait que je surmonte un courant de lassitude. Je savais que Raymond, Jacqueline et Solange la voyaient tout le temps. Je l'appelais de Paris ou lui écrivais de l'étranger et je savais déjà que dès la mi-mars je reprendrais régulièrement mon chemin naturel.

Le 6 mars, vers le soir, en rentrant chez moi, je trouvai sur mon répondeur deux messages successifs de Raymond me demandant de le rappeler. Son ton, à moins que je n'aie su entendre, ne me laissait rien présager d'autre que l'un de nos échanges habituels.

Je savais que la veille, maman avait fait une chute dans sa chambre. On avait immédiatement fait une radiographie, constaté qu'elle ne s'était rien cassé, et on l'avait mise au lit.

Elle avait déjà fait des chutes en voulant se déplacer sans sa canne et chaque fois nous lui faisions la guerre pour qu'elle ne marche pas sans son appui.

Une fois de plus, elle s'en était bien tirée.

Je reçus donc de plein fouet la nouvelle que Raymond m'annonça. À midi, on avait apporté à maman son déjeuner. Elle était dans son lit, souriante, et avait bavardé comme à l'accoutumée avec le personnel qui l'aimait beaucoup. Quelques instants plus tard, une infirmière était revenue pour prendre son plateau et l'avait trouvée calme et morte.

Dans le silence de mon appartement, je fus saisi comme dans un étau. Je me sentis soudain minuscule entre quatre murs immenses. Je croyais avoir toujours été un solitaire et j'étais seul pour la première fois, aspiré par un énorme gouffre, vidé de mon sang.

Une immense culpabilité s'empara de moi. Je savais qu'elle avait toujours vécu mes visites autrement que comme de simples visites. Entre le moment où j'arrivais et celui où je partais, quelque chose se passait en elle, sur elle. Je m'exagérais peut-être mon rôle, mais j'avais fini par croire que j'étais son oxygène, que depuis longtemps déjà elle avait — elle le disait — perdu le goût de vivre, mais qu'elle tenait de visite en visite par les derniers filaments d'un lien qui s'était tissé entre elle et moi et qui nous faisait vivre l'un par l'autre au-delà des ondes connues.

On peut parfois se raconter à soi-même des histoires et je comprendrais très bien que l'on me considère bizarrement, mais je savais dans ce moment où la glace de sa mort s'était emparée de moi que si j'avais simplement appelé le matin pour lui dire que je venais la voir, elle m'aurait attendu pour mourir. Je savais que par une immense lassitude elle avait renoncé dans une minute de grand calme et de grande lucidité, mais que cette minute elle aurait pu la prolonger imperceptiblement.

Il y a dans la correspondance de certains êtres quelque chose qui n'est plus du domaine des sentiments ni de l'analyse et qui défie tout jugement extérieur. Je savais qu'elle m'aurait attendu et j'étais désespéré de ne l'avoir pas accompagnée jusqu'au bout de son parcours.

Étendue sur son lit, dans la petite chambre où je ne viendrai plus la voir, elle ressemble à la jeune fille de mon portrait. Un sourire flotte sur son visage apaisé. Si je l'ai jamais vue heureuse, c'est peut-être en ce moment où une porte vient enfin de s'ouvrir pour elle. Elle est belle.

Et moi, la voyant sourire, à travers mes larmes je m'essaie à la joie. Je veux qu'elle m'entende rire. Je veux lui dire que je suis heureux pour elle et d'autres choses qui resteront éternellement entre elle et moi, comme un parfum de vanille et d'orange...

Achevé d'imprimer au Canada
Imprimerie Gagné Ltée Louiseville